国家出版基金项目
NATIONAL PUBLICATION FOUNDATION

《三联经典文库》

第二辑

2012 年国家出版基金项目

三联经典文库

107

被日寇囚系半载记

王研石 著

生活·讀書·新知 三联书店

图书在版编目(CIP)数据

被日寇囚系半载记 / 王研石著. -- 北京 : 生活·读书·新知三联书店, 2014.1
（三联经典文库第二辑）
ISBN 978-7-108-04643-7

Ⅰ. ①被… Ⅱ. ①王… Ⅲ. ①日记－作品集－中国－现代 Ⅳ. ①I266.5

中国版本图书馆CIP数据核字(2013)第246623号

107 被日寇囚系半载记

责任编辑 卢 莹
封扉设计 蔡立国
责任印制 徐 方
出版发行 生活·讀書·新知 三联书店
(北京市东城区美术馆东街22号)
邮 编 100010
经 销 新华书店
印 刷 北京市松源印刷有限公司
版 次 2014年1月北京第1版 2014年1月北京第1次印刷
开 本 787毫米×1092毫米 1/32 印张 12.875
字 数 181千字
定 价 47.00元

《三联经典文库》出版缘起

适逢生活·读书·新知三联书店八十华诞，为弘扬传统，接续文脉，回报读者，服务社会，我们决定策划出版《三联经典文库》。

1932 年 7 月，生活书店在上海创办，此后，读书出版社和新知书店相继成立。本文库第一辑、第二辑所选图书，来自于这三家出版单位及其分支机构，以及 1948 年生活·读书·新知三联书店成立后的出版物，始于 1932 年，截至 1951 年，两辑各一百种。此为第二辑，涉及政治、经济、社会、军事、思想文化诸领域，涵盖专著、文集、散文、小说、诗歌、传记、报道等体裁，既有直面现实、追求真理、讴歌真善美、抨击假恶丑的原创作品，又有引介世界各国先进文化、传播新知、开启民智的迻译之作，真实记录了那一代知识分子的思考与探索、理想与愿景和对中华民族文化传承与创新所做出的努力与贡献。

本文库所辑入各书，多为名家名作，在版本方面，以初版一印本或经著译编者审定、修订、增订过的版本为首选，因此本文库又具有较为珍贵的版本价值和收藏价值。

本文库还将编选续辑，使之成为恢弘文化工程。诚挚希望读者给予批评和指正，帮助我们完善编选工作，再现三联经典作品之风采。殊为遗憾的是，由于年代久远，一些原著译编者及其后人未能取得联系并奉付稿酬，诚盼版权所有者与我们联系。祈愿三联前辈所创造的精神财富能薪火相传，为中华文化的伟大复兴增光添彩。

《三联经典文库》编辑委员会

2013 年 8 月

凡　例

一、本文库为重排本，由繁体字竖排版改为简体字横排版。

一、以忠实于原作、整旧如旧为编辑原则，对当时使用的专有名词、外文译名，以及民国时期的语言和特色予以保留。

一、原书注释如旧，编者所出的注释，均以“编者注”标明，以示与原书注释的区别。

一、对原书残缺或字迹漫漶之处，以□示代。

一、对繁简文本转换时的“如右”、“见左”一类，对应改为“如上（前）”、“见下（后）”。

一、对原书中各种错讹脱衍之处，直接订正，不再以其他符号标示。

一、对数字、标点符号的用法，在不损害原文语义的情况下，做必要的规范。

一、本文库各书均前插原书书影、原书版权页和文库版“本书出版说明”。

一、本书出版说明的撰写，以客观中立为原则，扼要介绍本书的内容、版本流转、著译编者的情况。

本书出版说明

1937年7月19日，王研石被日本宪兵队逮捕，至同年12月27日释放，历时半年。获释后回忆自己所遭受的各种折磨，以及同押狱友的种种遭遇，用半年的时间以日记形式写成此书。书中描述了牢内极为苛刻的待遇：饮食严重不足、酸臭腐败；卧处潮湿、寒冷、拥挤不堪；白天只许盘膝而坐，不许倚靠、站立等等。尤其是描述了在押人员所受到的种种令人发指的酷刑：皮鞭木棒抽打是最轻的，动辄往鼻孔大量灌凉水、各处烧烫、上"好汉床"等等，常常令人昏死几次。作者把半年的亲身经历、亲眼所见情形呈现出来，意在使国人知道：若国家灭亡，我们将变成日本帝国主义的奴隶、囚犯，将会面临这种生不如死的境地。以此激励国人要警醒，要实行全民族共同抗战，非如此不能赶走日本侵略者，实现我中华民族的独立和自由。

本书由生活书店 1938 年 8 月初版，本次出版即以初版为底本。

王研石 (1904-1969)，笔名公磊、公敢等。黑龙江哈尔滨人。1925 年 4 月任《国际协报》编辑。不久又兼任上海《申报》和《新闻报》驻哈尔滨特派员。“九·一八事变”后，冒险进入日寇侵占的沈阳城，采访日寇残害我国军民暴行。1932 年 3 月，任《国际协报》总编辑。5 月日伪当局将他逮捕，后经该报和工商界出面保释出狱。1933 年 10 月，任天津《益世报》采访部主任。“七七事变”后，再次被日本宪兵队逮捕，半年后获释。1939 年 4 月再次在重庆被捕，坐牢五年。出狱后，继续从事新闻教学和报纸工作。抗战胜利后，曾任重庆《时事新报》总编辑等。1947 年 6 月回到天津，就任《益世报》总编辑。1949 年后，先后任天津中苏友好协会研究员、俄文图书馆馆长和天津市人民图书馆馆员。1969 年 5 月 8 日病逝。

生活·读书·新知三联书店

2013 年 8 月

生活书店 1938 年 8 月初版书影

被日寇囚繫半載記

實價國幣捌角伍分
外埠酌加寄費

著者 王研石

發行者 生活書店

漢口：交通路六十三號
廣州：漢民北路五十號
重慶：武庫街二十一號
上海：福州路三八四號
西安 長沙 成都 梧州
桂林 貴陽 昆明 蘭州
宜昌 萬縣 衡陽 金華
香港 南鄭 南昌 天水

印刷者 生活印刷所

中華民國二十七年八月初版（漢）

原书版权页

目次

前　记

民国二十一年，东北三省——其时热河犹在我手——既已沦陷，日本气焰如“方张之寇”，看着进行伪“满洲国”计划，对有志之士，删刈唯虑不尽。四月初李顿爵士，领导国联调查团一行团员赴东北调查，已故上海《申报》名记者戈公振，上海《新闻报》名记者顾执中二君随行，到沈阳时被阻深入，二君竟函我，努力工作。其时我居哈尔滨，任当地《国际协报》总编辑职，兼充《申报》、《新闻报》、天津《益世报》驻哈记者。津沪同业消息上联络最多。东北陷落后，关内外通信，只恃哈尔滨一无线电台，而哈尔滨发出的新闻，中国报人只我一人。所发消息，殊为国人重视。我个人自幼长成于东北，耳濡目接，无非毗邻者所予的刺激，生于多难与忧患的国家，爱邦、爱种的意志，不觉培植日固。日本既暴力攫据东北，思想少违者，鲜不硁硁自保。我则基于“爱邦爱种”之念，对一己的安危，漫不考虑，每日工作，唯力是求。初不知日方早已侦伺，欲得我而甘心也。迨戈顾二君被阻于沈阳，抵函于我，同时天津《益世报》经理刘君豁轩，亦电我尽量供给调查团活动消息，两函一电，皆遭哈尔滨日本宪兵队检出，于是捕禁我心乃决定。二十一年四月七日正午，我方由电报局交涉电报迅速拍发事甫毕，归道里面包街四十号寓所。坐犹未定，一碧油汽车插日本国旗驶抵我门前停止，我由窗内外望，心中一动，私忖此车来得蹊跷，或者日方遣人捕我乎？正忖度间，门铃忽大响，家人惶急告我，谓有两西装日人叩门，老母尤为骇骇，令我由后户潜逃。我半生以来，不懂“趋吉避凶，明哲保身”之义，只觉“成仁成义”，古人能为，今人何独不能，况我一己逃避，老母家小又将如何？因不以母意为然，径自启门延二人入。二人询王先生在家否，我告以“我即是”，并诘其是否日本宪兵队所派来，二人颇讶我之前知，遂径承彼等是日本宪兵总队宪兵，奉命邀我赴东省特别区警察管理处一谈，——时管理处长为华人，该机关隶东省特别区长官公署下，犹仍旧制，——恐我不信，特出示其便衣证章。我未作犹豫，著好外衣，即随之往，老母闻知，甚为惶骇，掣我衣襟阻我往，我安慰母亲数语，谓去去不妨事，掉首不顾而出。二日人左右夹持，置我于汽车中，驶赴管理处，既到地点，不许我下车，其中一人入内，似有所禀白，约历一刻，引二日人出，同钻入车厢，命车复驶，一径到秦家岗日本宪兵总队部内，令我住于宪兵补助队守卫室中。

我自被禁后，内外消息隔绝，每日除听些盘旋天空之飞机声外，别无所闻。拘押至第九日，日人将我带至一室讯问，指我有“抗日反满行为，作不利于日方军事行动宣传，且有暗示与旧吉军攻入哈埠，对日侨大屠杀企图”。我当时已存拼却此生之意，据理与辩，不少怯馁。讯至中间，日人外出，似有所禀白，室内只余一翻译。其人低声告我，姓李名 ××，本朝鲜人，旧隶独立党，一向活动于吉边延吉一带，曾充延吉朝鲜人主办的《民声报》总编辑，以谋复故国，奔走号呼，前后被日方逮捕四五次，最近一次，为民二十年，经多数朝鲜民会担保，始逮一死，但仍软禁不放，逼为哈尔滨宪兵队工作。

并告我，吾侪虽国籍不同，志趣则一，今子被系，和吾曩昔被絷情节相类，最好口风放软一些，切勿过亢过强，不然他们囚禁你不放，你虽有天般才干，也无所用施。我细味其言，颇近情理，察其词意，也非欺讹。迨后日人入室续讯，我口风略改，伪作愚呆，果讯诘未久即毕。其后又八日，复将我提出讯问，究诘我与关内各报通信联络之事，仍指我为顽梗抗日反满者。向我恫吓，云须北满军事结束后，方能释放。我反复辩争，历一小时久，日人态度似转缓和，然犹追问我有无何项文件，如报告材料之类，将供给国联调查团？其实当我被逮的前两周，我已搜集材料甚多，恐家中藏匿不便，特送存于驻哈 × 国总领事馆华文秘书童君 × × 处，拟俟国联调查团抵哈时，我潜到 × 国领事馆访见，便中将我搜集的材料贡献。讵事未谐，我竟被捕，使我计划未获实现。日人究讯及此，我吃一惊，深惧渠辈已获得我准备的材料，但我表面故示镇静，告以无有，追诘数四，我均坚决答复以“无有”。是日讯问约一时半才毕。二十一年四月二十四日早十时，复将我提出，径告我“队长已许可释放我”，唯须遵守三个条件，当即出示一铅笔书就的甘结，开列条件是：一，由释放的第二日起，每天须到宪兵队一次，至宪兵队许可不必再来时，为止。二，不得发表此次被捕经过。三，不得再为抗日反“满”宣传。其中并注有担保人增子固姓名。——我被禁后，家人百端营救，至第七日，始知我被禁地址，时增子固以前清遗老资格，为日方所眷顾派充伪“满”参议院参议，与我谊属兼葭亲，故我家人尝浼其担保。——我因有朝鲜人李××前次忠告，深觉不获得自由，任何图谋也难望就，甘结内所示第二三两条，抽象广泛，我径承诺。对第一条用意不明，乃诘其缘故。日人告我，此是短时间办法，并非永久的，设经宪兵队考察你行为确无违反于第二三两条后，到相当时期，即可取消。我至此忽恍悟，日人必系恐我设法逃脱，乘国联调查团犹未离开东北，追踪前往报告，供给一般材料，——时调查团一部团员赴黑龙江省境调查，一部团员赴沈，——我不得已，也承诺之。于是完成按斗箕等手续，至是日午前十一时得出宪兵队。计由被捕迄释放，在押共十八日。出门后以手抚摸头面须发鬑鬑，衣履垢污，自顾昂藏之躯，亦一大国国民，今竟遭寇仇无端的囚系，“国未亡，而等于亡，族未奴，而身先奴”，瞻念前后，不禁翘望云天，发一浩叹。抵家后，老母兄妹妻小诸人，环立一室，见我囚形垢面之状，均泣下数行，我亦为之黯然久之。

我被禁十八日，每天度日如年，衷心如焚，有时尚不能恝置“自我自利”观念。——是年我三十岁——克制与坚忍工夫，不能贯彻，对于事态的观察，也缺乏较为明透通达的识见，因之结果虽只短短十八日，却如被禁数年。在押中每闻天空飞机轧轧声，则发妄想，默望飞机失事，跌落宪兵队屋宇上，炸毁全楼，我虽身如齑粉，死亦无憾。此殆人于危难中，求生不得，转而求死之恒情也。经此一度艰险后，顶发忽白，精神也不如昔。讵日人因我自由后，思想并无变换，仍不容我，监视我綦严，使我虽被释放，精神、思想依然受桎梏焉。其后复有第二三四次的风险，欲复将我收捕，经我设法挣脱。

第二次的风险，是我被释后两月，我犹冒险向沪津各报拍发电报，所取消息，由我明告日方谓系根据日本东方社电——即现今日本联合社的前身——原稿先经日本宪兵队检查，再由我送电报局拍发，此种办法，是我获得自由时，据理争得者。我的用心，无非珍惜此关内外一线消息途径，不忍令其断绝，致时日一久，关内同胞，视关外的沦陷，等于燕越肥瘠，漠不关心。拍发电报，在于刺激国人，“顽强懦立”，共挽救危难的邦家而已。电文原稿送与日本宪兵队检查，加盖图章，然后附同译文再送往电报局拍发。唯我所译出的电码，与原稿并不相同，譬如“吉林省垣遭义勇军三千围攻，日军迎战，伤亡甚众”。电码固照此翻译，原稿则作“旧吉军在吉省垣附近被日军击退，弃尸多具”。此盖知日方绝无逐码检译工夫，而以汉文骗过，如此行之一月，忽为日方察觉，发觉原因，系因我的电报，由哈尔滨无线电台发出，电台中人，经我联络，虽有日人驻局检查，亦不为泄漏。电报发出后，以系明码，遂同广播，凡津沪京平各地报馆，装有无线电收报机者，皆可收到。因消息的珍贵，莫不煌煌大字刊出，致为各地驻在日领注意，纷纷剪裁下去，寄往哈尔滨日本宪兵队，嘱咐搜索消息的来源。有一天哈尔滨日领馆机关报《哈尔滨日日新闻》以大字登出一条新闻，标题为“哈尔滨《国际协报》记者王研石强顽反满抗日，宪兵队检束取调中”

（按:“检束取调”意义，应作“看押调查”解释）。——我阅读后，觉得不妙，正寻思应付办法，是日即接日本宪兵队通知，令于翌日午前十时到秦家岗总队部听候问话。我此际虽明知危险万分，但犹不敢作逃想，因我被释后未久，我寓所对面，即成立一宪兵分遣队，其中由曹长以迄补助队，无不识我。我无形中早在彼等监视线内，实无术可以脱身。翌早我径往宪兵队，并告嘱家人，谓午后我如不归，定属再度被押，家下可不必想法营救，听其自然可也。家人自老母以下，闻之莫不凄惶。我到宪兵队后，仍与日人辩争，谓电稿均经过彼方检查盖章，且电局内复有日人检查，其得放过，自系被认为无忤于日方，否则何不扣留？日人理屈，最后命我不得再为关内通讯工作，无论电报通信，皆须断绝，我无奈承诺之。至是日午后二时许，始释我归，到家时，老母等人，正绕室彷徨，计无所出，见我安然回来，均惊喜交集也。

二十一年秋九月日军既占有东北各重要城市，渐肆兵力于吉黑沿边，昔日之吉黑军莫不化整为零，散在各地，采游击方略。其中声势较大者，自为马占山，李杜两将军所领导的两支。东北三千万民众，对祖国的复土抗战希望既绝，唯有寄其最后一线盼祷于马李二氏。日方欲断绝东北民众此种希望，乃集结兵力，先围攻马占山将军部队。安古镇一役——在海伦巴彦两县间——合陆空军之力，包围马军，满拟一举歼灭，讵马将军卒率骑士三百余突围宵走。战后日军指挥官田中于乱尸中寻得一具，指即马氏，列举三点，证马已阵亡，三点为：一，死者著中将制服；二，死者蓄有八字胡；三，死者携有一大皮箧，内贮黑龙江广信公司大宗钞票，并精致鸦片烟具一套，专差驰驿，奏凯报捷。关东军闻报，大举庆贺，军部且褒奖田中。各地日特务机关及宪兵队，皆发新闻，夸述其事，强制各报披登，历一星期不断。我觉日方所摭报三点，既不足为马氏阵殁信征，而马为东北抗日义军灵魂，果遭不测，亦不便铺张消息，为敌宣传。因此我决定不为披登。《国际协报》为北满言论重镇，拥有多数读者，向为一般所信仰，此报既不刊载，人遂视该项消息是日方虚构。以是遭哈尔滨日特务机关大忌。某日派副机关长原田大尉，访东省特别区警察管理处长王瑞华，要求立即下令查封《国际协报》，并将我逮捕，管理处通知于我，我知事已至此，存亡绝续，端在我有无应付办法。乃径赴日特务机关晤其主持宣传事责的日人远藤，睹面后远藤气势汹汹，指我以“巧妙方法”编辑《国际协报》，意存煽惑民众，阴行抗日，并有与旧吉黑军秘密联络，作其宣传机关嫌疑。当时并取出剪报一册，悉系贴剪二月来《国际协报》登载消息，逐条向我诘询，断章取义，谓我抗日反满思想甚浓。最后则归结于安古镇消息，瞋目犷声诘我一星期以来，始终不肯登刊之故。我则处以镇静，告以《国际协报》属于营业性质，登一消息，必持审慎，“少涉恍惚，宁缺勿滥”，马占山之死讯，日方宣传的三点，证为确实。依《国际协报》同人研究，则觉飘渺。第一点，死者著中将制服，认即是马氏，我等则疑马如果真著制服，必为上将制服，因渠升任黑龙江主席，兼东北边防军副司令，照理须上将制服方宜。目今中日双方作战，仅属冲突性质，马氏所部又属游动性质，既非正式国际宣战，渠自无戎服齐整，立于阵头，供日方轰炸标的之理。第二三点，蓄有八字胡，携大宗钞票及鸦片烟具者，愈不能即认作马氏无疑，盖此二种物事非马氏独有之特征也。《国际协报》恃营业收入以维持，自须慎重刊登消息。

倘特务机关必欲查封《国际协报》暨逮捕我，以示重惩，我个人自不便为一己安危辩护。唯《国际协报》是二三百职工“抱残守缺”生命源泉，设因查封而使二三百人失业，增加社会不安因素，其罪责非我所敢负。我当日发话极多，口沫横飞，已忘却身在何地，对语者何人矣。由此一席辩争，远藤竟为气折，反劝我勿过躁急，特务机关可允许《国际协报》继续出版，并取消逮捕我命令，暂用“以观后效”办法，不究治此次过失。我是日由午后一时赴特务机关，晚五时许方归报馆，馆内同人正跂足望我归来，闻我述及交涉经过，始如释重负焉。

二十二年秋七月，《国际协报》因刊登新闻，结怨于“伪满”吉林宪兵队哈尔滨中队。其队长邹某借伪满黑龙江省长孙其昌次子失踪事，密诉我于哈尔滨日本宪兵队，谓我与义勇军勾结，将系子绑架隐匿，勒索巨款为军费。日宪兵队遂于某日拂晓，包围《国际协报》馆，挨室搜索，馆役奔至我家报告，我急著衣驰往。时日宪兵队搜索已毕，一无所得，业经解围归去。我觉此事件若不办理清楚，纠纷不能算了。乃不顾一切，径赴日宪兵队投案，面见其特高系主干人员，要求将我扣押，施行调查，待有结果，证明孙子的失踪，与我无关时再释放我。并告以我系《国际协报》主编人，任何责任，由我负担，苟无涉全体馆员事，无须小题大作，劳师动众，包围报馆，加以搜索。否则全馆工人百余名，不明真相，发生流血惨剧，岂非遗憾。日人以我敢来投首，作此强硬要求，信我必属无关，温语致歉，嘱即回馆，告慰职工，切勿恐慌。我办理此项交涉时，忽发现一最使我骇惧事件。盖与我谈话的日人，正检查案头一堆信件，其信件均是我所发寄，报告不利于日军消息于津沪各报，日人皆自邮局检获者。先是我自二十一年被日宪兵队强制停止关内各报通信联络后，我终不甘自馁，过相当时期，我得与哈尔滨某英商洋行接洽，烦其代为转信，该洋行对我言，绝以秘密方法传递信件于我指定地点，且担保绝无危险，亦绝不致为日人发觉。讵我试办未及二月，是日竟无意中于宪兵队内获见我的信件，悉为日方检获，因知某英商洋行语我者，皆欺我之谈也。我归来，心颇不安，筹思至再，想得一法，即以搜索报馆事为题目，拟一函，仍申我亲面所述的请求，要其将我拘押，施以调查，勿累及阖馆人员不安。原函由报馆中人代缮，送往宪兵队，意在使日人见我函后，以为我笔迹如此，不致疑其所检出的信件，是我所发者矣。函去后，数日无何消息，我始放心，此一厄危我遂幸免，事后思及，犹不寒而懔也。

民国二十二年冬十月二十一日，我因受天津《益世报》聘，离哈来关内。我之所以离开可爱的第二故乡——哈尔滨，实因日方始终认我思想与其政策柢牾，主编《国际协报》，有不妥协，不服从，阴蕴巧妙“排日反满”的宗旨。日文《满洲日日新闻》——满铁所办——发行的 × × 杂志，不断刊登我秘密结党，阴行抗日文字。致日方调查我行动，监视《国际协报》较前愈严。且散播统制新闻纸减少发行机关，归并《国际协报》于亲日嫡系报纸消息。我认为如不离开，恐将由我一己关系或许断送《国际协报》生命；故忍痛挈眷化装潜行。初意关内情形，当愈于关外，精神上或不致受何过分刺激。乃足踏山海关后，睹唐东一带民气的泄沓，敌势的烈张，与士大夫的萎靡，外力的煎迫，无不使人失望。时日俄为中东路让买问题，国交正恶，华北人士尚无人注意其事。我乃为文刊登于沪《新闻报》，津《益世报》。

以唐东情形为契机，旁及日苏关系的影响于我者，发为唤呼之论。同事暨相识者，皆目我为狂呓，谓我来自关外受刺激过深，神经过敏，好为耸听之论，意违词夸，杞人忧天耳。我则举“九·一八”前，安奉铁路沿线情形，以证外力深入，将启侵略之渐为说，——“九·一八”前两周，万鲜案发，我尝衔申新益世报馆命赴万宝山，朝鲜京城平壤等地调查，道出安奉线，见敌势的厚植，祸伏于肘腋，尝于调查记内，附带报告，一般咸认我忧虑过早。未几“九·一八”事发，人始重我先见。《万鲜案调查记》，曾由《益世报》印编《万鲜案实录》单行本发行——人均窃笑我言多语过。其后我觉徒作此说，空乱人意，且被目为颠狂，与其多言无补，不若躬自努力。我既仍担任申新两报记者，唯有自勉，着眼于华北外交问题，尽量采访日方的活动新闻，供给两报，借以促国人注意。二十四年华北《何梅协定》缔成，伪自治运动发生，形势日非，所谓经济开发，政权明朗化诸说杂生，国人渐知华北严重，咸移其目光，注视局势的推移。复因中日关系复杂化，研究解决者，悉认须先华北入手。于是有华北问题研究者出现。我的职务，为报告新闻，该区又属此等地带，见闻较多，报告亦繁，除报章登载时间性之电报通信外，并每周以“公敢”“大桀”两笔名成系统述写，供《申报》周刊载登。一得之愚，刍荛之献，谬荷少数人引为参阅资料，政府 × 部亦以通讯责任见托，我不意拉杂文字，竟获多方青睐，被研究华北问题者引为同志，于是更不敢懈忽。搜集此种消息渐多，牵涉方面遂广。文字在求写实，语不择词，冥冥中结怨之处亦多。其遭日方的嫉视，较为尤甚。朋侪见我纵笔写作，每为我忧虑，劝我宜少敛锋芒，文字应求含蓄，我亦知继此发表遭忌消息，一朝事变陡生，将难自保，顾一方感觉责任所系，一方复觉国民义务，不应旁贷，以是遂有芦沟桥战事发生，再遭日宪兵队囚系半载之祸。

* * * *

我于二十六年七月十九晨六时被捕，同年十二月二十七日午后一时释出，计日被禁一百六十三天，论月恰为半年。此次被逮，以我平日工作而言，固早在料中，二十四年冬津市因伪自治运动发生，宵小汉奸，群出活动，平日我攻讦此辈体无完肤，一旦渠等得势，自不能容我。即此辈无意对我报复，恐日方亦不将我放松。故彼时尝预嘱家人，倘我失踪，或被日宪兵队捉去，务须持以镇静，在可能范围内营救，否则听其处置可耳。彼时我书就一函，为我被捉后，通知沪报者，兹特检出，并录于后，用知我此番遭禁，以我个人预测，犹迟二年也。原函如次：

×× 先生台鉴：

石不幸遭津日军部逮捕，此固早为意料中事，唯自信除从事于新闻事业外，向未参加任何活动，此次被逮，在我无保障之国民，自难抵抗，唯有听其自然而已。此间工作，已预托×× 二君暂代，目前只有维持消息不断，重要者不漏。预计至多三月，当可获释，逾期无望。

尊处可另派人负责，手此敬候撰安！

王研石顿首　二十四年十二月六日预留

二十六年十二月二十七日，我被释归家后，检阅我被捕后各方来函慰问我家属，及海内同文同业营救文电，使我万分感激涕零。在押半载，得自由后，重睹社会，乱离之余，恍如另一世界，唯身体虽获自由，精神上仍受监闭，每一着想，则不欲偷生。第思际此国家存亡绝续之交，又觉凡我民众，应尽有财输财有力输力义务，我精力未衰，年事尚壮，其我输力之时欤？构思至此，不禁握拳透爪矣。

此一册子，所纪均留置所内事，在押期中，既无纸笔可得随时逐日纪写，且以监视殊严，事实亦不许我如此做去，日后乃不得不凭记忆力追纪。册子既为我所写，自然以我为中心，此或不脱置我过重之处。汉后吕雉杀高祖宠姬戚姬，断其四肢，投之宫苑内，名为“人彘”，我被禁后，其情形正复如此，所差者只四肢未为割断，故遂以《人彘》名此小册子。

我写此小册子意义，敢自矢非为一已吹擂，溯自中日战发，死难殉职豪烈之壮士，执戈御侮抗战之健儿，不知几十百万，似我被禁半年，事迹既属平凡，经过亦无奇特，何须缕述。第以作奴作囚，非身历其境，遭遇其事者，未必道尽其详，《人彘》兼收当时在押的一般人情况，其中可痛可泣发指眦裂者正复不少，以我为中心而表彰之，俾国人知国亡后，为奴为囚之不易，略有所警惕，未始不无贡献也。倘此小册子得流传后世，目为“亡国奴”日记亦无不可。

（前节二十七年二月五日草于天津，时在获释后一个月又七日。）

本　纪

二十六年七月十八日　星期日

今日天气晴，早七时刚过，就为电话吵醒，草草盥漱毕，只身赴东站看由朝鲜开到的日军情形，见第一二两月台军需品山积。票房偏东木栅栏被拆毁一段，日兵直开载重汽车进月台，装运军火等品。车站内外满布日方正规军，义勇队，在乡军人，对出入华人，投以凶恶目光，使人望见，分外不安。客车被挤至月台一角停放，旅客上下车，须多走半里。七时五十分有关东军装甲车一列，由关外开到站，停于第五道路轨，车上载有日兵二百余名，下车休息，在天津日国防妇人会妇女卅余名，趋前慰劳，并送清凉饮料，我伫看四十余分钟始离站。

午后二时，得各方消息，知北平情形尚安，大红门冲突停止，经将午前情形，归纳为一简略报告，发电报告沪报馆。连日疲劳，复因每晚只睡三数小时，精神颇患不继，乃到法租界龙泉澡塘匆匆沐浴一次。浴罢赁汽车一部赴进德社及某处访问大局消息，得知今日午后一时，情形已转缓和，宋哲元偕陈觉生——北宁路局长——曾赴日租界偕行社拜会新任华北日驻军司令官香月清司为初步正面接洽。我觉此项报道，有速达馆方必要，遂便道过电报局，发一急电。事毕路过英租界，觅寻空房，盖由事变发生，我总觉时局严重，因华北日军少壮派，近方唱出“九·一八”第二之说，其欲分裂华北使不得中央化心正亟。此次事件，恐将扩大，如战事爆发，北平城垣高厚，西苑南苑各驻重兵，倘指挥得法，足以抗战一月。天津逼近海口，门口洞敞，堂奥毕现，又有日租界关系，必将首先陷落。我为未雨绸缪，有迁入租界，免临事张皇，通信联络被切断危险。我平日主张，最反对住租界，尝对友侪言，有租界的都市，固可托庇外人，设无租界区域，又当若何？友侪则目我为固执，均谓君未逢变乱，不知其痛苦，苟乱事爆发，当知君说为不可靠。近数日时局豹变，我渐觉我一向的主张，有些不妥，所以急求迁地。不意英法租界内空房大都租赁一空，虽间有一二所未租出的，看看多不合意，寻觅许久，怅然归家。

晚间工作特别忙碌，气压甚低，颇苦闷热。一行工作，一行拭汗。九时后得知今日旁晚河北区邮务管理局曾去有便衣日人十数名，称系天津日宪兵队派来者，要求明日起，派员驻局检查来往信件，防止抗日活动。以手枪逼华副邮务长黄家德承诺，并诫其不得将此事宣传于外。我闻得后，急以电话觅黄询问，得悉的属实在，乃电沪馆详述其事，发电后自忖时局情势，仍不许乐观，我侪工作，今后恐将遭遇非常困难。我又联想及连日馆方寄我的报纸，均未收到，此中或不无汉奸代为扣留，送往日宪兵队检查，如此我恐有被捕危险。思至此，决定于工作完毕，赴租界旅馆暂避。夜饭十点方吃，吃饭时为前项思潮所萦系，私念今晚得在家下用饭，明朝或许吃不着家饭，而被囚于日宪兵队中矣。我妻见我怏怏，询我何故，我不愿说出，使其不安，以无事告之。

十九日早一时，得知宋哲元专车已备妥，定十九日晨七时左右回平，我恐发电被扣，乃叫南京长途电话，与分馆通话，由分馆转告沪馆，此种办法，我已试办两次，尚觉方便。今日叫号后，候无多时即接通，心尤为慰。夜三时得平方长途电话，晓大红门复有冲突，幸未几即停。三时半东马路有日兵约千余人通过，目的似开北平，人马叫嚣，夜静时远闻数里，我复发一简单急电报告于馆。至四时许，未接何项新消息，唯电话甚忙，多系友人来询问时局情势，及请我推测中日关系前途者，我殊感疲于接谈。

我恐惧被捕的幻想，仍未祛怀，因检出有关信札，自行投于室外炉内，燃火柴焚毁之，家人睡中见天井内火光，群起惊询，我告以无事。四时半，体力极疲，踌躇刻许，自己宽解，日方即或捕我，不至于明日即实行，因入室就寝，头甫着枕，即酣然入睡。

七月十九日　星期一

今日天晴，早六时我正酣睡中，忽为敲门声惊醒。开门见系我包车夫张大，告我有本地面警察局中人，欲见我有事接洽。我觉不妙，即披衣下楼接见。来人共四名，一著灰布长衫的，身体瘦小，两眼灼灼似贼，又一穿白夏布长衫的，襟角挂一徽章。另一穿青长衫胖子，及警察一名，则把守门外。灰衫的见我下楼，问我是否王先生，我告以是。灰衫人谓彼等系天津警察局侦缉队第三队侦缉员，奉局长李文田命，请我到局谈话。我知渠所说皆属诳语，踌躇是否应随其往。拟叫侦缉第三队电话，询该队乔队长知否此事，盖欲借此延宕时间，俾我家人皆起，知我被捕。灰衫人恐我真叫电话，忙阻我道："不必叫电话了，叫通了也没用。"我由其语意揆知彼辈所称"奉警察局之命请我谈话"更属骗我。

时我母两弟及我妻均已惊起，询我何事。我告以日本宪兵队已派人来捕我，警察局对此举已予同意。灰衫人闻我径道出渠辈所自，颇露惊讶，恐我有拒捕意，连番催我速行。我乃从容著好衣履，披一罗衫，一壁嘱我妻为取钱数十元，备在押中零用。我并故意扬声告我妻，将我被捕消息，传告同业，家下无须惊慌，可直赴日租界日本宪兵队探询我下落；凡我工作，觅人代理，并电告馆方，派人接替。灰衣人见我嘱告家人，复催我速行。我妻及二弟褰衣阻我，经我叱退。出门后，已预有汽车一部停候，三便衣人乃挟我登车，行未数武，当时特二区警察派出所巡官已得报，举手拦住汽车，要灰衣人等赴特二区挂号。于是汽车改途驶赴特二区，到区公署，灰衣人下车入内挂号，我由其他二人挟持候于车内不许动。候之许久，灰衣人与一四旬男子，蓄有短髭者同出，短髭者询我姓名年籍，笔之于册，然后挥手令行。我当时本有心跃出车外，奔入特二区公署，要求见其主任曹朴——曹为曹汝霖子——拒往日宪兵队，又一转念，此辈既许日方越境捕我，自无外交上对等抗衡力量，我入内要求，适自增其辱，因打消此念，听车开行。灰衣人坐于司机旁，指挥汽车循万国桥经法租界，越新寿街，曲折多时，达日租界春日街日本在天津宪兵总队部。我虽居天津多年，对日本宪兵总队部所在地，犹未前知，今日方晓其地址，总队部门外堆积沙袋，布有电网，有武装日兵荷枪鹄立，警戒殊严，此殆与我廿一年在哈尔滨被捕时，所见宪兵队情形正复相仿，下车后灰衣人领我入队部左偏一弄堂，进入一小院内，见一日人禀白，少作数语，复又将我领出，入总部内旁门一小屋中暂候。

小屋内坐有三数日人，阅读报章，见我入室，均抬头作狞视。未几复来一日人，穿蓝哔叽西装，短小极不称体，头缠一条面巾，两目睛光外暂，望人时，睛内红丝脉张，充分显示其凶狠残暴无赖浪人之状。趋至我前，盘询我姓名，授我以纸笔，令我书姓名年籍电话号码。我书就，其人持阅一遍，以目示意另一长面孔日人，该人令我解开衣襟，脱掉靴袜，搜索我周身，将我所带钞洋四十三元八角，怀表一只，日记册一本，悉皆搜去，交另一日人点明无讹，装入一纸袋内封存，旋由壁间取下钥匙一串，引我转入后楼，启开一拘留室栅门，推我于内。时为早六时五十分。我由此遂开始渡狱中生活矣。

我被禁居的拘留室，作长方形，系位于楼下，宽约四尺半，长约七尺。地板上，铺有日本制凉席一方，宽约三尺半，长约五尺，席外则铺有军用毯一条，里左角置有马桶一个，右角则堆有棉被一床，室内光线不足，黑暗异常，虽在白昼，亦燃电灯，墙壁泥污斑剥唾涕殆遍。且纵横刻画许多字迹，屋顶蛛网尘灰悬络满是，苍蝇如蚕豆般大，阖室乱飞，嗡嗡之声，使人闻之，倍增烦恼。马桶气味充满一室，触人鼻端作辛辣般恶臭。门端木栅，每根方形粗有四五吋，密密竖立，两根的距离所留只有一指大小，栅门上下各开一方孔，为传递饮食处。由屋内外望，可见对面的厨房，及天井中反射的阳光。栅外另有楼门一道，以在夏日，故经常敞开，空气遂得少少流通。

此中先拘有两人，一人年约四十向外，顶发已秃，坐于傍近栅门处。一人则是胖子，年亦四十许，见我入室，各投以悲悯目光。胖子且移动其肥躯，让出尺许地，俾我坐下。我遂坐于里端靠马桶处。每一呼吸，则“阿莫尼亚”味直达肺管中，几将隔宿食物呕出。送我入室的日人，临去厉声告我，不得与他人谈话，我因默坐静察拘所内外物事，兼及同押的两人形态。

室内壁间高粘一“留置犯心得”，盖即所谓拘留所内章程是也。其中凡列九条，如“不得许可，不许昼间偃卧。不得许可，不许带进饮食。平日起床后，衣服须整齐，态度须严肃。不得与同室在押人谈话。室内清洁须注意维持”等等。此与我哈尔滨被禁时所见章程相同。

约历十余分钟。靠栅栏坐的秃顶人发话，小语问我由何处捕来，因为何事，我略告以所自。胖子亦略致询问。我亦反诘二人被捕事因，拘押日数，并何姓名。

秃顶的告我姓名佟兴周，原辽宁沈阳人，曾于“九·一八”后为义勇军团长，为沈阳日宪兵队逮捕，禁闭多日，得多家环保不死。家乡不获安居，远来关内，因人介绍，加入东亚协会——汉奸郑万瞻与日人小日相所组织，专作各特殊活动，与普安协会同为日方在津伪自治运动机关——并得人介绍，为茂川特务机关及宪兵总队部军曹田中担任情报工作。芦沟桥事变发生，田中嘱其刺探天津当局动静，伊则因岳母病故，忙于丧葬，两日未曾复命。田中疑其泄漏日方机密于我方，迭次遣人将伊觅来，在八日前之晚夕，伊应召前来，由数日人盘诘；责其未能尽心工作，伊少事辩驳，愈撄日人怒，当晚即将伊囚禁，迄今犹未审讯。伊谈述时，颇露懊恼意，谓日人多疑，强不讲理，每月工作督促极严，而予代价，仅区区十五元。家下死人，本事出非常，竟不许料理，犹复责令工作，真正不拿人当人。

胖子告我，姓名张 × ×，原天津人，曾为日人开设的常磐旅馆汽车司机，两年前辞事，现在日租界新旅社楼上设一鸦片烟馆，因其长兄脾气不好，得罪同业混名小曲的，小曲与宪兵队中华特务某熟识，借目下时局紧张机会，诬伊明设鸦片馆，暗为天津保安司令部作谍报机关，刺探日军秘密，报告于我方。伊被拘已六日，尚未讯问，伊述说时，唉声不已，且怨恨伊长兄不置。

我因今日起床过早，复经过此次事变，精神殊委顿，遂依壁假寐，马桶气味虽浓，亦不暇计矣。

此室内三人，佟有一腕表，借知晷刻，在前被押的犯人，遗有暖水瓶一只，筷子一双，单和服一件，汽枕一只。此外尚有军用毯两条，则不知是属谁矣。

十一时三刻，囚粮送到，由二中国仆役提来。每人烩饼一碗，小馒首四个，咸菜少许，一份一份由栅孔送进。佟因坐于栅旁，渠即担当接取之任。因送囚粮，得知隔壁犹有一室，其中羁押二人。内一人年事似稍高，因每间数分钟，即闻其痰嗽声也。

盛食物碗器极脏，所谓烩饼，仅系用白水煮大饼条加入豆角肥肉丝少许。我只食馒首两个，烩饼送与佟吃。张似被禁数日，肝火尚旺，亦不能多吃，唯恳求送饭两仆役，给些开水或冷水饮用。佟则被押较久，肝火略降，食欲渐增，连进烩饼一碗半，馒首三个。

午后天气转热，室内空气，渐不足用，栅门虽有罅隙，并无冷风吹进，闷坐于中，既觉马桶气味蒸薰，袭人鼻端欲死；同时复因苍蝇飞集，更使人分外苦热。佟张均敞开衣襟，各持一黑垢手巾拭汗。我亦脱却罗衫，翻卷衬褂衣袖以取凉。三人六目，悉注视对面厨房内仆役往来取扱冰镇饮料而呈垂涎之态。张则不时取暖水瓶吸饮开水。

下午一时一刻，一便衣日人，长身戴眼镜，来栅门外唤我。我应声后，其人取出钥匙开门，令我外出，复将栅门关锁，探怀取出单手铐，铐我右手，牵我出门。过大街时，恐为人见，以手巾障住手铐，引我到隔弄跨院。其地即我早间来时，曾一度入内之处。院内为二楼二底房屋，长身日人令我进入一小室，室内有二日人，并两椅于一处，仰卧其上，大睡午觉。长身日人将其唤醒，略有讯诘。复入隔室与一日人说话。其人似亦在午睡，被唤醒后，颇不耐谈话。长身日人与其交换意见多时，出至外室，对我伫立踌躇。少选隔室的日人出来，我方知其人即是清晨询我姓名两目瞀视形似浪人者。渠望我移时，对长身日人似有指示，长身者乃复将我牵出，送回押所。佟张观其人去远，问我讯问经过，我告以所遇，两人亦莫明其故。

下午二时半，长身日人复来提我，仍铐我右手，将我牵至前楼，到第四层楼梯旁止步，另有一西装多髭矮子日人在候。临时搭一桌三椅于楼梯旁隙地，长身日人令我坐下，渠坐我对面，矮子坐横头，取出铅笔纸张，边记边向我询问。首先问我姓名，年岁，籍贯，出身，经历，住址。我一一答复。由矮子翻译成日语，长身的，记于纸上。此段问毕，遂开始正式讯诘。

日人问，你知道因什么被捕吗？

我答：不知道，我想也许你们接到报告，说我有不利于你们的行为，因之将我捕来调查。

问：你担任申新报特派员几年了？

答：十五年了。

问：你管些什么消息？

答：军事、政治、外交，所有天津区内的凡属新闻一类的皆须报告。

问：你们同事共几人？

答：只我一人，另外有助手二名，他们只负些翻译电报责任。

问：你被捕以后，你的责任归谁来负？

答：我不晓得，据想华北情形正在紧张，报馆自然要派人前来的。

问：你说实话，你的事将归谁作?

答：那我不知道，派遣继任人是报馆当局的责任，我怎能预先晓得。

问：你说了实话，可以放你。

答：这就是实话，报馆人员很多，绝不会因我一人被你们捕逮而中断消息。也不会派遣任何继任人，使我预先知道。

问：天津新闻界你认识谁?

答：认识的人很多，差不多全都认识。

问：你最近最可靠的朋友是谁?

答：这很难说，最近最可靠的很多。

问至此长身日人故作狞状，逼我："你说你说，净是些什么人？" 我道："我奉告你们一句话，你们今天将我捕来，已足使天津新闻界震骇，不满意你们这种举动。申新两报驻天津记者只是我一人，我被逮以后，由何人来代替我的工作，那不是我所知道的。你们不必恐惧我的朋友代替我的工作，报馆方面也未必如此的办。假使欲借我为由，逮捕我的朋友，或大捕天津新闻记者，这事满可不必。若真如此，势将激起中国全国舆论界对你们的反感。”矮子日人中国话很好，对我所说，均听得清楚，待我说毕，勃然作色道：“谁告诉你我们要捕你朋友了？谁又告诉你我们要大捕天津中国新闻记者了？”我道：“你们如果没这种意思岂不甚好，但我希望真能如此。”长身日人闻我与矮子辩论，不明意义，忙询矮子原因，经矮子告知，亦对我怒视，我夷然不为动。盖我此时已置自身利害于度外。少停长身的取出一名单，上列天津全市新闻记者姓名甚多，令我指示谁是我朋友。我告以这些都是我朋友，长身的谓：“你那来这些朋友？”我道：“新闻记者交游既广，焉能无许多朋友？不但新闻界中朋友多，新闻界以外的各界亦颇多是朋友。不只中国新闻记者多是朋友，你们日本新闻记者也有多人，是我的朋友。新闻记者是不分国际的，朋友自然要多。”长身的听我说来，瞠目直视，无词可诘。沉思许久，与矮子作数语，即匆匆下楼，我意其或寻取刑具，对我将加刑讯。未几赤手而返，复与矮子交换意见，矮子亦急遽下楼。此时长身者对我作狞视，我佯作未见，举首向窗外眺望，约五分钟，矮子又空手回来，频出其手帕拭汗。我对此二人张致情状，莫测其意，长身坐我对面，注视历数分钟不少瞬，忽继续盘讯：

问：你说你没有什么不利于日方行动，那是空口白话，没人信的，须得提供证据出来。——按我并未说过此类话。

答：我没有什么证据，可以供你们研究，你们如果对我有怀疑处，尽可调查好了。

问：那样说是不中用的，你担任上海申新报天津特派员，消息联络，应用什么方法？

答：电报而外，则是通信。

问：那么发电报和通信没有原稿留存么？你如能将那些原稿交出，经过我们研究，证明你没有什么不利于日方处，始能释放你。

答：并没留存原稿，可检阅申新报章好了，我发出的消息，除供给报章披登，别无秘密或隐讳处。

问：这不对罢？申新两报和日本的大阪《朝日新

闻》，东京《每日新闻》相等，你既担任它们的特派员，能够马马虎虎的做事，关于一段消息发生，且有继续性的，不留原稿，供下次参考吗？那么下次拍发电报通信有何根据呢？

答：新闻报道，在求联络迅速，一事发生，立即发电或发通信，文意只求明通，不是作文章须得起稿。事实上，时间、空间均不容有起稿机会。关于继续性的新闻，除紧要的略留记事外，大体全凭个人脑力记忆。

问：你的脑力，怎能记忆那许多？简直是扯谎。

答：你们不信的话，可以调查。

问：你发的电报，有什么和原稿同样的东西留存么？

答：那就是电报局留存的电报底稿，你们可以看去。

问：这是废话，中国电报局能那样准我们看么？

答：那我就不晓得了，你们既能越界逮捕中国人，怎不能到中国电报局索阅电稿呢？

我答此语时，长身的听我口气强硬，极端恼怒，起身于屋角，取过劈刺用的军用竹剑，恶狠狠向我头顶劈下，我瞪目视之，不稍惧怯，剑落我头顶上，忽一顿挫，轻轻拍击一下，同时长身的厉声喝我“快说实话”。我不动。少停续问：

问：除向电报局查阅你的电稿外，还有别的方法么？你说实话，能爽快现出原稿来，你可以早得自由。

答：没有别的方法。释放不释放，我现在从未考虑，你们宪兵队设如讲理，当然可以早放我的。

讯至此，时间已历二小时，因天气炎热，彼此均汗透衫裤，长身的与矮子磋商些时，遂终止讯问，将我仍还押。我归留置所索阅佟腕表，恰为午后四时五十分。

佟向我探询讯问经过，我约略告与。佟以经验口吻谓我：日人今日两次将你提讯，其意盖恐你的朋友接替你的工作，申新两报消息仍然不断，结果他们捕你，还未能达到封锁新闻，切断联络目的。否则不会今日捕来，今日就讯的。我细味其言颇是。

晚饭六时送到，由一便衣日人监视两中国仆役传递，除关于饮食上说话外，其他言语皆不能通。张不饿只渴，向仆役索开水一暖瓶，冷水三大碗。我除吃馒首一个，饼汤少许，亦只饮水止饥渴。

晚七时天井内有日人沐浴，蹲踞大木桶旁，以胶皮管冲洗，心中极为羡慕。因拘留室内入晚空气愈闷塞，汗出如沈，虽敞襟露怀，仍不少减溽热，妄想此际如能沐浴一下，当如何清爽，无如事实已不能矣。

蚊虫不停侵袭，着体即坟起一块，经热汗浸蚀，发痒更甚。瞪目至过夜一时，温度稍减，始倦极睡下。室小人多，两足屈曲，有时支放壁间，转侧为苦，今而始知蜗蝬之居，非身历其境者，不知其痛苦也。

今日旁午闻我母我妻在前楼说话声音，测知彼等必已遵我嘱咐，径来此处探询我下落。

七月二十日　星期二

今日天气晴，早间阳光即发其炎威，留置室逐渐闷热。我晨七时醒觉，因宵来两腿蜷屈，身体疲劳未祛，八时许复昏然入睡。十时再醒，佟张则已坐兴，默寄其被释希望。盖每人均一分一秒如渡岁月，衷心忧郁不胜其愁苦也。

旁午气候益酷热，时正夏历二伏初，虽不动转，汗出亦如沈，脊背倚靠板壁数分钟，即印一湿影。我与佟均将长裤及袜子剥掉，裸胫赤足而坐，仍极患热。张则体肥，作吴牛之喘哮，昨晚所留贮的热水冷水皆饮了，尤以张不时鲸吸，渴下最多。此际缺水，咸觉口渴，盼中国仆役走来，要些水喝。但此地规例，不到送饭时不予水，不到送水时，中国仆役不敢走来，因惧宪兵发觉，疑有别项作用。盼至十一时三刻，午饭送到，每人汤面一碗，做的极坏，张尽半器，我仅少啜汤汁，佟则不足，并我的也吃下。

隔壁一人时常咳嗽，测其声音，年约五十余。其人与佟熟识，见无日人来，则敲壁与佟交换谈话。另一人则始终无声响，料系浸于愁苦中。佟今日与我谈话较多，以我曾居沈阳数年，彼此由谈话中得知渠与我犹有戚谊。

张则唉声不绝，我劝慰之，伊则大发牢骚，自谓卖鸦片的犯何罪，亦为捕来，我又非抗日的。我笑谓：“因汝卖鸦片，不干好营生，种因得果，恰应受此罪，汝何怨何尤之有。”张默然，唯不久复向我絮叨，述其与小曲结仇，其兄开罪于人，致伊被陷害之由。此均为伊昨日向我述过的，我殊不耐听。佟谓我：“他来了七天，每天向人讲他的事两三遍，实令人厌闻。你看罢，由今日起，他将向你絮叨了。”我闻之笑而不言。

据佟说，隔壁两人，一名孙宝山，系日租界新明大戏院华竹绸缎庄财东，法租界新中央戏院，及六国饭店皆渠与人合股所开设。拥资约二十万，被捕已十一日，犹未讯问。原因则约为渠曾充孙殿英驻津办事处长，并与石友三具有关系，平日为人棱角较多，不无结怨于宵小之处，此次时局紧张，有人借机造作谣言，指渠为石孙秘密招募便衣队，十一日前之晚间，经其熟人在新明戏院内骗出，预有便衣日宪兵数名驶一汽车候于门外，将其推于车内装来，渠被捕后终日殊愁苦也。另一名邱宝山系侯家后宝生戏园经理，亦因与日宪兵队中走狗华人袁某结仇，遭其诓入日租界，在福仙池澡塘捕来，指为天津市政府新组便衣队首领。押禁已三日，被捕来之日，略询一过，渠较孙尤愁虑，故终日不发一语，饮食不咽，昼夜昏卧。

午后热更甚，马桶气味浓重，每小便时，木盖甫一掀开，则臭气上腾，两目几不能启视，张好吐痰，不时掀开马桶，我与佟制止之，要其减少掀启次数。

四时许一日人来，向其索得手纸一叠。与佟分作两份，持为招风之扇。晚饭六时一刻送到，为白米干饭一碗，鸡蛋汤一小碗，我泡食之，用尽，此为两日来第一顿饱餐，肮脏与否，不暇计矣。

晚七时仍观天井中日人洗浴，自抚胸脊，汗流不止，泥垢渐多，愈生艳羡的心。

晚八时有两日人著便衣，来隔号室外点名，将邱唤出，黑影中望见邱系一长子，我与佟测渠或系有朋友来保出。未几两日人又送一人入隔号，昏黑中，莫辨其面目。待日人去后，我敲壁询该人姓名，据答名周谦，现充市教育局书记，因赴友人处闲坐，被日宪兵队特务捕来，渠本无事，系受误会。我询以外边消息如何？宋哲元是否返平？盖拟以宋返平否，推测时局前途也。周则所答殊模糊，颇为失望。

惩于今日午前的缺水，我与佟对张戒严，不许其任意吸饮，畀渠一暖瓶热水，另留三碗，我与佟用。

夜间仍苦蚊咬，难以入睡，蹲踞栅前以鼻就其隙，呼吸空气，借以止热。十时后佟张均入睡，隔号亦起响声，我依壁枯坐，不禁窃笑，两年来我依人作嫁，终日为采访新闻栗六，尝发奇想，苟坐狱半年，得一读书自省机会，略获休息，亦大好事，不意今竟成事实。虽被禁闭期限，难以预知，但日人绝不会轻易释我，若如哈尔滨仅禁十八日之事，恐妄想矣。思至此尘虑尽除，心反泰慰，坐至十二时半方睡下。睡中虽汗流颈背，不管矣。

七月二十一日　星期三

今晨小雨，炎威少杀，旁午放晴，火伞高张，气压愈低，留置室内，如同蒸笼，热不可耐。我与佟张均并上身短衣剥掉，三人皆打赤背，只求减热，不计其他。但酷热之袭人，与时俱增，我因发长，汗出顶上，湿溽过久，竟生痱子，为汗浸润，痒不可当。晚间立起，在尺寸地活动肢体，讵室小人多，热气上腾，空间尤感闷塞。无已权仍坐下，手中纸卷，不停挥动，以招来少许风凉。但马桶气味充塞一室，空气不震荡犹可，一经扇动，吸入鼻管者，无非“阿莫尼亚”，使人闻之，直欲晕厥。我与佟唯祝室内人数得以减少，或者热度少杀，因张系一胖者，体温外散，终日唉叹声不绝，增人不快，盼渠早得释出，不知张盼自由之心，较我二人尤甚也。

隔室之周谦，今早忽被提出，送入后院拘押，原来之邱，并未释放，又与一学生装束名曹振华的，自后室提来，禁于隔室。由佟与邱交换谈话中，得知后院尚有两留置室，禁闭共五六人，邱昨日住过之留置室，面积较我等所住的为大，且以面临天井，空气亦较流通，我闻之颇为羡慕，深愿能将我提往后院拘押。

隔栅望见对面厨房，见厨夫煎炙肉排，香味传人留置室，我与佟均为之垂涎，我笑谓，而今方知作“笼中鸟”为“馋嘴猫”之苦，谚云“眼不见心不馋”信乎然也。佟则自矢云：“倘得释出，首先沐浴剪发，继则到一饭馆大吃一顿，以解十数日来馋瘾。”

午后四时许，仆役以胶皮管在院中洒水，地上冲积成潦，患热心理对之略减。

隔号之孙，今午前十一时许被提出，我得望见其人，是一五十许胖子。午后四时许犹未归，佟测其必已被释，我亦如斯想。我来此三日，觉吾等被拘留者，不患提讯，在患被禁不睬，因提讯即有获释希望，不讯，只好听其监闭，精神上不免略感无从捉摸之苦耳。晚六时许孙忽归，仍押于隔号，唯其精神已呈颓唐，步履亦显艰难。入室后即哼声不已，揆其必系不克支持，已倒卧矣。佟俟无日人来时，询以所苦，据云今日被提出讯问，究结其与石友三，孙殿英关系，渠对以在昔固有往来，近年渠营商业，形迹已疏。又诘渠为石孙招便衣队情形，渠辩白其无，日人不信，将其放倒地上，胸部置椅一把，一日人坐其上，不使转侧，另一日人提石灰水两壶向其鼻孔倒灌，渠晕厥两次，死而复苏。苏醒后复询，渠仍如前供，日人反复穷诘，除午饭略休息外，其余时间，时讯时辍，或默察其神色，或突然向其发冷问，迄晚方毕。孙述时自云心中发热，势将呕血，佟慰藉之。入夜孙痰喘大作，哼声愈厉，我为所扰。并蚊虫吮噬，不能入睡。

今晚中国仆役来送饭时，无日人跟随，佟托一于姓者为其向友人处传一信，转告其家属设法营救。我在席下寻得前人——被押者——遗留铅笔半段，匆遽间于手纸上写数语，并注明地名，以五元脚力的代价，烦于向我家下通一信，告我母放心，我无恙，及被押处所。

于似不善于为此，收我字条时惊惧色形诸于外，我颇耽心。

室小人多，马桶又置于旁，腹胀虽欲排泄，殊有当人前为之难为情概，晚夜俟佟张睡倒，试行便解，讵马桶蕴藏便溺日久，腐臭结成毒氛，微一蹲踞，则冲入肛门作奇痛，此为平生未经过之痛苦，宁忍腹胀而罢。

七月二十二日　星期四

今日仍小雨，约半时许放晴，我上身已满生痱子，自颈以下，胸前红斑殆遍，奇痒难熬，以手向腋背微搓，汗垢即苏苏下，昼间无事，则不停搓擦，殆行汗浴矣。望见厨房内日本仆役凿冰，配制饮料，笑语佟曰："苟此时彼等出售其冰制清凉饮料，虽二元一杯，我亦愿购饮数盂。"今日未到九时，贮水即竭，口燥喉渴至极，佟张更甚。隔号孙以昨日受刑故，思水尤急，佟伏于栅侧，向外间行走日人吁呼，求赐水饮，均置不睬。且有数人闻呼叱骂，我甚愤激，劝佟宁渴死勿再乞怜。佟不听，终为其呼喊来一日本仆役，唯云开水没有，要冷水尚可，我等此时已不顾水的冷热，及饮冷水易生病，唯求其给予。其人以大铁壶提来两壶，分与我等，我室暖壶与碗皆为贮满，每人鲸吸一大碗，口渴始减，今日我方知“饥犹可挨，渴实难当”也。

已数日未盥漱，口腔食秽腐臭，蓬头垢面，赤背跣足，自顾直一道地囚犯。缅想昔在哈尔滨被囚时，食宿尚优于此，被禁数日，我家中即已寻知，每日可得送进食物二次，宪兵队中仆役售卖汽水等清凉饮料，我可随意购饮。身畔钱物，犹未搜出，此次则不然，受苦竟倍于上次矣。

午饭时宋姓仆役乘送饮食之便，偷递进一字条，系我家所写，告我外边营救情形，及沪馆向各方交涉状况，所说均过于乐观，殆不晓宪兵队内情，及下手处也。我对此不甚注意，唯以消息获通，我母亲以下诸人，得知我下落，乃一慰也。

静中纵观四壁，见前人所刻划字迹，中有刻记“已来四十七日”者，“烟瘾庆祝戒除”者，“开始念佛”者，由以证知在我以前，此室已禁中国人许多，其羁留日期，大都一月以上。

旁午张被提出，仍疑其释放，盖渠一鸦片烟窠主人，事态既非严重，自有一讯被释之望。张出室后，室内减少一人，空气立觉松动。我与佟乃祝其被释，勿再归返。讵午后二时许，张嗒然归，询其经过，对以日人已知其所为何事，追讯渠与天津保安司令部联络情形，告以“不供不行，彼等已调查清楚”。渠业承认与保安司令部谢副官往来，但谢来时专为吸烟，与其同来者每二三人，有何秘密工作则不知。我与佟均责其不应如此说，因牵涉过广，而本来并无此等工作，结果反自陷入不利。张则不以为然，云日人已完全调查清楚，我不说不行。我则谓，日人所说，殆属诈语，似尔事件，何须调查，尔竟不禁恫吓，乱说一番，致尔本应今日释放，终则须多押数日。张闻之悔极欲哭，我见其愚蠢可悯，特慰藉之。

今日早晚各有日宪兵来栅外，向内探视，以手掩鼻，恶室内臭味，我于彼辈去后谓佟云，汝知“入鲍鱼之市”之句乎？我辈今殆作鲍鱼矣。

佟以被禁旬余日，殊呈焦急烦恼状，絮絮与我道家事，骂其妻无能，不能烦人疏通，又后悔为日人驱使，赚少许钱，负无限责任。又谓日人终似蛇蝎，不可共处，好疑多忌，为其工作者，战战兢兢，稍不慎祸害即寻之。我乘间晓以大义，并国家民族思想，佟甚为感动。

夜十时贮水饮尽，口渴欲死，佟张皆不能睡，三人皆汗出如沈，张目外望，冀有人前来，向其要求。但有多人出入厨房，对我等呼唤佯作不闻，与佟熟识的日人岩田听佟呼喊索水，竟翻脸大骂，佟颇羞恶，我复乘间讽劝，冀其真个悔过迁善。是夜竟缺水供饮。

七月二十三日　星期五

今日天晴，隔夜喉渴，晨间转甚，盼水如望琼浆。九时后，幸得昨日的日本仆役走过门前，由佟向其哀求，仍灌冷水两铁壶，分给两室，大家得水饮后，如旱苗逢雨，精神为之一快。

十时许，隔号的孙宝山复被提出，因伤在内脏，犹未痊愈，行走时伛偻，其痛楚从可推知。佟谓以光景测断，渠本日或有被释希望，我云："但愿如此。"张见孙提出误认为即释放，大为焦急，痛骂其兄长惹祸不已，我与佟均不睬伊。

我仍写一字条，嘱家下速迁居于租界，以免变乱时祸害，并告以我甚安无须挂念，能觅人代理我工作，勿使消息断绝，用候报馆派人接替最佳。我意目今时局严重万分，华北一时一刻的变化均关系我国家运命，申新两报委其访事责任于我，在我所负者殊重。顷我被逮，致令消息断绝，未免憾事。故必须在馆方未派人接替前，勿使报道切断，情形隔阂。午间于姓仆役来送饭，我瞷无日人在，偷偷递与，允其送到时自我家复取脚力五元。佟亦乘便托带出一字条。张不识字，坚恳我为书一字条，亦以五元代价，烦于仆役送至其家，嘱其家人烦友营救。我厌其人，且以其营生下贱，此辈只知利己，国家社会观念，罔存于怀，早出狱一日，徒使社会多一蠹鱼活动，拒绝其请。张竟哀求弗已，继以大哭，我不忍，痛数之后，为写之。

旁午见后院拘禁者，陆续被提出数人，是否释放不知。

我畏热无聊，则哼皮簧消永昼，对被禁失却自由，何日释放，了无芥蒂。我想以我被拘，及为日人嫉视原因而言，自较一般被押诸人为重，若佟邱张诸辈，有何不了，日方犹未肯释放，我则当然须被禁较久。

今日午饭为炸酱面，粗劣不堪，晚饭仍为烩饼加馒首，两饭我各进半器，食欲较前数日已增进。自忖尝闻人言：坐狱之囚，初时因忧郁火旺，饮食难以下咽，拘禁既久，肝火略降，食欲乃亢进。普通情形，均变为老饕，每饭具兼人之量，我今日观佟进食的狼虎，觉此说的属实在，逆料不久我将自行体验证实之矣。

午后四时许，孙又归来，情形愈狼狈，佟向其询问，谓今日仍遭究讯，复问其为石孙招便衣队情形，云石孙各有巨款存伊处，孙否认，致又被灌冷水一巨壶，吃木棒一顿，肩胯均负伤甚重，胸膈受水灌注，发热益剧，我与佟均安慰之。

马桶已满，呼喊半日，始经佟唤来一熟识日人姓木村的，启门令仆役倾倒。

今夜溽热，辗转不能成寐，张身体发射出汗臭，中人欲呕，连同马桶气味，吸入鼻孔，愈觉其苦。夜兴时发觉一奇事，盖我生殖器尖端忽生三数红泡，不知何时竟已溃疡，流出脓水，发为奇痒。我百思莫解其故，意谓花柳病，则我固未尝作狎邪游也，斯真咄咄怪事矣。

（以上二十七年二日二十四日写竣，时在天津。）

七月二十四日　星期六

今日晴，早七时许，太阳即已发其炎威，存水又罄，惩于昨日讨水的困难，大家唯有强抑喉渴，唯引领盼至午饭时仆役顺便送水。

隔号的孙伤势痛楚，呻吟不已，沉寂里增人若干烦恼，我无已乃寻些闲话，与佟胡聊，借以混此永昼。十时许张复被提出，佟测渠前日供述支离，今日或将受刑，我则不作如此想，认渠无关重要，亦许有被释之望。十一时许，张安然归，入室后不断顿足，云本日日人已允将其释放，且已照像留存，因其兄所觅保人未到，致复将其还押，言时仍骂其兄不置，佟嗤之以鼻，张则不觉。

据张谓曾见后院在押的两人被提讯，其中一人在隔室审讯，遭二三日人大打，捶楚声如擂鼓，受刑者惨号甚戾，伊闻之毛骨悚然，渠还押时尚在敲扑中，业已刑讯二时以上矣。佟闻之为之愀然，我则觉此非奇迹，因日人根本即视我侪华人如猪狗，我无强国保护，凡为其逮来者，不死之亦属万幸，受刑乃浅辱耳。

午饭时宋姓仆役，偷传入我一字条，系我家人所来，云已收见我字条，家下正设法营救，同业多人且因我事赴市府要求交涉，市府已允为办理。并告我沪报馆及沪记者会电宋哲元促其对日方抗议，宋复电慨允。我觉家人言过其实，且过于易视此事，我事除我自行抗争挣扎外，殆无二法。唯所云同业营救，及沪馆，沪记者会努力交涉一节，自顾渺小如我，竟得各方如斯关切，虽死何憾。思索至此，精神大振，心愈宽慰。

午后一时二十分，上次讯我的长身日人前来提我，仍以手铐加我右腕，牵我由后院出，转入隔弄小院内，引我入一小室，此院我今已到三次矣。室内中央设一小桌，我初来时所见瞀目穷凶的一日本浪人，踞坐其间，一华人著夏布长衫坐于次。长身者将我手铐解下，退坐隔室，瞀目穷凶的日人注视我多时，命我坐其对面，取纸写"听取书"三字于上，然后起始讯我。

此为我被捕后，第二次的讯问，最初询我年籍，家属，出身，职业，掘根刨底，搜索靡遗。我因有二十一年哈尔滨被捕情事，唯虑照直述说，或不免多出麻烦，除年岁出身外，对任事经历，讳词答之。问答各词如次：

问：你由何时起始担任申新两报特派员？

答：民国十三年起始。

问：怎样发生关系？

答：自行荐引。

问：初派驻何地？月薪若干？何时调驻天津？

答：先在济南，月薪 ×× 元。民国十七年调驻哈尔滨，十九年仍调回济南，民二十二年来天津。

问：你的采访新闻范围，属于那类？

答：军事、政治、外交、社会一般事件，足可供为新闻资料的，均属于采访责任内。

问：对日本在华北的驻屯军行动，及日本在华北的外交动态，亦要采访么？

答：当然要采访的。中日问题，为两国智能之士，多年研究所不能解决的，尤是华北局势的演变，关系两国未来的国交调整甚大，我自须尽量搜集，供给报馆。非单要注意驻屯军行动，及外交动态。

问：你通讯方法如何？

答：电报而外，兼发长篇通信，这和你们大阪《朝日》，东京《日日》等新闻纸一般驻外特派员工作方法相同。

问：除此两种方法外，没有别的方法么？

答：没有。

问：你同事共有几人？

答：正当责任，只我一人，此外犹有助手二人，他们仅负些翻译电报等不重要工作。

问：华北的抗日新闻，都是你所发出么？

答：凡是申新两报所刊载天津电报，通信，如冠有专电特函等字样的，即系我所发寄。

问：你知道你因为什么被捕么？

答：我不知道，我想或许你们接到一种人报告，讲我有不利于你们行动的事，你们特捕我前来。我既已失却自由，你们宪兵队如果存有公理，自须加以调查，事情明白后，亦得放我。我对因什么被捕一节，并没考虑。

问：你想向我们报告的人是谁？

答：那我怎能知道，估料必是接近你们宪兵队的人。

问：和你有同样工作，是那几人？

答：你问的意思我不明白，如果指担任申新报特派员而言，那仅是我一名，如果指担任外埠报纸特派员，共有几人而言，则人位很多，一时说他不清。

问：你说实话，申新两报所载抗日新闻，尚有别人发寄的没有？

答：我已经说过，担任两报特派员的只我一人，专电则由我发，特函亦系我写，此外报馆容或采登外稿，那是属普通投稿之类。

问至此，怒目的日本浪人，停笔不书，频频以手拧系其头上面巾，两目向我瞪视，凶光耿耿，愈露其狠恶状态，少停复问。我以天热，汗出如雨，口干舌燥，因谓如果讯问我未完，须给我水喝。怒目浪人即唤中国仆役，为我送冷水一杯。我甫沾唇，浪人忽警告我，冷水不可喝，喝了肚子要痛。我道：冷热不管它，我在留置室内，你们不给水喝，求冷水润喉，亦不可得，此时何计冷热。浪人少娴华语，闻之殊赧愧，回首与隔室的长身日人说话，似对留置室饮料，有所商榷。浪人俟我饮水毕复讯：

问：你能说出那些投稿人姓名么？

答：我说他不出，因为那些人是与报馆编辑部直接发生的关系，岂容我一驻外特派员知道。

浪人见我隐讳，怒道："《申报》所载，均是抗日消息，尤其平津所发去电报通信，无一种非属排日挑战者。"我亦大声辩驳道："《申报》全馆职工五百余人，主持编辑事务的，有编辑部，消息的剔取，不是我一特派员所能左右。报馆经营有它宗旨和立场，是否排日抗日自有编辑部主持，你们不能将全馆五百余人的责任，整个移置我的肩上。而且北平另有特派员工作，他的行为宗旨若何，更不干我事。"浪人见我抗辩，厉声道："我说的只是天津特派员，仇日行为最甚。"我仍大声道："天津的责任，归我负，我人在这儿，你们愿怎样处分，听凭办理好了。"浪人又道："我们这里订阅《申报》，你的妨害中日邦交，和抗日报道，逐日浏览，早已详悉。"我道："能这样再好没有，我只知为新闻而工作，为报馆供给消息，抗日排日与否，非我所知。你们既备有《申报》，请检查好了。"浪人道："不必再检查，全都知道。"我道："既全知道，听凭如何办我好了。"问至此浪人燃纸烟吸之，并出至外室休息，我仍索水饮以润喉，时已讯问约二时许。约历五分钟浪人复就座，对我狞视。

问：你说实话罢，你还有什么工作？

答：我不懂你问的意义，我已经说了实话，我除新闻记者外，别无工作。

问：不问你新闻记者的事，问你新闻记者以外的事。

答：新闻记者以外的事，是些什么事？我不明白，你说的范围太大。

问：你真不明白么？别装糊涂，快说，不说我们可有办法——意是动刑。

答：没有别的工作，没有什么说的，有办法请办好了。

问：你是真不说么？

答：没有什么可说的，你要我说些什么？

问：你不说不行，我们全已明白了。

答：你们既然全已明白，何必我再来说，我人在这里，我已经说过，任凭你们办好了，你动刑好了。

浪人愈露其狞恶形状，由座位跃起，一足踏椅上，两手据案就我面孔觑视，气咻咻然，作欲披颊势。我自被捕，早已置生死于度外，自忖生此社会，有知以来，即受尽寇雠欺凌，与其为奴而生，曷若抗争以死。宋儒修明理学，以气节砥砺天下士，我国际此内忧外患煎迫，汉奸迭出，皆理学未昌明之故，我躬藐小，死生事微，气节事大。我应始终不屈，任其处置死可也。我死无足重轻，但至少亦使寇雠晓我黄帝子孙，非尽属奴颜婢膝，摇尾乞怜之辈焉。

你不说是不行的，——浪人作此语时扩声豸视。

答：你动刑好了。

问：你们同伙工作的，已有两人被捕，你不说实话不行。

答：既然有两人被捕，将他们提出来对质好了。——其实我为中央某部所兼办工作，同事者五六人，浪人讯至此时，我几疑果有其事，但我咬定牙关，不少惧怯，存心天大祸灾，我一人当之。

问：不必提出对质，全已问明白了。

答：那你们可以落案了，你们可以随便写，我签字罢。

问：胡说。我们随便写，你不招认行么？

答：这有什么不行，我没有的事，你们一再逼我说，要我说些什么呢？还不如你们随便写好供词，我签字简便。

问：你是不说的呀？

答：没什么说的，动刑，我是如此说。杀头，我是如此说。枪毙，我也是如此说。我不明白，我是一个新闻记者，你们为何要叫我供我的责任以外所没有的事，未免令人愤慨。

问：劝你还是实说的好。

答：你们日本人的口号，对中国人要具雅量，莫非这些逼问的行为，是对一个新闻记者而有雅量么？为什么要逼一个新闻记者说他所未曾有的事呢？

浪人闻此语，颜色较霁。此时阳光入户，彼此均汗流满面，浪人悻悻出室，在外间掷棍弄棒，如寻刑具，我仍如常镇静。三分钟后，浪人入室，面色更透狠戾，以命令口吻谓我："你说罢。"充翻译的华人亦从旁劝我："快说罢，不说没完啊。"我道："你们逼我说的，是不是说我除开新闻记者职务，另有什么秘密工作？——其实我早已晓得浪人意求在此。"浪人道："我们调查明白，你给中央通消息，担任情报工作。"我闻之冷笑道："由这一点足证你们所得报告不确。我是一名新闻记者，而且是十五年始终继续不改职业的新闻记者。我只知道赚钱吃饭，养活一家八口，其他不是我所知道的。现在有三点可以反证我无其事，第一，我非国民党员，我是一个职业新闻记者，与中央政府任何人向无关系。中央如有这类工作，不会委我。我亦非蓝衣社员，更无参加秘密工作机会。第二，我如担任此项工作，我岂不知置身于安全区域，最低限度，我家应当移住英法租界，结果你们自不能随便捕来。我既非愚蠢，当然不肯负有秘密工作责任，住在特二区，一任机关的败露。中国人虽三尺童子，亦知你们宪兵队对付华人的手段残酷。被捕来的，绝没好果，活人进来，死尸出去。我莫非干秘密工作住特二区等死么？第三，我假使有这种工作，而仍在特二区住，六天之前，你们派人去捕，我要抵抗的，我至少要开枪拒捕，不能服服贴贴听你们捕来。我是国民党员，蓝衣社员，我就直认'是'。何用其隐讳，但我根本不是，你们要我怎样说法？"

浪人听我辩论毕，气势稍平，少选强词道："你们这种工作的人，住在那里都有，不一定都住租界。"我道："人非至愚，绝不肯办秘密工作，而自处于险地的。"讯至此浪人又休息，频出巾拭汗。适室内来有日人数名，目我与浪人谈话，态度倔强，均呈其忿忿欲敲扑我一番而甘心之意。并有一人，似为浪人献策，浪人未置可否。

又过数分钟，浪人不假翻译，以笔书“爱国的志士”五字示我，我阅后仰首正色大声道：“这我承认，我爱国。我自信我的爱国，与你们日本人的爱国，没有什么分别。你们日本人知道爱你们的日本国，我是中国人也知道爱我的中国。”浪人不图我作此豪语，立易为起敬之色，续在纸上写：“爱国即是抗日。”我道：“这是曲解，世界上有五十多国，英国人民知道爱英国，美国人民知道爱美国，莫非他们都是抗日么？”浪人闻后又写道：“你因为什么要爱国？”我道：“这意义很简明，我希望我国家富强，我们知道需要一个富强国家来保护我们。假使我们国家富强，则人人可得安理生业。似我这十五年始终从事于一的新闻记者，由于国家保护，自可循序发展，不会受外力的欺凌。六天以前你们也不会将我随便捕来。即便因误会而捕来，也只能拘禁数小时，赶快将我释放，最后还得向我们政府道歉。再进一步解释，我作的好端端的事，‘芦沟桥事件’发生，报馆因我勤劳，自会加薪奖励我，你们突将我捕来，使我失业，成绩尽毁，我当然愈觉我们应有强国保护为对。”浪人闻之，色愈沮。思索有顷问道：“你爱国就只是这么简单么？”我答：“自然这是天经地义道理，希望有富强国家保护，个人不受非理势力压迫，有固定职业，赚钱吃饭。”我作此回答时，充翻译的华人——我测知此人为赵锡钧，充宪兵队爪牙多年，陷害华人已无数，——闻之颇受感动，亲为我满水一盂，令我饮下。

浪人继又以笔写数字示我，视之为“抗日头儿”。我笑道：“承你们过于抬爱，极端重视我，以此头衔相加，可惜中国人没人晓得我如此重要，否则我早可飞黄腾达，不至充十五年穷新闻记者了。”浪人又写“顽梗”二字示我，我不答。

浪人旋谓：“你知道外边现在情形怎样了？”我道：“我被禁已六日，情形如何？我不晓得。”浪人道：“已经和平了。”我答：“中国人最爱和平，能和平岂非东亚之福。”浪人道：“你知道为什么和平的？”我对：“不知道。”浪人道：“因为你是抗日头，将你捕来就和平了。”我闻言突起立以掌拍胸抗声道：“能这样，岂非好事。我如果真是中日和平的障碍，请快把我枪毙好了。”浪人道："枪毙你没什么益处。"我道："松井石根所倡大亚细亚主义，我们原则赞同，但方式殊有研究必要，中国人酷望和平，岂不愿东亚无事。"浪人不答，以笔代口写道："你是逆用此说。"我不辩。

浪人又向我注视多时道："你不说实话，是不放你的，还得押你。"我大声对曰："我已说过，人在这里，处分随便，押一年，二年，随你们意好了。"浪人不语，我道："我来此已六天，我母年岁甚大，不知我下落，你们日本人以孝行当先，我要求给我家通信，告我母亲我在此处，免老人挂念。再有你们得许我家下送饭，留置所室小人多，空气不流通，每天缺水喝应请改善。"浪人道："你母亲已来过了，知道你在此地。饭食不能准送，水如不够喝，可以嘱咐他们多给。"言时以桌上手巾一条付我，并道："留置所小人多，没有法子，给你这条手巾可以拭汗。"我拒绝。浪人又使我至后室水龙头旁洗脸，我受讯大半日，汗缘颊流，因在激辩中，已忘却酷热，此刻一经提醒，顿感痱子奇痛，乃如其指示大洗头面。在后室洗面时，望见浪人与其他日人窃议，并翘大指，意殆许我倔强，我不禁惭怍，百感交集矣。

洗毕，浪人令我吸香烟，我拒用。停数分钟，令一日人将我送回留置所，归时竟未加手铐。入室视佟腕表已午后六时廿分，计今日受讯历五小时，坐定回思，犹觉当时情形可怖，未遭刑掠，真属徼天之幸也。

佟问我审问经过，我告以大致，渠亦为之咋舌称险不置。渠谓："以像貌言，讯子之浪人，定是宪兵曹长莳苗，此人为宪兵分队特高系主任，现调总队负责，凶狠毒辣，兼而有之，学问亦不差，讯究最详，殆无一人可获完肤于其前者，宪兵队中有五殿阎罗王，今子幸脱渠手，可庆越过一关矣。"

晚间小雨，未几即停，八时忽栅门开启，送进一三十许壮汉，我令其坐于我旁。未几隔号亦送进一人，恍惚中见其人甚胖。我室此际共住四人，挤轧得愈无转侧地，空气缺乏，热愈不可耐。我与佟唯叹"倒霉"。

新来的告我姓名王振海，河南彰德人，业棉花栈走街，与同业来津兜揽生意，住友人苏月亭处。友因时局紧张，由日租界迁居英租界。今日鉴于时局缓和，复自英租界迁回日租界。友人所居，适在海光寺日军司令部对过，伊饭后在门外乘凉，并向海光寺兵营眺望，讵忽来日兵多名，将伊与苏及另一同伴少年絷来，伊等不悉为何故，意或日兵欲占住其友人房屋，无地安插彼等，特送来此处暂居者。我道：“恐情节未必如此简单，汝等在海光寺门前偷瞷，焉知不启日方之疑，或者认汝辈为军事间谍而加逮捕也。”王闻之默然不语。隔室新收之人，入室后即倒卧，鼾声随之大作。孙等以室小亦感拥挤，隔室与佟谈话，徒唤奈何。

我询王以外边情形，王则浑然不知，仅谓日租界情形殊乱。其人状貌赳赳，颇类武夫，我疑为廿九军中人，试以询之，但笑不答。入夜真无法睡倒，既挤且热，迄晨三时气温少凉，方矇眬一觉。

七月二十五日　星期日

今日晴，十时许，张被提出，我断定伊必释放矣，迄晚未归，果不出我所测。我室虽仍三人，但去一胖子，空气松动许多。

被禁仅七日，竟嘴馋不了，无事时遥瞩对过厨房烹调菜肴，空咽唾涎，默想倘得释出，决先沐浴于澡塘，大吃于饭馆。

午后望见天井来往不断武装宪兵，佟告我，此均非天津服务的，推测当属新自他处调来者。我因此颇悬揣时局前途，危难尚多。

隔号的曹振华与我说话，询我姓名职业，我告知后，曹惊呼谓："先生即《申报》周刊的公敢先生么？我常读先生大作，先生可说最熟谙华北情形的，我们学校有几位先生，时常选先生作品，令我们为研究时局参考，几位先生，均憾不知先生真姓名。"渠告我渠系一穷苦学生，早孤，姊妹兄弟共八人，渠居第二，最长为女兄，适人后复仳离，均依母过活。家贫生计甚艰，由慈善机关广仁堂救济，拨该堂房屋居其全家。渠年十九，广仁堂出资送其就学于市立师范，已升为后期师范学生。自幼爱好文学，有暇则成小品文投诸各报，猎少许稿酬，供个人笔纸费。前日与友人周谦在家闲谈，有久别友人以电话烦广仁堂转知伊，邀在南门外会面。周本欲归，经伊坚约其同往一晤。到南门外大街，正寻觅间，忽见道旁停一汽车，有二便衣华人遮道阻去路，询伊姓名，伊直告后，二人云奉警察局命，邀伊前往谈话，伊询何故，云到后即知。周疑系匪类绑架，进前阻拦，遂一并为拖入汽车，送来此地，拘押三日，未加讯问，犹不知缘何被捕。家下以伊失踪，老母不知将若何焦急也。言下欷歔。我急安慰之，告以勿恐，并嘱其于审讯时，切莫惊慌，务要镇静应对。复指示其主要应对各点，免遭榜掠，曹唯唯听之。

有顷曹又敲壁问我，可否于审问时，要求准伊悔过，为宪兵队担任一工作？我立阻其续讲，告以“汝是中国一有为青年，切莫生此奴隶思想。具此一念，既为日人所卑视，且日人果应汝请求，汝能为彼方干何工作？设果获得工作，残害同类安否？问心安否？总之既已被捕，只好于不卑不亢中求一活路，千万须去掉‘临难苟免’心理也。”曹大为感动，连称是，是。我于劝曹后，不禁悲抑，觉近今青年，胆识大都欠锤炼，遇祸唯求幸免，勇于赴难，置一己利害不顾，拼死争种族光荣，存国格人格者能有几人，无怪夫“汉奸”辈出不穷，我于曹言重寄其所感矣。

除与佟等谈话外，仍哼皮簧消暑。午后天热更炽，今日为二伏正中，我所著衬衫均发咸卤，致不能再着体。

午饭后偶一移动所枕毛毯，发现虱子数枚，爬行甚速，佟告我壁角堆置的棉被，虱子已满，无术可除尽。

午前十一时许王振海被提出，午后二时许送回，归时步履欹斜，面色如蜡，全失去昨日丰彩。进门后即倒卧，我询其所苦，伊解衣示我，则两肩两胯，棍棒伤累累，青紫斑斑，不忍卒睹，背后则为香火灼伤殆遍，肉血焦黑，模糊一片。我急取纸数张，为其贴附创上。午间我预为留得烩饼一碗，防其受刑后腹内空虚，支持不住，此刻即取出令其勉强食下，然后嘱其安卧勿动，庶免创伤溃乱扩大。

晚饭仍劝王少进，唯渠已精神颓败，只唤渴而不呼饿，我与佟索来开水一暖瓶，悉畀其饮用。入夜伊呻吟不已，据云因被灌水甚多，胸腔发热，伤势转痛，呼吸均感困难，我劝其勿愁苦，安卧静养。

隔号的苏月亭，午后二时许被提出，彼于其同伴王振海的受刑，犹不及知，此人迄夜未归，不悉何故?

夜间既苦蚊蚋吮咬，室内闷热，复因王呻吟转侧，致终宵未寐，拂晓少有风凉，乃得交睫。

七月二十六日　星期一

今晨小雨移时，遽感凉爽，旁午放晴。王伤势转剧，左臂不能上伸，胸腔愈益苦闷，脊背灼伤处，一夜受蚊虫吮咬，皆已溃烂，脓血胶和，痛楚不堪，且发出焦臭之味，嗅之为呕，我与佟均劝其侧卧勿动。

王于呻吟中述昨日受刑经过，据云，日人疑其是军事间谍，来自河南，刺探华北日军移动消息，坚令其供述受何人派遣，同来几人？并河南驻军情形。渠对以不知，称系受彰德一棉花栈委派，来津兜揽生意，日人不信，以刑逼之。三四人将其捆缚手足，置于地上，胸际置一椅，一日人坐其上，使不得转动。一人以数丈长粗如儿臂胶皮管，一端接龙头上，一端以手执之，向其鼻孔灌注，历数十分钟方止。渠被灌绝气者数次，均为日人以水喷醒。后复以香火向胸背灼烫，三四人抡木棒更番大打，终因伊无供且受重伤，不能再用酷刑方还押。我闻之心为痛疚，唯有慰伊静养而已。

夜间仍缺乏水饮，王则以伤痛，尤感燥渴，佟伏栅侧，冀其熟识之日人岩田走来，向其索水。俟之许久，方瞥见其来，但佟一呼喊时，岩田则掉头不顾，径往厨房中自取汽水饮用，似对吾等故示其自由享受者。饮毕狞笑而去，佟嗒然颓卧，我等乃又干渴一夜。

七月二十七日　星期二

今日晴，热酷于往日，我等皆作吴牛的哮喘，晨间欲向外间走过的日人乞求水饮，但隔栅望见出入诸人，均呈忙碌，我告佟："无须喊叫，恐要求亦无人睬，大家只好忍耐至午饭时再饮。"

午时于姓仆役来送饭，偷告我等：今日新到宪兵及步队极多，厨房甚忙，多备五十人饭。街上新开到日军殆满，各日本机关，均为备饮食，此间厨房所备沸水，皆供彼辈饮，厨子华人尚某，不准渠动用，渠只好给大家冷水喝。我等连日饮冷水已惯，且无一人患腹痛泻痢的，闻于言，唯求其多提数壶来，俾大家喝它一饱，有余即以饭碗暖壶分盛备用。

晚饭时，仍无沸水饮，仆役径以冷水分给大家。饭后忽一长面孔日兵来，令将室内存碗，筷子悉数交出，隔号亦然。佟乘其不见，偷藏一碗于身后，盖因碗内犹盛有水，不忍因碗之交出，致令水缺断也。日兵去后，佟问我此举系何意，我道：“据想或恐我等利用碗筷为工具，实行剜壁偷逃耳。”佟亦恍悟。

夜间不寐，佟为我讲一故事，据云，渠二年前与家人负气，自沈阳来津，举目无亲，所携资斧用罄，衣物典卖无遗。时在盛暑，所著只短衫裤一袭，每日为节用，昼夜徜徉于马路，遇疲惫极时，即费数十铜元往浴塘沐浴休息。后辗转识得一花会局，求得一席地为栖身所。同居十数人，有落魄之商贾，失时的政客，皆穷窭万分，一钱莫名，日唯赖花会局主人布施两餐以苟延耳。居无何，渠囊资只余四角，而夏去秋来，天气渐冷，自度只此戋戋之数，何以度秋，愁苦之下，顿生拙志，决意翌日投海河以死。夜间因腹急如厕，蹲踞甫定，忽觉有物向其臀后嘘气。初不之觉，厥后渐剧，尚认为风势使然，乃掉转方向以避之，讵嘘气仍然。自忖世说有鬼，或因渠萌短见，死期在迩，鬼来戏侮耶？心既疑讶，未逮毕事，即快然归室。因事涉怪诞，恐遭人讪笑，遂亦不言。坐未久，室门忽豁然开，一著旗袍截发妇人步履从容，直造渠侧而坐。阖室中人，均未入睡，目击妇人之来，犹疑渠有奇遇，所欢特寻至也。渠则因所居楼上寓有荡妇洪太太者，昼伏夜出，营皮肉生涯，渠则向未睹面，疑即其人。乃却坐正色告之曰：“我穷愁潦倒，两餐尚仰诸人，安有此闲情致与汝狎耶？”妇人闻之不语，但吃吃笑。渠愈不耐，遽下逐客令。妇人忽庄容谓之曰：“尔勿以侬为路柳，来供攀折者，似尔侪一堆穷骨头，掷沟洫，供犬啃，亦将不顾，况侬人乎？侬知尔辈中有人，已届山穷水尽之日，翌晨恐有数人将逐波臣为伍，侬特怜之，不忍其饥溺，来为一援手耳。此间花会局，明日将出某会，可罄尔辈所有，为孤注之掷，博胜，犹可为也，何如妇人孺子态，遽萌死念也。”言下目佟及一胡某，两人均为之惭恧，少瞬妇人忽不见，亦不知何时出。众至此方大骇，是日胡某亦以一筹莫展，天气渐凉，久依花会局非计，存心投河而死。与渠所决者不约而同，均未尝与人道及。众中有人，颇认渠活见鬼，将不久于人世，劝渠曷如妇人言背城借一，与其有余而死，莫若空空而去。未几楼上荡妇洪太太者归，众中有识之者，与道此笑话。洪立排众议，出资六角，合渠所余之四角，共为一元之数，力劝渠寻绎妇人所言，试姑一赌，渠亦觉迟早死耳，不赌留此区区阿堵何用。遂一如洪意，翌日共赌“红春”一门。揭晓后果获胜，同室咸为欢庆，置酒煮肉共快馋吻。其后渠续赌月余，凡目所见，耳所接，即绎为打会之门类，连战皆捷，博胜至七千元，更衣易履，置办行囊，骤非昔之寒窘相矣，同室者亦多得沾润，渠除寄家下数千元外，以其余资，在津经济，始渐获与各方交游。花会局则以渠博故，竟至不支而倒闭。我闻后大笑，谓：“汝故神其说乎？信有之乎，我愿求富贵于其中矣。”

七月二十八日　星期三

今晨小雨，近午放晴，午后复阴，终日气压甚低，小室内殊感闷塞之苦。

王振海伤势疼痛稍减，究系年富体壮关系，较之隔号孙宝山受刑数日，伤犹未痊，自难同日语也。

今日所见宪兵，均更易为全武装，情形较前两日尤紧张，我默忖或系时局发生变化，中日战祸难以避免欤？不禁为国是惴惴。

我与佟言："近两月华北日驻屯军少壮派，颇有寻隙挑衅之意，此缘我中央力量渐达于华北，华北当局不敢为灭裂鲁莽自我向外之举。华北少壮派日军人予取予求，不似前此之如意，遂认为华北当局倾向中央，对日态度强化。今次'芦沟桥事件'，本意在为恫吓，俾华北当局有所悚惧，仍归依其明朗化旗帜下，复遂其压迫欲望。乃事件闹大，至非出兵不可，在华北当局，宋哲元既失其重心力，在日驻屯军高级干部，亦无其控纵能力，结果非抵于中日全面冲突不可。大战倘不幸爆发，我虽孱弱，顾此为民族存亡，国脉断续关头，一灵未泯者，自当顽强懦立，必死赴之，是胜负之数，未可分也。"

佟告我："芦沟桥战起，此地日本宪兵，均极恐慌，其原负有侦谍工作者，悉不敢出日租界一步。大部出重价雇汉奸代为刺探消息，某夜宪兵队得一报告，谓天津保安队，将于今夜袭取日租界。于是队长以下，咸皆惶惶，队部门前沙袋高堆如山，并张电网。全体宪兵武装出动，守两昼夜，后知我无其意，始撤防备。我与宪兵队略有关系，得知其外强中干的恐慌，其向畏日人如虎者，不知此中情形，犹为敌张目，认其具有准备，一切无恐，是真可杀者也。”

佟又为我言：“日本宪兵队编制与我相同，每大队——亦称总队——分三中队，每中队分五班，每班十二名。其中曹长所率之班二（按曹长等我国军中的上士），军曹所率之班二（军曹等我军中的中士），伍长所率之班一（伍长等我军中的下士）。正式宪兵而外，为办事关系，另自步兵队内选拔一中队士兵辅助一切，名为宪兵补助队。补助队之责任，仅受宪兵指挥，办警卫戍守，逮捕搜查工作，无单独对外行动之权能。”此与我二十一年在哈尔滨被捕时所闻于日宪兵者正同。

晚饭向系六时左右送到，至迟不逾六时半，讵今晚候至八时许，犹无信息。我自来因嘴馋，在外间时，衣住二者，可不讲求，唯吃饭绝不马虎。被拘后，日食烩饼与淡饭，甚感其苦，故每饭只用少许，今日虽时间稍脱，尚不觉饿，其余诸人则饥肠雷鸣，已不耐久候。佟乃告奋勇，伏于栅门，向外间张望，迄八时半，方见一日人来天井沐浴，渠乃大喊“饿啦”；“吃饭的没有”，其人闻之，复询问明白，乃唤来一日人，嘱咐数语，至九时方送到，每人干饭一碗，鸡蛋汤一碗。

送饭时于姓仆役偷告我等，外间殊严重，遍街尽是便衣特务，渠等出入亦不便。再深探询，则似有顾虑，匆匆置碗盏，不答而去。我对佟等谓：“以于所言推测，大局恐至最后阶段矣。”

夜间天井内，沐浴的日人绝少，出入者亦无几人，静中闻前楼宪兵办公室内电话频传，似与各方联络甚忙。

七月二十九日　星期四

今晨二时正，睡梦中为前楼人声杂音所搅醒，坐起向外张望，见所有宪兵与补助队，皆形态紧张，武装齐整。楼上原住有部队，携持武器而下，皮靴踏扶梯，响声如雷。包伙食之日本酒保，亦为唤起，忙于煮水，供员兵等水壶灌用。忙乱至二时二十分钟始寂静，揆度均已出发矣。二时二十五分，忽闻机关枪声如爆豆，测其方向，当在日租界南市间。二时三十分后间有步枪声，夜静中极为清晰。隔号及我室中人，皆梦中惊觉，咸屏息倾听。孙宝山与佟小语，交换谈话，均谓“坏了”;“时局已不得了，两方开火了”。我则嘱咐大家要小心，切莫发生意外，因战事爆发，我等生命握于敌人手，死之殆如捏毙一臭虫焉。众咸为然，两室毫无声音，唯皆血脉奋张，注意枪声远近，而推断战况情形。

三时整，枪声愈密，机关枪连续不绝，谛听之，似均为日租界所发射，中国地内则颇沉寂。街上载重汽车往来急驶，悬揣必系日方输送队伍及军火者。四时左右，枪声时断时续，已不若前之紧密。五时许落小雨，地上已呈泥泞。少时有一部宪兵归来，均已易著水靴，头面满是泥垢。我等正全神注视倾听中，忽见莳苗全武装——即讯我的日本宪兵曹长，我目之为浪人者，絷一人来，绳剪二背，其人著睡衣，趿拖鞋，年廿许，如在寝处间被捕者。日人岩田持留置所钥匙随至，即启我室栅门，拟将其人推入。莳苗令少俟，即于门外，检查其人身体，取其身畔小革囊，就灯下翻视。其人意不舍，欲索回，且高呼那里边是我的枪。遭岩田用力披颊一记，剥去其睡衣，仅为留著短衫裾，推入室内。其人待莳苗等去后，问我:“渠之小革囊中贮金戒两枚，钞券六十元，是否被没收？”我方悟适间渠所云之“枪”，实是“钱”之误。乃对以尔当前的问题，应舍财保命要紧，命能保住，钱尚可返。其人不语。

六时左右，枪声仍不停，远方似有炮声，归来的宪兵，又复出动，时雨势已止。

新来的人，不耐朝寒，兼因受惊过分，瑟缩弗已。我令其坐于我与王振海间。询以外间情形，及被捕原因。其人口音不粤不闽，方言殊难懂。自谓广东人，我则疑为台湾产。据云：渠住日租界三余里，楼下为日本特务机关支部，渠在日租界耕余里一海货店做事，经理日人，出资设业者系其兄。渠名周汉雄，年廿二岁，因海货店狭隘，无存宿地，渠特在三余里租房一间为自己宿舍。今晨五时睡梦中为枪声惊觉，未著衣履，奔出探视，竟被捕来。所居亦遭检查，当时渠在门外，检查者只一人在内，无人监视渠，渠本可逃逸，但意未能决，终为逮来。言际露悔意。我因其系海货店员，当为走私中奸贩，鄙其所业，不愿有何劝导，任其嗟叹。

嗣其人又告我：“昨晚外间情形即紧张，九时后英法日意各租界均关铁门，断绝交通，中国地则戒严放哨。

十时后万国桥拉起，由各方奔租界内避难者极多，谣言殊炽，传津保安队将攻日租界，今早二时枪声，当系开火矣。”继又言：“昨日各报发行号外，廿九军于廿八日乘雨收复廊坊，丰台，战况激烈，日军死伤甚多，平津交通已断。”我因诸人艰闻其人的言语，乃为之转述，众皆欢悦，认系我战捷先声。我则虑廿九军兵力散漫，仓卒不能集中，胜则难守，败则不可收拾矣。

午刻枪炮声渐稀，天则未放晴。十二时半饭又未来，佟与众人复不耐饥，仍伏栅间喊叫，逾多时来一人，问明原因后，令酒保为送剩饭团冷菜少许。饭团每人二个，约合干饭两盅，冷菜则系宪兵等所食余，每室一大碗。我等饥饿中，不复选择，捧啜尽净。

午后一时半，炮声转剧，测听多是日租界向河北发射者，有时杂以激烈机关枪声，建筑物坍塌声，我知战事已剧，系念时局前途之心亦愈甚。

午后二时许，宪兵归来者，多尘头土脸，疲惫不堪，我因冥想战况，必已非常激烈。三时后微闻厨房中有人言，南市卫生池已中炮起火，东车站业成瓦砾场，我心如碎。

下午四时许，复落小雨，雨中炮声间歇，五时许雨止仍未晴，遥闻东北方炮声转急，估料东车站间必仍在激战中。

晚上八时廿分，于宋仆役始送饭来，日本酒保在后监视。仍为饭团，每人一个，较午间为大，多系冷饭团成，无菜，每人给咸黄瓜半条，我因忧心时局，仅用少许，余分给佟王食之。

夜闻远方有枪声，我注意外间动静，精神特别兴奋，佟等则已睡矣。

七月三十日　星期五

今晨五时方交睫，外间枪声虽若断若续，因方向捉摸不出，亦已不听。七时整闻飞机声甚厉，往复经过宪兵队屋顶，飞行甚低，屋瓦皆为振动，两室内被囚人皆为惊醒。附近炮声大作，似发生空陆呼应战斗，我不禁为我军捏把汗。

孙宝山敲壁请我推测大局情形。我谓："若以昨日新来的人——指周汉雄言——所谈，似华北战事已爆发，我既收复丰台，廊坊，敌遭败衄，必将增援反攻。倘廿九军能分出兵力，不待到援军至，沿通昌大道，追敌迄于战区外，则北平，丰台，廊坊犹可固守。同时能有军队沿京津路开津，协马厂驻军进据军粮城，扼敌军南来之路。天津保安队悉其全力，以海光寺为目的，进攻日租界，则事尚可为。苟冀东保安队张庆余，张砚田部反正，师出塘沽，唐山，切断敌后继部队联络，中央军三日内出动，沿津浦平汉两路北上，以长辛店，马厂，静海为后劲重镇，敌虽悉众来攻，须费相当力量。计不出此，若徒逞一时愤激，收复丰台，廊坊，使敌从容退却，厚集援军，挟空军呼应之力反扑，恐两地仍将不守。两地如失，北平陷于裸立，津平且失联络。无论天津战事，由于何方发动，终恐我计划欠周，胜既难守，败尤足虑。设津方我主持军事者，能孤军行险，一鼓作气，于今日出全力攻日租界，取其海光寺大本营，掘敌之根据，则敌因受动摇，联络切断，于军事行动上，我尚可抢一先着，计若失此，其结果不堪问矣。”

我又告孙等：“以我等切身利害言之，战事既发，日租界倘为我军迅速收复，遮断敌海河陈塘庄间退路，敌被迫退往法英租界，为国际军队缴械，侨民未遑悉退，则敌自不敢对我等下手，我等自可望为我军救出。如我军行动迟缓，容敌沿海河退却，侨民亦为保护出境，则战败之余，必任意杀戮华人以泄忿，我等性命，殆等于蜉蝣，凶多吉少。倘战况于我不利，不幸我遭败衄，敌亦必虐遇我等以出气。战事紧张，既无人顾及我等在禁中生活，是缺食缺水，移挪监闭处所等意外痛苦，均恐不免。最不幸或有移往海光寺敌司令部，视同俘虏拘禁的危虑。此种情事苟如出现，敌无暇处理我辈，我等须准备起码三个月监闭的坚忍。预料敌必须将战事推至山东平原，察绥晋半入其掌握，华北伪明朗化政权出现，一般政权归其卵翼，暂时的地方归于平靖，觉我辈无甚能为，且其时亦有暇从事于旧案的整理，我等始有被释之望。在最近将来，正恐有非我等想像的苦痛临加，但敢断言，我等若力持坚忍镇静之志，总有挣脱之日，因敌犹未具死我等之心也。唯以民族国家立场言，我等宜祈求我军之大胜，虽因军事关系，不及收复日租界，致我等遭敌杀害，则我等精神固未尝死，将伴此页战史而俱光辉。假使敌势甚强，战线推至德州以南，容其伪政权成立，于我国家民族前途，国税外债诸端，影响实巨。我等即或幸获免死，试问偷生于敌铁胯下，尚有喘息机会欤？”孙等闻之，皆认为然。

午后一时许，飞机往来愈频，每间二三分钟，即有一二架经过屋顶，窗棂均受震荡发响，遥闻远方飞机升高俯冲迅速声音，揆度必系投弹，——民廿年“九·一八”事发，江桥抗战之役，我为随军记者，习闻飞机声音，故可测知其动静——我深恨不能生得两翅，一睹外边情形，并于此时一发挥我天职的功能，愤极时以拳捣壁，佟等询以故，我唯苦笑对之。

飞机声迄晚七时许日薄黄昏始停。我忖度今日所闻者，必均系敌方所有，从可测知我被炸毁破坏之区域定多矣。入夜枪声仍时作时辍。宪兵归来者只一部，未几仍出动。

晚八时送饭团来，每人一个，殆已成例，另给剩菜一碗，厨子尚某送菜时言，外间购何物亦不可能，菜蔬断绝，只好请诸位将就。宋仆役送水时言，中国方面打的很坏，保安队均败退。我正进食，骤闻此语，顶上如遭重物锤击，轰然一声，失却知觉，半晌始复常态，掷下余食，怅然无语。迄夜心如刀绞，不能入睡，每闻枪声，如弹中我胸，我此时唯憾我何不聋愚冥顽，则少受刺激也。

（以上获自由后，二十七年三月七日写竣，时在天津。）

七月三十一日　星期六

今晨天气叆叇，小雨初止，气候凉爽，拂晓即闻隆隆炮声，由近渐远，我疑系我军反攻。

十时一刻宪兵大部归来，军服皆遍泥污，颇呈其狼狈状。

十时廿分，有宪兵军曹一名，来启栅门，唤出二人，佟周均瑟缩不动，我乃拉王振海同出。至前楼见宪兵甚多，忙乱异常，一宪兵状貌殊狞恶，畀我肥皂一块，令伫立少候。旋彼等略有计议，复将我等领回，令佟周二人亦出，并嘱我等各携衣物。我被催迫，袜子、手巾、手纸皆未及取出。一宪兵以长绳一条，将我等四人双手捆扎，驱至门外，登一载重汽车，车高不可上，倚一木梯，我四人如登山履崖，小心翼翼而上。嗣有武装宪兵补助队四名亦上车，环立我等前后，即令车驶行，车出春日街北端，转宫岛街西驰。路上咸有日兵放哨，几绝行人，殆已充满战时戒备。佟等皆以为必遭不幸，战栗无人色。我则断定不系送赴前方服役，即是移地禁押，故不惊慌。车行五分钟，至宫岛街北端，折入香取街，停于一门前，视之门悬宪兵寮木牌，我愈知系移地羁押矣。我等下车时，押解的宪兵，因解绑急切不开，顺手披每人颊一下，我亦不免。当时受辱，几欲倒撞车下，方一动转，即为一兵牵臂拖我入院。院内为楼房一所，其最下一层为地室，我等既被驱入内，室内黑暗，阴霉之气甚重，虽在昼间，亦燃电炬。有留置室三，外间二，内间一，中已禁有数人，唯室尚宽敞，不似总队部的湫溢。二宪兵踞坐一木案上点名，既毕，施行身体搜查，手巾、腰带、裤吊带，皆为取去。然后令至天井中一水龙头前冲洗身体。我等被押多日，汗垢丛积，头身殆遍，对此尚觉相宜。冲洗毕，启栅门，推我入最外进一室，嗣后将我唤出，关入最内的一室，裤吊带还我，鞋子则被留于外。我入室未久，续闻孙邱诸人亦提来，均令冲洗身体后，推入外室，我室则陆续推进四人，周汉雄在内。此室原禁有一人，年三十许，著蓝哔叽西装，至此共为六人。室较最外间者为大，纵二丈五，宽一丈五，地为水门汀砌成，湿溽未干，铺中国炕席六领，掀席视之，则犹多泥屑。后窗二，及通隔室之门二，均为砖砌死，泥圬之痕尚新，从而知此间当属新辟创者。木栅门以细木制做，不若总部留置所坚牢，所留空隙亦大，空气尚可流通。实则室大人少，且在地下。自来阴寒，空气当然足用。

我以地过潮湿，乃告知同室五人，将近门处之二席牵合于一处，叠二领席于一处，略隔湿气，此举因监视兵未在为之，故未出麻烦。

未几有一宪兵来点名，我知最先被拘于此室著蓝哔叽西装者姓宁。余五人为周谦、邵冠祥、段福成、周汉雄与我。

宁为海光寺日军司令部汽车司机，周为市教局书记，邵系河北省立水产学校学生，段系王振海、苏月亭同伴，乃一印刷工人。

此间有宪兵补助队监视，每逾一小时更易一人，不断往来巡视，禁止留置人谈话，偃卧。我等谈话唯俟监视者不在，或闻得步履声，即行辍断，待其去后方续谈。然有数兵，穿著日本式胶底水靴，行路毫无声响，栅外空室，昏黑如晦，故其何时走来，不易觉察，若为监视兵瞥见偃卧，或谈话，则厉声叱咤，以是大家咸皆小心。

宁谓："此地罪实不好受，来此仅一昼夜，即不可耐，晨间监视兵来唤醒，则须枯坐一日，不许倒卧，晚间来命睡觉，倒卧后即不许起坐。"渠昨日午后被禁，今午前坐起，顷已腰背酸痛，众闻之佥面面相觑。我则谓："此恐系虐遇之渐，以后说不定另有何项花头，来折磨我辈，要须我辈'逆来顺受'，坚忍奋斗也。"

宁以充日军部汽车夫故，与一日监视兵甚熟，其腕表、手巾，得以发还。

大概系心理作用，我等枯坐未久，即均感腰酸背痛，急思倒卧一下，借资休息，但恐为监视兵所见，最后疲倦已极，遂咸不顾利害，颓然偃卧，虽困极亦不敢入睡，因留此耳目并用，以窥听外间声响，俾于监视兵走来前兴起，此种苦痛，今日初尝，实不好受。

早十时，我等由总队部提来，迄午后四时，犹未给食，仅于二时四时，给两次半沸水饮用。其第二次送水的为一小眼睛兵士，状貌蛮横，另一著西装衬衫日人，估系军属者随之。由栅门小孔向内递水，孔小碗大，半侧而入，每人说明准饮一碗，实则接到手时洒已多半，到喉的只少半碗。军属的日人少明华语，教唆小眼睛日兵，故意捉弄我等，接水时须作出日本的跪式，并须必恭必敬，否则不予。段周皆以不娴，连作数次，始获递进，此诚“奇耻大辱”，我毕生不能忘之。我想，现值交战期间，我等在其军事占领区域，且为其拘絷于此，无术抗衡，倘我获脱绊羁出笼之日，不尽我力以报复之，非夫也。

晚六时四十分，即有一兵来传呼睡觉，我等已危坐半日，腰痛难当，得休息机会，心为一慰，大家均纷纷倒卧。此地既无毡毯之类，可供铺枕，地复潮湿不堪，不得已乃择干爽处共同挤轧于一角。复由宁出主意，将芦席一端略卷，权充耳枕。乍倒卧时，肢体舒适，疲劳方减，颇为快意。但十数分钟后，地上水门汀潮气蒸腾，湿冷侵人腰背，而芦席作枕，折裂处刺颈额作奇痛，渐不可耐，此时反愿起坐，第以监视兵不断走来，遂不能为之。我默想古人所谓“寝苫枕块”，“卧薪尝胆”当不是过矣。

宁邵诸人以一日未得食，腹中雷鸣，转侧难寐。我则一心作遐想，反不知饥饿。至八时许，宁等实不能耐，俟一日兵走来，向其要求食物，该兵竟作滑稽刁狡口吻，谓：“饿一天不要紧，明日多给。”宁等再有申说，则不睬。

夜十时许，小眼睛的日兵值勤，宁少谙日语，复向其要求，该兵寻思半晌，始走去。约十余分钟以铁盆盛来冷饭及锅巴之类少许，唤我等起立，如军队的检阅一行列焉，注视多时，方逐一递进一捧。接取时仍令如饮水状，作日本的跪式，口中犹须道出“谢”字，所为少不合制，即不予。我接得一份，因受刺激过深，羞恼不食，分与邵周段吃掉。诸人得此少许食物，仅当“十分之一”饱，虑再要求必讨无趣，唯有忍饥倒卧，听其肠鸣不已。外间留置室，无一人谙日语，沾我室之惠，亦得享给食给水之利，但多因接取方式未符，遭小眼睛日兵叱骂，并以皮靴踢栅门“砰！砰！”作响以恫吓。

午后六时许即倒卧，长夜迢迢，睡醒数次，询之宁，则仅过夜一时，诸人均筋骨疼痛，翻来覆去，难再入睡，同时楼上皮靴声，钉木箱声，移物声，谈话声，杂然并作，终宵不停，更使人难以静卧，彼此咸伺监视兵未在，偷起略坐片刻。一般心理，皆盼晨光速临，得以起坐。斯真“活地狱”的罪过，我只有坚忍克制之矣。

八月一日　星期日

今早六时，即为日兵唤醒，一宵偃卧，筋骨酸痛，起坐时，几疑腰断。坐起未久，则又觉难耐，我等乃乘日兵在外面梭巡，复倒卧休息，朦胧中，时时惊起，盖以监视者前来也。

室内黑暗，只有一线阳光，透入外间，难辨阴晴，九时许日兵启栅门，令我等中的一人，出外倾倒马桶，邵告奋勇而往，归后谓外间仍未大晴，马桶倾倒时，有日兵持枪紧随，不准冲刷，故仍多臭味。

据邵默数外间存放的靴鞋，共二十双，我等因测知被禁于此间人数约二十名左右。

十时许有一日兵，尚觉和善，为各室送水饮，不似小眼睛日兵的苛虐。昨日大家只食少许冷饭，此刻已有多人饥肠辘辘，饮水一盂后，愈饿不可耐，宁为之倡，向日兵索食，答以候候送来，但迄午后二时犹无消息。

邵系江苏宜兴人，远来北方求学，与周谦、曹振华等友善，年虽二十二岁，犹一未经世故青年。渠被捕系因与人办一《海风》杂志，内多抗日宣传文字。渠本今夏卒业，定于七月二十一日，乘海船南旋，在就道前一小时，经天津市警察局捕去，押禁一日，取得口供，二十二日竟解送日宪兵队，当日略致询诘，即行收押。在宪兵总队部时拘在后院，故我未之前见。渠虽拘留只十数日，业已耳聋失聪，镇日唯咳叹不止，与周谦絮絮讨论其前途，至愁苦时即潸然落泪。周谦年少渠一岁，尚属开拓，时时慰藉之。

此间数人，以我识见较多，对我咸致其恭敬，邵、周（谦）且习知我在申周笔名，读过我文字，较余人更致敬佩。我则劝解诸人，为剖析本次战争原理，与民族利害，告诸人勿置一已利害之念过重，宜明乎个人生死事小，国家存亡事大之义。

宁述其被禁原因，云，渠在日军司令部充汽车司机十余年，平日小心翼翼，二十九日晚以津变陡起，牵挂家小，托人代班，归家照料。翌日晨返司令部上班，以交通隔断，被阻数小时，比到部时误数小时，致启日人之疑。指渠系向保安队报告消息，图不利于日军，当晚审讯后收押，真正冤枉。我谓："汝若不供日方驱使，焉有此祸，须知日人如蛇蝎，不可共处，汝虽自命为诚笃，亦难免其猜疑，豺狼口边求食，终有遭吞噬之日，今你所遭，由以证明我非妄语矣。"宁不胜羞恧。自云倘获释放，决设法摆脱之。

宁谈外间情形，谓，平津我军战况皆不利，闻已退却。但未去远。中央军传已北上，到何地不甚悉。南开大中小学校，河北市府，南市卫生池老车站，皆遭日机炸毁，情形至惨。各租界咸戒严，无通行证不得通过。法英意租界避难的露立街头，拥挤杂沓至为不堪。外国军队皆武装出动，租界与租界间沙袋电网满布，一切未脱严重。我闻之愀然。

我等所禁处，地极僻静，除偶一闻得附近街衢汽车来往驰驶声外，他则无闻，外间是否仍在战斗，不得而知，我对此甚感苦闷。

午后五时许，犹无食物送来，我虽觉腹空需食，只以萦念大局情形，浑忘甚饿，宁、邵、段诸人，则饥疲欲死，有监视兵走过时，即由宁发言，向其要求，但均设词支吾。六时半又令睡觉，我等告以尚未得食，监视兵则谓："慢慢的有。"我等腹内无食，焉能睡着，且因水门汀地面坑坎不平，躯干触及嶙峋，痛彻万分，仰望一灯孤悬，电火磷磷，愈觉此间惨苦有过于所谓地狱矣。

夜十一时许，方迷惘中，小眼睛日兵突至，提热水一桶，冷饭半筐，分给大家，给水给饭方式，一如昨日，须蹲跪俯伏，致其恭顺，每人所得约合半盅，而锅巴则居多半。宁等饥火烧肠，咸捧食一光。我食少许，余分给诸人。内有锅巴一小块，焦黑不可食，取置席侧，将投之马桶内，转念得食的不易，欲为复止。

夜间楼上声响交作，仍终宵不停，耳鼓几为震聋。

八月二日　星期一

今晨六时一刻，即被一日兵踢门唤起，留置室内早寒，我乃著我罗衫取暖。此一件长衫夜则卷叠作枕，晨兴前则覆体当被，直成我唯一恩物，但以地气潮湿，已发碱卤。

我等因被唤醒过早，仍师昨日故智，侦知监视兵不在，乘间倒卧，少取休息。大家今日惴惴然以挨饿是虑，盖昨日经过二十五小时，始获得半盅冷饭，昨夜即已腹内空虚，今日若再延挨二十余小时，将有数人不支，邵、宁晨间即呼饿得“头晕眼花”，我亦觉肠鸣不已。大家晤对无聊，则小声谈话，用破沉寂。以挨饿故，谈话范围，乃始终不离“吃”的问题，某处烧饼卤肉香，某处煎饼油条好；谈至兴会处，均不觉口涎下垂。邵则示我裤腰，以食不获饱，数日间已瘦损半周，宁则哀呼，谓任何罪皆可受，唯不给饭吃，未免太无人道。我谓此之所谓吃饭难，日本不因人口过剩，为一吃饭问题，不致与我开衅。

邵饥饿中，仍不忘其前途，频询我，宪兵队既将其捕来，何不审讯？我告以目前在战事紧张当中，安有余暇来处讯我辈，唯我断汝绝无生命危险，暂宽愁思为上。邵仍请我推测其前途不休，我因其耳聋，解答费力，且恐讲话声音过大，遭监视兵干涉，略示落漠，渠误为前途无望，竟至下泪。

我责邵曰：“你是中国有望青年，未来中国的主人翁，国人方寄其将来无穷希望于尔等。你既受过中等教育，当明乎此次战争的意义，与夫此次战斗关系我国存亡的重大。你既未能执戈御侮，杀敌致果，则亦应为中国青年存些体面，何竟若妇人孺子的啼泣；小苦犹不能受，牺牲性命胡能谈到。且你流泪吞泣，既增一己苦恼，并使合室中人，睹你情况，为之不欢。因一己不甘忍受痛苦，转致大家愁烦，业属不当。若因流泪，而冀激发日人同情心，遽行释你，尤为妄想。故我劝你应忍受痛苦，努力挣扎，即或不然，纵死于此间，有何大不了事耶？”邵默然。

我又对周谦等讲此次战争意义，及未来情势的观测。大意与前数日为孙宝山诸人言者同。我并告诸人，平津既落敌手，则两市民众二百五十余万，至少有五分三以上遭重大损失，有业的失业，有职的失职。甚或昔日富商大贾，今则一文莫名。以平津各机关言，工作人员抛家失业的更不在少。再进而言之，将来战区推展，被祸地方增多，老百姓家产荡然，流离失所，其苦痛，当较我等坐狱为尤甚。我等果能由此处着想，似此类当前苦痛，乃受国际战争所赐予，我等为国民的，不可避免的磨难。澄心寡虑，自能泰然。今日起始，我与诸位约，任何一人，值愁闷时，应自宽自解，勿当众咳声叹气，扰乱人意，增人不快也。周等听毕，连称“谨如教”。

旁午周出外倾倒马桶，归谓天未晴，恐落雨。

午刻小眼睛日兵值勤，提水一桶来，逐室分给，大家对此等施予，只感其苛虐，因接水时手续繁缛，受辱过多也。宁向要求食物，渠云不久可送来，今日将给两次。唯至午后三时尚无信。

我今日方觉饥火中烧的难挨，肠胃作响，口腔频出酸津，额上汗发如豆大，实无计出。回顾坐席旁，尚有昨日遗下焦黑锅巴一小块，受蚊蝇吮吸，业已作腐，不顾污秽，取而啮之，少杀饥火。

午后五时许，日兵送来食物，每人饭团一个，约合一饭碗，锅巴冷饭均搀于内，我食少许，余分与段、邵。诸人误信小眼睛日兵的话，认夜间将再给饭食一次，岂知并无其事，六时二十分，令睡下，偃卧中诸人犹冀送饭来，候至十一时无动静，方各绝望。

此地一般人通病，均患便秘症，每人均腹胀不通，一届真个排泄时，虽竭尽九牛力量，粪亦不下。

我前此在总部所发现生殖器包皮溃烂病，刻略见好，因何致之，迄今犹百思不解。夜间楼上响声尤厉，十二时后即醒，难再入睡。

八月三日　星期二

今晨五时半即为唤起，监视兵对于我等愈施其虐待，起睡时间，直任意为之矣。我等只好仍前办法，偷自倒卧休息。

早九时前，大家通例，均无精神，殆因睡眠不足故耳，因之谈话亦少。

午刻我开始向宁学日语，宁本仅懂极浅显单句，何能教人，我为应急，及顾虑长期被禁，宁若先我释放，则有时须向日兵交涉事物，不懂其语言，至感不便，特就应用单字习之。邵曾习日文略通字母，及极少字句，渠亦参加学习。

我在壁上划记月日及曜日，因之有感于“山中无日历，岁暮不知寒”句。

午后我与大家讲故事，以破沉寂，并祛邵、周等苦恼，有时杂以笑话，宁、段、周诸人一时顿忘所苦，唯邵以耳聋，难以听得，独自闷损弗已。

宁告我，田代确于芦沟桥事发后急火交攻遽死，尸体焚化后已运归国。华北驻屯军参谋长桥本调回国，继任闻为儿玉中将，不久即来。

段述其被刑经过云，被捕后的翌日，即为提出，追问其来津所事？渠告以来买印刷机器。询其携钱若干，答五十元。又询其受河南何军派遣来作间谍，并河南驻军番号地点，渠对以无其事，关于军旅事，渠系一工人，不得其详。日人怪其欺瞒，四人轮流以木棒，竹剑大打，所击处均为要害。致胸胁两胯两膝，皆负重伤。后并将其捆绑，两日人施其掼跤术，大摔特摔，渠当时头目晕眩，不辨方向，气结几死。日人逮其少苏，又将其放倒，以木椅置其胸上，一人坐之，防其转侧，一人则用胶皮管向鼻孔灌水，昏死两次方罢。最后则绑坐一椅间，取冰一块，令其抱持。又一日人剥下其衣裤，用一“冰棍”，——以冰制成之圆棍，长约六寸，内合香料颜色，为夏日清凉食料——向其生殖器播弄，故意打趣戏侮，谓“给你的孩子吃罢”。由午前十一时审讯，受刑殆遍，至午后六时方回押，渠因实无间谍工作，故始终未承认。

众闻之咸为变色，我笑云：“唱蹦蹦戏有句谓，‘凉水浇头怀抱冰’，今你所受的，恰此之谓。”众为之展颜。

午后四时，总部内于姓仆役来送饭，每人热饭团二个，煮海带两小扎，饭团海带皆系新制的，犹透热气，四日来当以此次给予的食物为优。我食一团，邵、段等不足用，并我所余者吃尽。于姓仆役且提水一桶，分送三室，尽诸人饮够。

周汉雄只著一套短衫裤，畏寒瑟缩，邵脱其西服外套衣之。

午后六时三刻被令睡下，我腰胯酸痛，仰卧半小时，方略好转。

八月四日　星期三

今晨二时许降雨，睡梦中冻醒，以罗衫紧裹周身，究不能却寒。静中细聆萧萧夜雨，缅想前方我将士，拖泥带水，与敌周旋，际此雨夜，斥候尤须紧饬，其所受辛苦，当非我人意想到者。兴念于此，顿感战祸之惨。墙外蝉鸣，宛似天籁，在此狱中闻之，使人倍增忉怛。

今早以雨故，至七时方经一兵唤令坐起。监视兵中似有二人为头目，每晨则来探视我等动静，态度极其蛮强。视我等不若猪狗，即起立一舒动肢体，亦遭其叱咤不许。另有二三监视兵，态度少好。值其勤务时，监视少松，否则我等终日恐即动转亦不得自由。

邵、周（谦）、周（汉雄），均向我问应对之计，准备提讯时对答日人。我一一为之指示，令其各自参详。周汉雄突谓："王先生，我这样说如何？倘问我时，我说我不爱国，我也不是共产党。我若爱国，则不能在走私洋行做事。"我笑而纠正之曰："你为个人打算，早出去一日，固可随便供述，但不可径自讲出你不爱国的话。你不爱国，由你说出在走私洋行做事一语，已足以证明，事实业经够耻辱了，再若讲出'不爱国'的话，良心能不愧怍？且日人放你与否，不在乎你能说'不爱国'一句话也。"周被我指斥，两颊飞红。

我因周汉雄之言，颇有所感，遂与诸人泛讲爱国与职业等条理，我谓：“任人皆知，中国是中国四万万五千万人民的中国，不是国民党一党的中国，不是蒋委员长他一人的中国。我们爱国，是尽我们本能本分去爱，最低限度是守纪律，守秩序，拥护领袖。譬如我们有个富强国家，则我们不至于被寇雠这样的凌辱，受今次的监禁。再换言之，敌人亦不敢在我们领土主权所在地，任意捕我等囚我等，此种义理，至为浅显易明，所憾无人肯服膺，肯去做耳。”

一般人因昨日饭团给二个，妄想今日或将给两次，则不至挨饿，但至午后四时未送来，于是又皆饥肠雷鸣矣。

午后四时半，闻外间栅门锁钥开启声，及唤提人犯声，我室诸人，均凝神屏息静听，默察何人被提出，借推断个人的运命。提人的仅在外室传呼，未到我室，迨人声俱杳，大家又颓然失望。五时半忽一日人来我室前，唤出宁、周（汉雄）二人，两人既惊且喜，匆匆随去，至晚未归，殆已释放。邵睹宁、周之被释，又复怏然。我告以宁系日军司令部汽车司机，周系走私商贩，此两人与我等情节不同，不关重要，自然要放。若我等至少须打叠起精神，准备三个月起码的禁闭，邵认受罪期日，果不幸如我所言者，未免太已悠长，颇有其何能耐之意。

午后六时，日兵送饭团来，每人一个，半已腐臭，不得已吃一些即分赠与人。

八月五日　星期四

连日起睡，大致在早晚六七时间，腰腿虽痛，只好忍受之，我室既余四人，顿显寂静。我见邵、段不时愁苦，特寻些话头闲聊，兼为之说些笑话。邵被我诱致，亦为大家说些水产学校实习渔捞，制做罐头故事。

午刻我乘监视兵不在起立活动身体，不意虚火上冲，头目晕眩，几于跌仆。闭目移时方愈，究不悉此种虚火，是因腹饥不饱所致，抑系久不起立活动所致。

静坐时，以手抚摸颔下，髭须鬑鬑，已长出三四分，自忖此时状貌，蓬头垢面，须髯戟张，捋袖跣足，形神憔悴，友朋睹面，恐已不我识矣。

昨日自宁走后，我室既无时计，遂渡些摸索时日，所可略测晷刻者，一为栅门墙壁白垩反射的一丝光线，一为正午日租界局的汽笛。

约在近午，宪兵送来一人，年约五旬，著白熟罗长衫，绳剪二背，入室前，所著皮鞋，所系腰带，皆为监视兵勒令脱解，留置外厢。

监视兵询其姓名，对以“王金标”。我忽忆一年前天津市公安局侦缉总队长即此姓名，或即其人欤？待其坐定试询之果然。

小眼睛日兵送水来，王（金标）以新来，不谙一切，接取时大遭呵斥，王体似簸糠，伏栅门前不敢仰视。日兵径以热水一碗，浇其头上，如醍醐灌顶，淋漓满项背。终且未获给予。日兵去后，王热泪盈眶，对我言：“我年已五十，寿已中等，与其受此类活罪，莫若早死。”我劝其平心忍耐。

约在午后二时许，王被提出，又过二时久返回，满面愁苦，两颊赤肿，告我等渠遭刑讯，臀部负棒伤甚重，两颊则为披肿，灌水一壶，胸腔刻作痛不已。言下蹙额欲哭，我指段事告渠谓：“此室受刑的犹有重于汝者，既遭逮捕，一切看开些，徒事愁苦，无益也。”

今日饭团，仍为一个，由宋姓仆役送来，约在五时许给予，晚间一兵给水一次，如此人生，又过一日。

周极欲知外间情形，向王探询，王频摇其头，不直接作答。我以近来经验获知，凡系新捕来的，均愁眉双结，只耽心其生死，受刑，被押日期等问题，方寸中为恐惧心理充满，除向人探听有关于拘禁期内诸事例外，十九愿静坐寻思，不愿与人交谈身外各事。比押禁日久，自觉无聊，始能略有倾吐，今王亦然。故我劝周少向其絮聒，待其沉静后再询诘之可也。

晚间王向我探问此地规例，我一一告之，并就今日日兵向渠头上泼水事，嘱其俟后，凡事当心。

八月六日　星期五

宵来降雨，今晨犹萧萧不止，墙外的雨声与秋蝉鸣声相应和，使人愈为苦恼。室内水门汀地，受天气影响，发出湿霉气，所坐处衣裤皆现潮湿，兼以坐起时久，脊椎骨与尻骨尖，较昔尤痛。今日方知，“如坐针毡”滋味，殆不是过。

早间外面两留置室，不时锁钥响喨，栅门启闭，料系有人进出，苦于无法探视，心殊烦闷。

王来一日，即已不耐，类呼“不如死去”。我云：“倘得早死，亦大快事，第寇仇意在令我等尝活地狱味道，未必听我等遂意的死。”

王默念经祈祷，我笑谓：斯真“急时抱佛脚矣”，王大惭。

王自述被捕原因，谓渠向充冀东政府参议，事变后通州保安队张砚田率部反正，殷汝耕逃往北平，真实下落不知。保安队杀通州日韩侨男女老幼三百余口，致与日军结大怨。池宗墨被日方派充继任冀东长官，代殷收拾局面，移政府于唐山。渠系奉令送一函于天津某方，前日自唐山来，昨日到日租界须磨街投信，为日宪兵队捕来。昨日审讯，指渠与张砚田有关，参与张反正计划。渠实无其事，日人不信，乃遭捶殴。王述毕叹曰：“我五十岁人了，前年于天津公安局解职后，被蓝衣社嫌疑，已为日宪兵队拘禁六十天，所幸彼时待遇尚好，准家下送饭，换洗衣服。且可读书，但受罪业已不少，今复被捕，除一死外，不冀生还矣。”

我闻王言，晓其已参加汉奸集团活动，鄙其行为，不复向其慰藉。

张砚田为五十一军于学忠旧部，被陷于冀东区内，迫不获已，参加殷逆伪组织，固早料其得机必有作为，兹闻王言，果不负我人平日期待也。

王少透外间情形，云，平津我军均退却，附近无战事。日军开进涿州，向二十九军追击。天津市内被炸毁处甚多，东车站一带遭炮火破坏尤甚。天津已成立治安维持会。平津交通未复，唐山天津间前日方通车，然仅属临时的。渠由津东站到英租界住所，沿途所见皆由日军警戒。万国桥通行困难，一端日兵检查，一端则由法租界巡捕搜查，路上行人稀少，景气更凄凉严重。丰台日军反攻之役，二十九军师长赵登禹，参谋长佟麟阁战死。宋哲元、冯治安、秦德纯等，退据保定，宋哲元已通电下野，委其军政权于冯治安。

我闻此消息，不快久之。王询我姓名，职业，我姑以某书局职员王□□对之，盖不喜其为人，亦不愿其晓我本来面目。

午后约在四时许，宪兵送来一日人，年卅许，只著一连裤衬衣，自肘至膝以外皆裸露。其人被推入室，两目奋张，对栅外送彼的宪兵，瞪视以迄于去，坐下后犹气结多时，不能作语。

新来的日人与王渐通问答，以指代口，就墙壁间书字传意，我知其人姓井上，系伪冀东政府秦皇岛走私品查缉所主任，亦因保安队反正，被日人目为彼国的“日奸”，捕来押禁，衣物均为剥下，仅为留贴身亵衣一袭。渠在总队部押禁已五日，今日不知何故将其转押至此。

晚间饭团仍一个，有焦臭味，且多半冷腐。雨势未停。

八月七日　星期六

今晨仍小雨霏霏。昨夜迄今晨，颇透凉意，我与周、邵、段等四人，咸系“赤脚大仙”，坐起时固无所觉，入夜则寒生足下，我则以罗衫紧裹，略以祛寒。

王与井上絮絮谈张砚田反正，及通州事变当日情形。井上则谓殷汝耕业已被捕，经解到津日军宪兵队拘押，王询其何以知之，对系得之传闻。

王告我，津各报皆已停刊，只天津《益世报》独出版，每份售三四角，报贩均藏之袖管兜售，若宋哲元冯治安诸人消息，系渠阅《益世报》而知。井上对王言："日军已到保定。"我不之信。

我询王天津市公安局长是何人，王对不知。我谓："以平时巴结日方的情形言，料必属刘玉书。"——刘在程克充津市长时，任津公安局长，此人巴结日军部甚力。王不答，揆其意，似默许我料对矣。

午后王忽发感慨之论，谓此次战事，证以往例，中国终必屈服言和，不过华北老百姓受苦耳。我纠正其错误道："以你观察，何以知其必和？"王云："观于济南惨案，长城事件，淞沪之役，那次其结果不如是？中国岂有抗战能力？早晚还不得屈辱？"我道："你自云五十岁，可以死了。前昨两日，我听你说此话，尚觉你过于颓废，五十岁在西人中正系有为之年，何能遽言死。今日听你说话，觉你思想偏激，且已落伍，活殊无用，不死而何？"王闻言面红耳赤，反诘我云："以你大才，对此次战事，作何观测？"我知其语含讥诮，但欲戳透此辈小汉奸的蒙心油脂，佯作不觉，为之解释云："今次战端起因，系由于日本欲明朗化华北而未遂。何谓明朗化？

若在冀东汉奸言之，是在打倒一党执政的国民党，实行东亚两大国提携，依附日本而重新建设一政权。亦即所谓华北自治者是。若在日本言之，是欲假华北明朗化口号，而划成第二个中‘满’缓冲地带，建设第二个非武装区域。此‘非武装区域’，包括五省之大，试问中国版图能有几何？能任令敌人一而再，再而三于我领土内实行割裂主义。退一步言之！即使我承认敌方要求，谁能担保敌方诛求已餍，不再要求第三第四个‘非武装区’？一个独立自主国家，为存其民族，国脉，一再容忍退让，要亦有一限度。倘至被逼无路，存亡关头，亦只好不顾一切而牺牲。自去年西安事变以还，全国含血之伦，莫不渐具国家思想。以往执政者，固可不顾民意，任意屈辱，保持个人权利。今日倘有人于此，冒国人的大不韪，敢于缔结丧权辱国条约者，是为全国的公敌，结果必遭民众的掊击，丧失其地位。‘芦沟桥事件’初发，全国民众激昂紧张，即其事例。而今战端既开，杀敌陷垒者，自为民众爱戴，退后言和者，当遭共弃。若汉奸辈，则因别具肺肝，以不得意于政治舞台，谬为消沉民气之说，不能以中国人目之矣。以我瞻望，中国虽战至不可收拾的败局，亦恐无人敢大胆出来倡和，缔此城下之盟。盖今日世界，我不努力图存，地球上将无此一国。你犹以为今日之战，无异于昔时，空喊几天抗战口号，终至屈膝讲和，是则昧于事理矣。”王聆毕气折。

今日以天阴晦，栅外墙壁反射的光线不见，除午笛闻得外，其余时间，咸于冥索中渡过。

马桶忽渗漏，尿流满地，气味甚浓，使我想起数日前在总队部被禁时，触鼻头晕之马桶味矣。

饭团仍为一个，约六时送来，日来挨饿已惯，总之不死即活，听之而已。

八月八日　星期日

今早段出外倒马桶，归后报告于众：天已放晴。

早六时许闻天空飞机飞行甚频，默想附郭间必有战事，或者中央援军开到，向津市反攻，想至此精神一振。

王谓：“我老了，今生自有记忆以来，一天太平日子未过，不如死了干净。”我道：“你们尽作些违反向心力的事情，国家焉能太平，你又焉能过太平日子？”王不服气道："我前半生何尝作坏事，近来参加一种政体，也不过因为中国没好首领，气愤而出此。"我道："你又错了，听你说话，是不满意现在的中国领袖。中国近几年内乱不已，十九都为一般人怀此心理，以为某也不配当领袖，某也应当打倒，打倒他，我来干，或者打倒他，捧某人来干。试问他不行的去处何在？我行的去处何在？某人行的去处又何在？细加比较，则可知他的'不行'，正是我的'不行'，也就某的'不行'。我不是国民党，我不是替国民党和蒋委员长张目，我也不是崇拜英雄论的。但我觉得国民党弄不好中国，蒋委员长不配为中国领袖，则现时谁又配为领袖？什么党可以领导民众？复兴中国？殷汝耕配为领袖么？大亚细亚主义，大同主义，王道主义，可以为中国复兴的主义，可以用为结成政党领导民众么？恐怕你也未必云然。所以我劝你老兄还是平心想想，少作些减少复兴民族运动的坏事，则日后自有太平岁月过。"王无词以辩。

近午有日宪兵同一便衣人来，提王出去，便衣人似非宪兵队中人，觑宪兵未见，与王颔首示意，至晚王未回，想已释放。

邵谈，渠被禁总部时，室内三人，其中一人尹姓，系一洋车夫。芦沟桥事起，宪兵队急于觅汉奸充侦谍工作，有人荐尹于该队，令化装赴宛平刺探我方军队虚实，尹不敢往，后为日方查知，将其逮捕，拘押九日，提讯两次，一次除灌水外，以巨梃击其头颅，额门为裂，流血数碗，昏厥三四小时，始苏。一次以皮鞭痛抽，两胁无完肤，一息仅属，日人以其已死，委之地上，逾时得苏。当日匐匍归留置室，偃卧数日，方可动转，迄渠移押此地之前一日，其人方经原荐主保出。我道："无知愚氓，枉顾利害，误为日人可亲，供其驱使，应受此教训，不足恤也。"

井上渐与我等以手代口，书汉字谈话，所谈为中国饮食等项。

晚间两日兵来栅门前，向我及段索长衫一检查，我不悉其何意，与之，至夜未还。

八月九日　星期一

今晨愈透凉意，我的罗衫被日兵索去检查未还，致我于早四时即冻醒。井上臂胫悉露于外，冷益甚，频骂“宪兵队无人道的同情”。

地气潮湿，蚊蚋渐生，虽在昼间，亦不时袭来。我等无事，则从事于杀蚊工作。

井上以木屑书字于墙上，视之则系詈天津日宪兵总队长藤井无人道正义，蹂躏人权等语。殆因被禁数日，气忿不出之故。渠又与我谈，渠被捕原因。盖渠充伪冀东政府秦皇岛查缉所主任，藤井则与部下包庇走私，偷漏伪冀东查验费，渠曾破获数次，且当将其事详于藤井上宪，藤井因以获谴，彼此结怨。此刻保安队反正，藤井乃乘机陷渠，云渠与谋，将其捕来收押，衣服并亦剥下，极其虐待能事，渠自度须被禁三个月，似此种挟怨报复行为，蹂躏人权，渠谓苟有自由之日，必诉诸公理。我谓：“谁说日本军人正直无欺，以你事为证，当知‘天下乌鸦一般黑也’。”井上受我讥诮，颇悔失言。

十时许日兵送还我及段的长衫，并向我致谢意，我检视我衣，已满是泥污，我恍悟昨夜日兵索去我等衣衫，非为检查，殆供化装之用，所以此刻还我等时顺便言谢也。

午刻饥饿难挨，竭力忍耐，至万分难忍时，则寻些话头，和诸人闲谈，借以忘饿。我恐被长期拘禁，不谙日语，有时不便，故就应用应急之词句，与井上交换学习，井上固少懂华语，渠亦因无聊之故，对此赞同者也。

约近午后四时许，日兵送来温水一次，每人饮得少许，略压饥火。

午后约在六时许，宋姓仆役，送来饭团，既冷且臭，直不能吃，我与井上各略啖数口，即赠与他人。段、邵等则不管冷臭与否，吞噬尽光。

我见监视送饭的日兵，系昨夜向我借长衫之人，知面目比较和善，乃要求渠转陈于总队部，准我等支用各个存在队部的钱，买购食品，否则须日给饭团两次，菜蔬少许，若冷臭饭团，莫如不给。我要求时，操不完全的日语，仅能达意，井上则由旁补充，该日兵颔首，允为代陈。此为我自被禁后，初度向日监视兵直接办交涉也。

夜间，我等已倒卧，忽栅门启开，日宪兵数人，送来一日本老人，衣带，皮靴，照例被剥脱置于门外。该老人入室后，坐于我右侧，须臾觉坐席潮湿，翻视我卧处，铺叠双席，且觉干爽，以命令口吻，令我挪开一位，俾渠坐卧。我告以“我被禁已廿二天，自遭拘留于斯，即坐卧于此处，尔今日新来，无权令我让地位于尔。使尔先我被拘，我于今日方来，则我亦不能强汝让出卧席与我”。该老人理屈不言。

约十时许，小眼睛的日兵值班，隔栅门询问：“谁是新来的？”时日本老人正坐马桶，未即应对。小眼睛日兵连问数声，方由井上代答。小眼睛日兵疑日本老人轻视渠，大怒，启门入内，力披该老人颊两记，清脆震耳，迄该老人鞠躬服罪方叱骂而出。我于此顿觉日军人气焰凌砾，有似我国军阀扰攘时代军人的气势，任意欺凌编氓者也。

（以上二十七年三月十六日写于天津）

以上“前纪”及“本纪”（由七月十八日，迄八月九日），均系获得自由后，写于天津，逃来汉口时，藏于饼干盒内，过塘沽，烟台，战战兢兢，唯虑发觉。及今思之，犹有余悸也。以下则为来汉口后继续追纪。

八月十日　星期二

今日仍未放晴，留置室后墙，因连日阴雨，已透潮湿，早六时许被唤起后，彼此晤对，每人均满怀苦郁，默坐无言。

约八时许，小眼睛日兵上班，立于栅门外向内窥视，对昨日禁闭的日本老人觑望最久，似对其昨夜未能恭顺应对事，犹未恝置。日本老人则俯首至臆，不敢仰视。许久小眼睛日兵见无衅可寻方去。

日本老人与井上谈话，涉及战事，至得意处，睨我作鄙夷笑。我觉此种精神上所予之难堪，较任何为甚，避其目光，伪作不觉。日本老人竟不放松我，操不纯粹华语，用一种轻蔑口吻道："喂！你们中国打败了，宋哲元跑啦，保定完啦！济南完啦！北平天津统统的完啦。日本兵大大的有，日本飞机大大的有。"我冷笑道："我明白，我早已知道。"井上亦满面狡猾得意，对我轻侮道："你是抗日的，你不能放的，宪兵队要押你半年罢，战事完了，你的出去的有啦！"我觉有纠正此辈肤浅日人错谬观念必要，乃以字代言，书字于席上辟导之，告以:“中日此次战争，不同往次，以往是冲突，是局部的战事，容易解决，此次是全面冲突，中国人为争‘民族的存亡，国脉的断续’，要通国民众团结，抗战到底。战事非短时间所能解决，至少要一年以上。此次开战，最初三个月，日本要占优势，甚至中国丢了山东、河南、河北、山西等地。三个月以后，中国要占优势了，因为抗战日久，中国的力量，越发坚固，军队的经验也越多。日本空军海军固较中国为优，但中国土地广大，战线展开，日本空军既不能收多大效果，中国要放弃沿海各省，日本的海军亦等无用。三个月后，国际情形，亦许有何变化发生，因中日战争，或者难免掀起远东大战。华北向为日货最大销场，战事发生，商场停顿，城镇毁坏，民众流亡失所，顾命不暇，岂有购买日货之力，是此次战端开后，日本经济实业，皆蒙巨大损害。战事假如延长，日本经济首要崩溃，最后胜负，殊难预断。”井上及日老人瞠目无语。我知此一番讲话，已征服此“妄自尊大”之两日人心理矣，为之一快。

日老人睡一宵湿地，即患腹泻，我基于人道观念，令段移一席干地，嘱日老人坐其外侧。日老人对我称谢不置。

同是日人，井上则体力不能支持，乘监视兵不在，即倒卧休息。日老人腹虽痛，仍叠股而坐，毫不移动。

旁午忽闻最外间留置室中，有人高呼我姓名，我趋至栅门旁，侧耳谛听，觉声音甚熟，测知监视兵必不在，乃大声询其人姓名，方知是《新天津报》社长刘髯公君。渠恐我听不清晰，复高声告我渠系在特三区万国桥附近被捕来者，拘押已五日，已讯过一次，捕渠理由，亦为抗日。渠反询我情况如何，我告以尚安。谈至此门外皮靴声渐近，知监视兵已来，急打断话头。归坐后静思，此次战事爆发，平津陷落，从业于新闻纸的报人，被捕者将非在少，髯公君，我固知之矣，其非我所知，禁闭于他处者，难保无我的熟识人也，心颇怏怏。

午后二时许，宪兵监视中国仆役，送来饭团，唯无日老人份。井上吃少许即拟赠予段，日老人怫然变色，责井上何无邦人情谊，彼犹无食，何不赠伊？于是井上复将饭团取回，改予日老人，渠始无言。

静坐中闻外间留置室，有人似患重病，呻吟声极大。日监视兵不断叱其起坐，禁止倒卧，另闻佟等代为恳求宽许之声，则不晓何人染病矣。旁晚一穷凶极恶的上等兵——测其系此间监视兵头目——值勤，来往巡视不停，外间留置室似有人犯规睡觉，为其所见，大声叱咤，并闻取钥匙开门声，我室诸人均屏息倾听。果未几闻得捶扑声，被责者哀呼声，恳求饶恕声，历时许久，方闻得锁门声，阖栅门声，始知停止敲击，大家至此，方长吁一口气。未几最外一间留置室，似亦有人违规倒卧，为日兵开门进内大打，被打人惨号之声甚戾，我等闻之，均愀然变色，悲痛万分。

晚六时许睡下，正矇眬中忽为日兵踢门唤醒。正不知何故，少时则见两中国仆役，提一铁桶热饭团，另一铁盆内盛马铃薯烩豆角的蔬菜，放于门外，每室给菜两碗，每人饭团一个。自七月三十日以来，已十一日，每日只给食物一次，且无菜蔬等品佐食，今晚特别赠予，在我等囚人视之，不啻盛馔，均迅速吞下，食入腹中，仅足三分饱，反悔吃得太快，未能细细咀嚼饭菜香甜滋味。甫吃毕，每人给温水一碗，饮毕的人，即被令倒卧，时则汗津犹遍体焉。

夜间为楼上声音所扰，睡不宁静，噩梦殊多。午夜觉醒，思潮起伏，至为烦恼。此时楼上留声机声音传出，更阑人静，分外清晰，觉“人在天上，我在地狱”，苦乐的情形，悬殊有如此者，恨急至欲跃起破门，与倭仇一拼。是夜辗转至翌早四时许方入睡。

八月十一日　星期三

今早大雨，睡梦中因两足寒凉而冻醒。水门汀地潮湿气上升，腰部以下，为湿气所侵，湿濡至不可耐。头枕芦席，无论仰卧侧卧，皆觉后脑及耳根作奇痛，延挨至六时许被唤起，坐听秋虫鸣于墙外，蟋蟀鸣于屋角，灯光之下，周视在押诸人，发须猬长，垢面赤足，倍增凄恻。

屋角因阴雨连绵，已渗入潦水，苍蝇蚊蚋猬集，繁衍渐多，我等群力扑杀，墙壁上纵横满是蚊蚋尸体。虽如是，仍不能减少十之一，静坐未逾数分钟，即遭吮吸坟肿多处矣。遥闻隔室手掌击壁声不绝，估料亦在从事此种工作中。

慭于昨日隔号因白昼睡觉之被打，虽身体疲惫，不敢倒卧。勉强依壁假寐，未几入睡。睡中头部失却支持力，垂于肩际，身躯亦不觉颓缩，迨历刻许醒转，脖项几不能转动，臀部以久坐不动，亦已麻木，少一欠伸，痛楚如同椎刺，逾时始少愈。

周谦、邵冠祥、井上均疲惫倒卧，此时因外间雨声淅沥，监视宪兵复著水靴，出入脚步放轻，毫无声响，在诸人均未注意时，监视兵突至，叱咤一声，有如霹雳，周、邵、井上急爬起已不及。监视兵气急败坏般奔出，少顷偕另一兵至，启门入室，用力踢周、邵、井上三人，并以枪托击三人头部，井上告以“渠是日本人”，该兵顿住手，唯对周、邵二人，仍痛击数下，方悻悻然骂不绝口而出。邵、周被打，泪盈于眶，我虽万分悲悯，奈找不出一语可资慰藉，只寄以同情目光而已。

我室诸人，因周、邵、井上的被打，遂皆不敢倒卧，偏是心理作祟，愈不准睡，愈想倒卧。彼此坐久，咸恹恹无生气，在此室外雨声如注，室内一灯如豆，真不辨是何况味。

旁午闻外间两室栅门开启，唤人外出，默数约六七名，并闻得呼刘鬌公之名，我深盼刘获释放，渠可为我家下传递一信，盖战事发生后，我家老幼，遭逢乱离，犹不晓情形如何？我六旬余老母，一方为牵挂我的安危，一方为耽心战乱，忧心必定如焚，设得刘传一消息，亦可上慰老人也。

午后二时送来饭团，每室并给剩菜一碗，业已腐臭发酵，大家饥不暇择，吃它干净。

下午雨势时落时辍，室内阴霉气益重，呼吸渐不可耐，墙角渗潴的水愈多。

周生虱子，似颇多，无事则剥掉衣服寻找，时闻其咯噔咯噔辗毙声，使人闻之肤起鸡粟。日老人不愿看，制止周寻捉，周不听。

晚八时许仍每人给饭团一个，佐以日本咸萝卜一片，由昨日起，日给饭团两个，殆已成定例。我室诸人均谢我前日交涉之功。

睡倒后，静闻蝉鸣，又闹心绪，挨迟至午夜方睡着。

八月十二日　星期四

今早微晴。晨兴后，闻外室病人哼声不已，且不止一人，我意必系孙宝山因伤势转剧而病倒，嘱段于倒马桶时一为留意。但段归来，谓日兵催促快走，未能窥明。

九时许戴眼镜的长身日宪兵，——初次提讯我的，故对其面貌认识最清——来我室，向内探视，未几走去，于隔室提走数人。旁午隔室似行消毒工作，日本仆役偕中国工人数名在内打扫，许久方毕。

自顾身体，已消瘦许多，尤以两腿筋肉松懈，已失却壮健姿态。西装裤未被禁前裤腰恰好扣环腰际，今则肥大不复可体，略一紧束，则宽余半尺。以手抚摸两颊，亦无复肌肉，思及“国破家亡身作囚”事，不由黯然。

饭团午后三时许送来；新陈饭合作而成，体积较前为大，仍给冷菜一碗，我吃极少，分其余于邵、周、段三人。午后五时许复送饭团，吃毕令即睡下。诸人犹未睡稳，突闻外室革履声杂沓，并闻启栅门声，旋有两人被送入我室，一人身高，头发蓬蓬连鬓须满嘴脸，一人面清癯，身瘦小，发作蜷屈形。两人入室，我令坐于我右侧，面清癯者与邵冠祥打招呼。我俟宪兵不在，询其姓名，周谦代答，面清癯者姓名邵逊伯，原充南开中学图书馆员，亦系七月十九早捕来，一直被禁迄今尚未讯问。连鬓须者姓名邱宝山，为侯家后宝生戏园经理，系先我一日被捕来。邱在总队部时，押禁于我隔室，彼此均知姓名，并未晤面之难友也。一经提及，分外亲近。

邱告我渠被押在隔室，同室共七人，有二十九军被俘的排长朱姓一名，士兵李某一名，另外三人，则为段福成同乡的苏月亭，《新天津报》社汽车夫姚元太，及殷汝耕的妻弟井上，——殷妻系日妇，——今因姚元太患霍乱病甚重，宪兵特行隔离，将伊与邵改押于此室。余人则送入外间；唯井上则带往总队部，是否即释放不可知。邵——逊伯——言外间留置室较小，但颇干爽，且因临近房门，透入光线，可得觇得阴晴。此外尤有特别优点，即消息比较灵通，凡最外间及此一间室内人犯出进，悉能望见，不似此一间僻在一角，一切消息不通。我等闻之，殊生羡意。邱告我姚元太被禁系受其主人所累，日人并未搜彼，故伊身边犹存有二十余元钱，并报纸一份。闻姚谈，外边情形甚乱，各租界非通行证不得通过。我们军队在沧州一带。天津市河北等地贫民肆意抢劫，有许多地方为贫民抢光。

邱又谓，渠昨日曾借姚钱一元恳日宪兵许买大饼吃，因日来虽日给饭团两个，仍不足十之三饱，饥饿难忍，拟买大饼充饥，但钱为日兵取去，云为存起，结果大饼则未买得。

今夜因邱、邵——逊伯——的来，并传入许多我等愿闻的消息，我室空气，转呈活跃，井上亦借知隔室尚禁有其族弟。故谈至深更方各入睡。

邱睡时鼾声甚大，我时为扰醒，终以疲极，略醒复睡。

八月十三日　星期五

今早仍大雨，起坐时掀席视地上，因后墙雨水渗入，已呈濡湿，而近墙处，水浸较久，呈泥泞状。大家均耽心雨势不止，则室内必渗聚渐多，至于不能坐卧，默祝天气放晴。

段好吐唾，每于日老人身后向外唾痰，颇惹日老人的不快，最后一次日老人竟瞪目怒视，骂段“××蛋”，“妈拉个皮”等语，我大怒，加以干涉，告以“在此室内，无论中国人日本人，皆属留置犯，照留置室规章，不许有吵嘴骂人情事。段如有妨害公共卫生行为，只可进行劝告，如其不听，可报告宪兵，汝不能摆出日本人气势，对中国人乱骂，且具有日本留置犯身份优于华人意思”。日老人厉声谓：“我骂的是他——指段——没有骂你，你为何说话？”我道：“他是中国人，我也是中国人，骂中国人即不许，你如再骂，我即报告宪兵制裁你。”日老人盛气道：“你报告罢，我不怕。”此时同室的邱、邵、邵、周等人，皆劝我勿抗争，因为日本人终归偏袒日本人，争执结果，是我们无利的。我大声道：“我们被禁此地，其原因为抗日，他们——指日人——被禁原因，自属被宪兵队认为妨碍其本国军事政治行动的，在日宪兵队心目中，已不认他们是日本的好人，我们和这种坏人争理，有何畏惧。我们禁居此地，受尽宪兵队的虐待，业已够了，焉能再受他们这种坏的日本人侮辱。”井上初时见我争论，颇有不平色，阴拟助日老人，至此气折，日老人亦听懂我话，为之怯馁。竟半恳求式对我道：“我骂一次，下次不骂了。”我道：“你能不再骂，我们当然不为你报告于宪兵。”此一幕争论，日老人遂为我屈服。少时宪兵巡视到来，日老人告以此室有人任意吐唾，不讲卫生，请求制止。宪兵乃向大众宣告，务要保持清洁。当日老人与宪兵讲话时，邱等疑其对我有何诬陷，为我捏把汗，我料定日老人不敢出此，后绎明其意，果无只字涉及我与其争论事。

近午日老人被提走，井上告我该老人系犯偷窃军用粮秣嫌疑，未必即释放，或转送警察署羁押。

今日室内空气颇翕如，宪兵巡视松懈，大家低声谈话讲故事殊欢，邱告我，渠被捕系受汉奸袁某陷害，渠以私仇与袁结怨已久，唯表面则无裂痕。七月十八日袁派人邀渠至日租界福仙池谈话，渠未假思索即往，见面未交数语，渠心觉不安，作别下楼。讵楼梯畔预伏有便衣宪兵数名，拦阻询问姓名，不容分辩即捕来。到宪兵队略讯一遍，曾问渠家财若干，渠对以向无积蓄，因此披颊数下。自彼时禁闭后，迄今未讯问，渠自分到此后绝无生还望，故有数日忧愁不食，今以日长，觉死则死耳，不进饮食，适自寻苦吃，所以放怀饮食。奈食量甚大，日给饭团极小，饿的耳聋眼花。最奇一事，即被禁以来，今已二十四五天，竟未一次大便。邱又谈，渠自小受苦，曾积资开一钱庄，以目不识丁，遭账房拐骗而歇业，今设卖生戏园糊口，安分生理，孰又料到灾出意外？！邱谈话时，频以手抚摸其左膝，膝盖骨以下，黏以白纸，血透纸背，殷红至不忍睹。我询以故，对以因昨日犯规倒卧，为一兵大打，膝骨则踢伤，胫骨露出，恐成残废。我因其言，忽想起昨日外间宪兵殴人事，深为悲郁。

邵——逊伯——告我，渠充南开中学图书馆员已数年，七月十九日早六时，正在学校宿舍睡觉，忽来两便衣华人，云奉警察第一分局命，请其往讲话，渠随之行，不料竟到春日街宪兵总队部。初来时，除询问姓名年籍，搜索身体后，即未详讯，一直押禁迄今，不知有被释之望否？

邵——逊伯——虽系南开图书馆员，知识甚低，邱则系“下里巴人”，斯二人盖均昧于事理，国际情形，战争起源，我如“生公说法”，复就以前对王金标孙宝山等谈者，略为讲述一些，期其晓然于民族斗争的义理，中日战事的趋势。

午后三时送来饭团，并冷菜。吃毕彼此讲笑话故事，以遣烦恼。井上有时则大谈其“吃经”，对中国菜肴极尽其食历。

午后四时，忽闻外室人声杂沓，并钥匙声响，不明何意，旋见数名宪兵绑送来形似工人的二名，启栅门推入我室内。两人入内后，骤带来一股奇臭，中人头痛。乃令其坐于一角，以示隔离。唯气味充溢一室，久而不散。我室今日已住九人，除湿地不能坐卧处外，颇呈拥挤。

新来两人一姓王，是油漆工人，住河东大王庄，数日前行经郭庄子遭日兵捕来，指渠天津事变时，曾抢日军郭庄子粮秣场。一姓李系北平双合盛啤酒厂工人，因北平事变，拟逃津暂避，在津郊被捕，指为军事间谍。两人均仅略讯，即禁押于海光寺兵营内。在彼处被禁的约十余名，饮食无人给予，有时只给冷饭少许，不给水喝，有时并饭亦不给。曾有四日大家断绝饮食，饥渴至于垂毙。留置室在兵营后进一仓库内，墙壁高厚，尽十余人力量呼喊，日兵亦不来看，有时即使喊来，略询即去，终无何结果。留置室小人多，挤得通身汗出如雨，且不能倒卧。有数人实在饥渴难挨，乃合力以破碗剜开后墙，越狱逃走。墙外则系水沼，不善泅水的被溺几毙。夜间海光寺军营，有军犬狩逃，闻声狂吠，追逐，有数人遭日军及军犬追获，得脱逃的不过三四人。李则系逃至中途而被捕回的。凡被捕回的，日兵则绑于木杆上，嗾犬狂噬，或以皮鞭痛打，有数人被击重伤，不能起立，李则指示其裤，已破损不堪，言是当夜被打及遭犬撕毁者。王并令其脱衣出示伤痕，两胁两肩已无完肤，我等闻见后，皆不寒而栗。

晚八时送来饭团。唯每人给水半盂，被催快喝，水热烫口，众人咸一头大汗，少饮些许而罢。

夜间狂风雨。一觉醒来，觉有人行于水中，其声特异。开目视之，则见新来的王蹲于墙角周身淋漓，如落汤鸡。水由衣角滴答而下，流满地上。我询以故，对以墙外渗水已多，席下冲积寸许，渠在睡中为浸醒。我揭芦席视之，果汪洋一片，潴水甚多。邱所卧处亦有雨水缘壁流来，但犹未浸透芦席。我乃嘱王卧于邵周脚后，蠖蜷如蛇，勉强倒身，盖免宪兵的无礼叱骂也。

八月十四日　星期六

今晨雨势仍未止，早四时许，邱被水浸醒，衣裤尽湿，见王避于邵周脚后，大致不满，咎其为何不将其唤醒，我极力为之解说始已。邵周因不能伸足而卧，驱王他移，我亦加以劝说而罢。

挨至起坐时，我等乃向宪兵说明室内蓄水，不可坐卧，要求准我等淘干。彼形似班长的凶恶宪兵，满含怒意，启栅门递进一铁箕，令淘水于马桶内，渠则戴一防毒面具，在门次监视。我等乃通力合作，淘干积水，倾于外面。隔室两间，似亦进水，乘间亦要求淘出。遥闻铁箕触地声，水注马桶哗喇一声，经久方毕，想两室进入雨水，必较我室尤多。

王谈："河东郭庄子，原有日军仓库，堆积米面甚多，天津战起，保安队奋勇进攻东车站，日兵不支败退。郭庄子仓库米面未及移搬，附近贫民遂乘机抢取，未半日即光。七月三十一日，日军反攻得手，以大炮向郭庄子方面猛轰，'良莠不分，屋宇皆平'，事后复在附近放卡，逻捕行人，强指为抢仓库犯。"又谈："东车站秩序甚乱，市街满属日兵，行人通过特三区，特二区，金汤桥，为避危险，悉购日旗。现有一种人作投机营业，专作纸旗，绘以日徽，利市三倍。但持旗者过多，为日兵及朝鲜人所遇，即行撕毁，对持旗者拳脚交加。横受殴辱者不可数。英法租界仍关铁栅门，无通行证不得通过，地方情形极乱，警察局长为刘玉书，因旧警察局于七月三十日为日飞机炸毁，目前暂于特二区袁家大楼办公。警察皆徒手，佩新符号。各街巷抢案日有数十百起，入夜更甚。河北一带居户，皆不能免，警察虽知，无力维持。晚八时许即戒严，除有要事者外，殆无人敢出门也。”

我问以外间有无战事，王不能作确答，只云听得我方军队，现在杨柳青，马厂一带，以近郊雨水甚大，积潦数尺，即日东局子飞机场亦被淹，无法通行，故与日兵对峙中。

今日大家仍谈故事及轶闻，以消磨时光，邱为讲其梨园中轶事，颇有趣，彼此精神不疲，浑忘坐久的苦矣。

午间少晴，闻得飞机声，我自被禁于此地，已多日未闻得此声，冥想或者战事转紧？我军自杨柳青攻进乎？思至此殊为兴奋。

饭团午后二时许送来，小而且腐，并咸菜，剩肴亦无，勉进少许。新来的王李似在海光寺忍饥已久，得食时，吞咽甚狼虎。

地气翻潮，坐未久衣裤尽湿，我的一件罗衫，月来作枕当被，污秽殆遍，白已变灰，衬衫亦汗垢充盈，失却本来颜色。顾视其余诸人，所著衣裤，亦无不垢污充积，折皱不堪。

六时许送来饭团，并给冷王瓜片一碗，九人围坐一起而食，至为拥挤，王则争先拨得一些，放于破纸上自往一旁而吃。我正手捧饭团，感慨丛生之际，忽闻“咯噔”一声，如有人吃着沙粒，举首寻觅声音所自，则见王下颚拖垂，垂涎流滴，以手指口，“呀呀”对我呼叫。我问何故，王勉强对以“下巴掉了”。我大惊，急与众人聚视，见王以手托擎，二目流泪，业不能作清楚言语。时监视宪兵犹在门外，乃浼井上代为声述，祈求派医救治。不料宪兵闻后，反认为奇事，呼来同侪，俯于栅门内窥，皆大笑不已。小眼睛宪兵则告以“无妨事，睡觉就好了”。似班长的凶恶宪兵，则令吾等为王揉托，云一小时后即可按上。其余各兵，七言八语，悉属戏侮。时王已痛得额汗滚滚，哼声不已。我处此环境，悲愤填膺。径代王要求，速觅医治疗。并脱下我结婚的指环，恳其准许典质，用为医药费。我并烦井上为说明：“中国理发师”长于此种医疗术，如能觅一人前来，所费一二元即可医好。宪兵等不许，云时候已晚，无法寻觅。如该队军医前来，可为治疗，否则须俟明早十一时前后，再为找一“理发师”来。小眼睛宪兵，坚令我等为之揉按，并作许多姿式，令我等仿行。邵冠祥小语告我：“王先生，我学过水产，曾看见许多鱼下颚骨，系有一环状钩，如能端正上去，即可按好。”我道：“你既明白，不妨试试。”于是邵令王仰卧于地上，自邀周谦协助，两手力端王的下颚，王大呼疼痛，邵手软，力为之缓。复又勉按数次，均告失败。我恐强行按揉，或出其他毛病，劝邵住手，邵赧然归坐。时王流涎愈多，两颚红肿，哼声不断，我等为此烦恼空气笼罩，皆愁皱双眉。王以痛极，跪伏栅门次，冀宪兵垂怜，为唤医治疗。适凶狠的宪兵班长值勤，大声叱骂，勒令睡下。王不得已，乃茹痛归卧，一宿哼声不已，间以午夜雨声，愈令人加倍忧郁。今夜我一宵竟以刺激过分，目未交睫。

八月十五日　星期日

今晨雨势未止，墙角复渗入雨水盈寸。外间两留置室在今早三时许即因雨水渗入过多，均被浸醒，呼喊宪兵准许淘水。经过许多时间交涉，及受了许多詈骂，方得一兵之准许，开门送进铁箕，仍令向马桶内倾倒。但不准出外倾倒马桶。我室亦乘间要求，照例于淘干后，不管地上潮湿与否，即被强令睡倒。湿气上蒸，周身皆是水润，苦不可言，明知任何要求，必不获许，亦只好辗转泥泞中挨盼天明。

王拖垂下颚，口涎流注一地，痛楚之状，为之凄然，姑令其以手自揉，但渠畏动，只有苦脸相望。

早七时始被唤起，今日天雨，地上又湿，可恶的日宪兵，知我等卧于湿地不耐，盼望早得坐起，竟故意捉弄，使我等多受一小时湿濡的罪。大家坐起后，咸衣裤湿透，如在水内取出者矣。

墙外雨丝风片，虫鸣不停。附近街道中，时有载重汽车通过，泥水飞溅之声，连朝雨势如何，想像中可略得之。

邱告段，与段同时被捕的苏月亭，前在宪兵总队部与彼——邱——禁于一室，其后被提讯，当晚未归。日前忽又送入彼一室禁闭。据苏自云，当日被提讯，指系河南驻屯的中央军间谍，渠虽力辩，日人不信。遭灌煤油搀水两大铁壶，头部亦为打破出血，两肋皆受棒伤不能转移，刑讯历三数小时方住手，是晚送往海光寺禁押。彼处禁有中国人六名，中有三人，已被禁半年余，发长披肩，类如女子，在彼禁闭六日，不知因何又将其转解此处？邱又告段："苏月亭，王振海，与你——段，三人本为一案，乃供诉人各一词，遭日人疑，均不免被打。"段一廿余岁少年，仅具高小知识，经验缺乏，得邱转述苏月亭情形，悲苦欲啼。

近午我嘱王径向宪兵要求，实行昨日诺言，为找中国"理发师"治疗渠下颚，王跪于栅门向宪兵哀恳，则遭叱骂，厉声道："不管。"王至此绝望，只有以手托擎，时呻吟其苦痛的凄声。

井上午刻被提出，逾一时许送回，已衣著整齐，不复袒裸。据其告我，宪兵分队长池上少佐已升调，新任队长未来。池上与渠有旧，代向藤井总队长关说，限其明日离开华北回国，二年内不得再来作何事业。衣服则发还，渠实不愿回国，因回国即失业，将无以为生。渠言及失业时，已眼圈红润，欲哭矣。我觉此次日军阀对我无端侵略，致其侨民遭受巨大损失，结怨于民，穷兵黩武，殆自速其覆亡也。

三时许饭团送来，虽系冷饭做成，但大于往日一倍，并给剩菜半碗，邱、邵等今日得吃少半饱。王以下颚未按好，只能饮水少许，饭不得进，其应得之一份，为邵等所分吃。

邱偷告我，苏月亭，王振海实是贩毒者，段为苏螟蛉子，确是印刷工人。此三人由河南彰德来，本意购毒，藏于段所买的印刷机器内，运回彰德图利。被宪兵队捕来，不敢直供，恐解往中国法院，按律枪决。故诡词以供，说是棉花掮客，词不一致，遭日人痛打。彼于苏谈话中得此证明，恐此三人再度提讯，不说实话，仍得被打。

晚七时送来饭团，已较午间送来的小二倍，两次平均，其量仍如平时，日人算盘甚精，绝不肯使吾等少得安慰。今晚总队部日本酒保及中国厨子均来，看我等如猪食物形状为乐。所给冷菜，尽是残汤，厨子自栅门孔隙以手抓泼，碗小不能容，流满地上，我等人人咸淋漓满手。宋姓仆役送进沸水，每人半碗，滚烫不能立时饮下，宪兵与日本酒保均催迫“快喝”。而中国厨子尚某，尤为可恶，较宪兵催促更急，并说许多不中听话，如“快喝，快喝，这不是在你们家里呢，喝大碗茶，有人侍候”等语。我怒急瞋目视之，伊略有愧怍，始闪过一旁不再说话。

沸水饮下，通身是汗，衣裤水湿未干，又被汗透，真不成其衣裤矣。宪兵迫即睡下，没奈何，只好不顾湿汗而卧。今夜情况如此，岂能阖目？吁！

八月十六日　星期一

今早雨停，段外出倒马桶归来讲，阴霉甚重，恐午后仍将落雨，大家回顾坐位潮湿，闻言后咸为之怏怏。

墙角渗入雨水又积寸许，蚊蚋渐次繁殖。吮人肌肤作奇痒，少不留意，即不知何时何处坟起一块。马桶油漆与臭味混和，另发一股奇臭。且不晓何时渗漏，流尿满地，与渗入的雨水间和，室内大部竟汪洋一片，大小便均得涉水而赴之，致每人两脚泥污不堪。我的衣裤，汗碱潮湿，发出臭味，略一俯首，则冲入鼻观，默思此际之我，直如一腐臭咸鱼矣。

忽闻飞机声甚急，往复经过屋顶，大家均屏息以听，认为附郊必有战事，或系王所言，我在近郊的军队已进攻欤？

十时许忽栅门开启，一便衣宪兵头目，指挥四五名补助宪兵，在门外监视，唤我等出室，并嘱各携带衣物。我犹认为墙角渗水，系腾出屋子修理。讵在门外站立少顷，即为分别关入外间两留置室。邱、邵——冠祥——井上、李、王五人，关于最外一间。我与周、段、邵——逊伯——则关入中间的一室。我甫伛偻钻入室内，即嗅得一极强烈辛臭气味，冲入脑海中，人殆欲晕厥。此室预禁有十一人，面积仅及我等所居的留置室五分三大。默度至多长只丈五，宽只丈二，容十一人，已属毫无隙地。后窗砌死，只一栅门孔隙可通空气，室内氧气已患缺乏，呼吸者悉为碳气。突增我等四人，愈感拥挤苦热。勉强挤得尺许地坐下，忽闻有人呼“王先生”，寻视之，方见墙角蹲踞一人，面色如蜡，恹恹若垂毙者。细辨多时，始知是《新天津报》馆汽车司机姚元太。我因常坐该报汽车，故渠识我。当时颇惊相遇，询其被捕经过。姚告我，系开车送其社长——刘髯公——到法租界办事，经过特三区，遭日本宪兵拦截，没说什么，即押至春日街宪兵总队。渠与其社长分禁于两处，数日前送来此地拘押，前日曾患腹痢病，呻吟两日，今已略痊。我至此始晓日前闻得隔室病人呼痛苦声，乃姚也。我询刘髯公何在，姚谓，渠被禁于此后，得知其社长押在隔室——最外的一间——前数日见其被提走，不知是释放，抑系改押别处？我道："刘如被释，汝自无事，亦可望放还了。"

坐未久即头痛欲裂，想系氧气缺乏，室小人多空气不流通故。默察同室的人，除姚外，见赤背而形销骨立，具鸦片老枪资格的七人之多，其中有两人年事约五十外，咳嗽不已，若不久于人世者。七人之外，则有两少年，一似工人，一似学生，另外一人约四十许，"獐头鼠目"，著西装，服饰较为整齐，对人不敢作平视，如有愧怍行为，疑人见其肺肝者。我觉此室诸人，只此一名特别，阴注意其举措。但自我入室，余人皆与我谈话，此人则避于一隅，不声不响，唯对他人谈话，则窃留意，斯愈足启我疑矣。

姚元太对我言，渠系八月五日开车送其社长赴法租界途中被捕者，故八月五日以前外边情形，尚属详悉。中央社已停止发稿，《大公报》，《商报》并北平《世界日报》，《晨报》等悉停刊。天津《庸报》则呈露其隐匿多年的面目，受华北日军部指挥，大登敌方消息。《益世报》犹发行，日仅出半张，悉载战讯，每份卖价随报贩之意索讨，有时索至一元一份。但遭日方大忌，报贩如为查获，即人报一同投掷海河内，逐流飘去，死者不少。然利之所在，人咸趋之，仍有不畏死者偷卖。《新天津报》已缩至八开版，盖以纸料来源缺乏，不得不如此故。姚并云，渠尚携有该报一份，被捕后未遭搜出。我索阅一过，知外间情形，至为紊乱，同时借悉我军尚未去远，日前所闻于王，我军在杨柳青、马厂之事，的属实在。觉平津虽陷于敌手，我军作战能力仍然紧聚，不若闻于王金标、井上诸人消息之坏也。心甚安慰。

头痛甚，不能再耐，值穷凶的宪兵出勤，我向其声明："此室甚小，拘禁人多，无法睡下，空气亦殊恶浊，要求仍还押我等于原室，并告以此室有两病人，如发生传染性疫症，殊为危险。"凡此数语，皆日来向井上学得者，今日试用，虽发言不正确，居然为凶恶的宪兵听懂。伊沉思有顷，唤来日本仆役，对我等传译，询明何人患病，后送来一铁盒，令吐痰于内，俾送往医院化验。关于室小人多一节，则云没有法子。此室有二特点，即一，可望见内外两室提送犯人情形，二，可由地上窥见留置室外屋反射的光线，用觇阴晴。另外则阖室诸人有一共同仰望的恩物，系姚带一怀表，虽物极老旧，第指示晷刻殊准确，大家得以时询钟点。此均较我先居住的里间留置室为优者。

午后二时一刻，送来饭团，佐以咸菜少许。我乘宪兵未在侧，偷询送饭于姓仆役，外间情形如何。于谓，情形很紧，各租界铁门仍关，只有一道留为交通，往来各租界的，无通行证不许可。宪兵队则殊忙，中国军队似在杨柳青，马厂一带。我犹欲询问，宪兵忽来，遂中止偷谈。迨宪兵及送饭仆役去后，我乃将所闻的，转告于众，咸露兴奋之色，以为获救即在眉睫矣。

午后三时许，宪兵多名，送来犯人八九名，内有著白色中山装，及西服衬衫西装裤，形似学生者五六人，均送往最里间留置室，我至此方悟，我等被提押于此室，则系腾空里间收押新犯人也。

新收押犯人，不若昔时对我等的严厉，只检查腰间什物。袜子、手巾可以带进。

姚偷告我此室羁押诸人的职业及姓氏，赤背的七人，是前直鲁军师长马廷福旧部，均徐州籍。其中一五旬许骨瘦如柴，蓄有八字须，鸦片烟容最甚的名张俊卿，曾充团长。另一五旬许咳嗽不已的姓刘，曾充军医处长。一四旬许长子，时常咳声不绝的姓张，曾充连长。一五旬许不时捶胸击股的姓孟，曾充军法处长。一四旬许两眼红肿的姓张，曾充书记官。一靠栅门坐，牙齿露出外的姓何，曾充连长。一六旬许前顶已秃，精神健旺，为六人冠的姓郭，是马廷福公馆厨子。除此七人外一害眼病形似工人的姓管，原是报贩，因在日租界偷卖《大公报》被捕。一形似学生，年仅十八九岁操广东口音的姓林，系法租界广源泰广货店店员，其猬缩墙角，獐头鼠目，自称无锡人而实则福建籍的姓张，系伪冀东政府职员。姚并耳语我，此人已被提出一次，遭日人大打，两股青紫，顷犹不能动转。其人似知我在注意伊，俯首佯为不晓。

此室后墙因连日大雨渗漏，席已半湿，十五人拥挤一起，至不可耐，我乃发动，将席子重新调开，安排卧次，并嘱诸人，勿当门而坐，以便空气少得流通，幸诸人均从我意。调排坐位后，略觉松动。

充团长的张俊卿时发肝气，睹宪兵未来，即开口大骂，谓："一刀一枪死在前敌，亦不为屈，偏生倒霉，被拘于此，动不得也，不知何时死活，倘中央军攻来，踏日租界为齑粉，我等即或死了，亦云无憾，较此活受罪尚强。"充连长之两张，则阻充团长的张说话，彼此发生争论，充军医处长的刘，充军法处长的孟，以及厨子郭，书记官张皆加入战团，吵杂不休，我则从中排解，禁渠等高声辩争，以免招得宪兵前来，叱骂一顿。

林姓店员名星，自云系山东海阳人，我认姚断伊系广东人非误。据其告我，渠于十三日被捕，是日渠因奉店主人命，到东车站领取行李，归时经万国桥受阻，乃改于特三区码头搭渡船过河，一行犹有一同伙，到码头时被日宪兵队检查，认为形迹可疑，同伙潜逸，渠遭逮捕，拘至警察署，该署有日宪兵多人办公，略加讯问，指渠有共党嫌疑，问渠许多有关共党主义的话，渠皆不晓。是夜禁于该处。因无留置室，只令在门后蹲踞，入夜见日宪兵捕来三名妇女，装束类小户人家，日兵极力戏侮，复强将三妇女衣服剥掉，赤身露体蹲于门旁，任日兵的抚扪。后半夜且带往楼上，不知作何侮辱，迨翌早方逐下楼，三妇女已狼狈不堪，面无人色，两目红肿，泪痕未干。是晚渠被提押至此，迄被送解时，三妇女犹未释放。我不忍卒听，阻其再谈。

林星又言，在特三区拘禁时，偷阅案头日报，见载有日军已向上海进攻，浦江虹口发生激战消息，并阅见我军在平汉路长辛店一带反攻甚力的新闻。我闻后对众言："日方此次攻扰上海，殆欲牵制我华北兵力，此次全面战事既起，我为图存，必出通国之力以赴之，其向来国内存有的政见党见，为'敌忾同仇'所驱，势必蠲除，是日本此次的侵略，无疑鞭挞我人走上团结御侮的途径矣。"

晚七时许送来饭团，并给豆腐菜两大碗，十五人分为二个小组，争食一空。仆役送来沸水，每人半碗，碗少人多，挨次饮之，时候甚长，日宪兵乃提来冷水一桶，令仆役将沸水搀入，和成微温，逼快饮下。饮毕即须睡倒。十五人乃如猪仔，肩背相拥、勉强倒下，两腿不得直伸，彼此咸皆蜷屈。各个挤轧得汗流似雨，衣裤本来不能，经此湿濡，殆若水中捞出者矣。此种情形，使我忆起两旬前在春日街总队部被禁的苦，阖睛涤虑，不敢再想。

马桶气味浓重，设有人便解，一掀桶盖，臭气散播，经久不去，卧于少里面的人，嗅入鼻观的更属辛烈。

张俊卿等一案七人，咸脱得精光，以减缛热。小镇江——报贩管是镇江人，我以此呼之，——一颗头恰放于张俊卿臀后，两人每一欠伸，则头臀冲突，发生争执，我即须排解，免遭宪兵叱骂。充连长之长子张，及军法处长孟，鸦片烟瘾难挨，睡地又不舒适，辗转不已，口内复频呼：“唉呀——我的娘啊！”伪冀东小汉奸的张，时发剧烈的鼾声，声巨如雷，时须推之醒。是夜我竟为此数人所扰，并地气潮湿，睡处狭小，酷热异常，汗流不止等数事，难以闭目。姚亦如此，两人睡不稳，乃低声谈话，姚告我许多有关刘髯公君被捕原因，及前后结怨于人之处，我闻之深有所感，觉一人处世，“行方立正”固属要则，而应接事物，亦得为对手者留一回旋地位，否则“一朝反呛”，“祸不旋踪”矣。

过夜三时许气温少凉，方得矇眬一觉，睡未久，复以挤热流汗而醒，斯真苦痛也。

八月十七日　星期二

今早晴，午刻小雨。昨夜我仅得睡一小时，被唤起后，头晕脑胀，自忖我须竭力挣扎，切勿染病，否则病倒之后，苦痛尤多也。

宪兵以消毒水洒于外室，旋启栅门入我等留置室向墙角浇洒，洒后略减臭味。

十时许六七名宪兵，解来犯人九名，内中数名，犹著灰军服，均捆绑甚紧，在外室搜翻身体，一宪兵用刺刀背遍敲九人头颅，而此九人虽被痛击，并不畏缩，依然显示其倔强不屈之色。一日人翻译询诸人姓名，指其一人问是否排长阶级，其人径承“是”。旋诸人被强制脱掉靴袜，送入里进留置室禁押。我与众人揣测此九人不是廿九军士兵，即是保安队遭俘虏来者，深为之危。

姚告我，天津战事发生，河北河东民众逃难，数十万人，扶老携幼欲奔入租界，但万国桥既拉起，法当局禁入境，意租界亦恐界内人多，特在东西两端布电网，派步哨严密警戒。有露立一二昼夜不去，希望得通入租界者，昼间炎威高张，任其炙晒，夜间落雨，任其淋漓，老幼哭号之声，妇女怨嗟之语，喧嚣一片。意当局恐难民突入，曾以消防水龙冲射，难民老幼跌仆倾踬满街，情景尤为凄惨。特二区以毗连意租界，亦满街满巷尽是难民，人行便道亦无隙地，紊乱程度，无以复加。米面及菜蔬价飞涨，且不易购求。四乡交通断绝，所有仰给于民间的物事，悉无来源。意租界通行证逐日更换，其想通过该界以转入法英租界的极端困难。除租界外各街商肆咸停，路静人稀，车马并少。战后之荒凉景象，殆未少去。八月一二三日，日机往复于河北，及南开轰炸，硝烟起处，继以巨响，栋折梁崩，墙倒屋塌，杂以一片男女老幼哭声，惨不忍闻。难民在河北大街逃难者，有时则遭日机低飞之扫射，津市府附近死伤尤多。市府数十年建筑，璀玮仑焕，悉于七月卅一日一刹那间，为日机炸成瓦砾场，府内卫士多名，不及逃避，亦死于残暴的日人轰炸下。最紧张之日，海河旁电缆被炸毁，全市电话不通，致租界以外情形如何？只凭传述，迄渠八月五日被捕来时，犹只三四两局少数电话可通。

我对在押诸人解释此次战争意义，劝诸人勿为一己利害想，终日忧虑本身自由否，应知战争爆发，流离失所，毁家失业的，何止百数十万，所受痛苦，恐甚于我辈。此为国际战争时期，吾等为国民的必不可免之一段痛苦，人人不可存幸脱之心，以冀苟安苟免。即使吾等幸得苟免，获了自由，试问国家，社会遭敌蹂躏破坏如此，我等尚有从容谋业，安理生计之暇乎？我等在此受罪，其未被捕的广大民众，亦在那里茹苦，而前敌将士执戈御侮，所受之断脰丧元，驯至缺残肢体，成为废人的痛苦，较我等尤厉，仅味道略异耳。我等能于此去处想，则自可心神交泰矣。众闻之咸敬服。我不图作囚于此，竟作生公之说法，可笑亦复可愧。

我又谓："国人咸知为敌作伥，倾覆祖国的汉奸可杀，我则觉不可一概而论，汉奸亦分'甘心'、'胁迫'、'生计'三种，凡人皆要吃饭，'汉奸'亦要吃饭。苟其无特别野心，认贼作父之行为，受胁迫不得已而作汉奸，或迫于生计，不得已而作汉奸，均可迹其行为，'诛其心而原其行’，网开一面予以自新之路。为汉奸的，亦应抚衷自问，同是皇华胄裔，生计若有一线道路，何苦作人走狗，自绝于国人，遭世人的唾骂，累及祖宗儿女亲戚朋友不得翻身。既已落陷阱，遇有机会，就应自拔，洗去污名，重新作人，是亦‘悬崖勒马’‘自出深渊’之策也。”我此一番说话，意在对曾充汉奸的张言，为其开一条路，冀其有所悔悟。果然收效，张闻之初则面红耳赤，如坐针毡，嗣则面色转平，而有愧色，终则流露感激之表情矣。

午后二时三刻送来饭团，无菜。每人给盐少许，温水一碗，盐则佐饭食之，水则润喉。

午后四时日兵点查各室人数，外室闻报称共十五人，我室十五人，里室十七人，总共此地三留置室，已囚四十七人。

我每坐近张俊卿等七人时，即觉有奇臭入鼻，深讶其故，因询姚元太。张俊卿闻之，长吁道，我告你吧，这是我们七个人和小镇江的事，毕生不能忘记。我们八个人同住日租界须么街马廷福师长处候事。八月四日晚间十时许，忽有日宪兵廿余人，将师长公馆包围，进内搜索。因师长早已离津，眷属亦以事变他迁，只我等八人居于彼处，遂被捕来。先押于春日街宪兵总队，分禁于两室。各个均手铐加腕，有的一人独铐，有的两人合戴一铐。被禁五六日，昼夜危坐不敢少动，若一转动，则手铐自动收紧，箍得手腕如断。两人合戴一铐，更不可单独行动，一人蹲踞便溺，一人则亦须随往作势，一人起立接取饮食，一人亦须前往。至第五日，渠与充军医处长的刘被提出讯问，指为受马师长命令，在津潜伏，将乘机率便衣队响应中央军，夺占日租界。并令供出马师长处所，同谋者何人。告以实情，辩无其事，不为听取，三四人以皮鞭木棒敲扑，打至晕厥，以实无其事，难以供述始回押。言至此渠示我以渠及刘的伤痕，虽已十余日，仍青紫斑斑，清晰可辨，想见当日遭捶扑之剧。张又言，渠等于被讯后，被送至海光寺兵营禁押，囚于仓库内的新筑留置室，宽仅四呎半，长约七呎的斗室，囚渠等八人外，复益以小镇江于内。九人挤在一处，动转皆无余隙，彼此争抢栅门旁坐，以通风呼吸。室小人多，天气溽热，终日满头满身大汗，彼此以汗洗浴，无法擦抹身体，则撕毁衣裤作手巾。四五日不给水饮，三四日给一次干饭团，向监视兵索水，即遭大骂。九人渴得眼红耳聋，实出无奈，乃溺尿饮之解渴。渴时多，溺时少，其后尿已成珍贵饮料，彼此自靳，不肯互相通融。室内无马桶，大便无地去遗，遂屙于破衣裤内，裹放栅门外，为日兵所见，即逼令取回。后来无法，乃屙于鞋子内，自后窗棂孔塞出。孔小鞋大，淋漓满窗，臭愈不可闻矣。被禁于该处第五日，同事孙小亭者，以体肥干渴，挤热发病，突然暴卒。死后渠等呼喊监视兵报告，经久不至，势急所至，不顾一切，掷物将外间玻窗击碎，俾喊声透出，约历三小时，方唤来一兵，告以故，该兵狡笑，谓死一二个人没什么，都死了也不要紧。渠等闻之心如刀剜，竭力哀请，该兵始为转报，迄晚方芦席一领，麻袋两条，将死尸裹出。当晚因死一人，日兵少觉待遇过酷，略给水饮，并有饭吃。翌日即送至此间禁押。到此地时，曾被勒令于天井中以冷水冲洗身体，但草草冲浇，焉能尽袪臭味，至今遂奇臭仍在。我等闻之，为之蹙额自危，觉此数人所遭遇，甚于我等也。

六时三刻吃一小饭团，咸菜少许，并饮温水半碗。被逼睡下。汗出如津，喘息皆窒。蚊蚋乘间活动，手不停挥，犹不能驱去此么魔小丑，周身殆悉成被袭击之所。张——汉奸——呼声雷动，张——连长——孟哎哟不绝，我又准备瞪目终宵矣。

八月十九日　星期四

昨日午后落雨，入夜未止，今早虽晴，后墙已渗入雨水，所幸无多，大家均默祷切勿再降雨，否则一室十五人，回旋无地，其不将为泥猪欤？

早九时外间留置室送来两新人，默计该室已十七人，恐较我室尤挤。

空气不流通，呼吸困难，人人争往栅门旁坐，但监视兵看见，即疑为有破栅门图逃意，叱令退后。十时许有许多士兵前来，俯栅门观看，嗅得恶味，频呼“臭臭”，即急跑开，大概宪兵因闻得此语，特启栅门遍洒消毒水，恶臭稍减。

小镇江烦我代向宪兵解释，渠是报贩，与张俊卿等无关，莫将其混在彼等一起。我询：“何以虑至于此？”渠言，自渠被捕，即与张等押在一起，由总队部迄海光寺，由海光寺迄于此地，始终名单列在一纸。张等原来八人，已死其一，今渠被押解一处，恐宪兵误将渠算在张等八人以内，致拘禁许久不放。我道：“想不至如此，汝勿过虑。”小镇江仍哓哓不休，我叱止之。

里间留置室有两人提出，午后一时许方送回，看见步履欹斜，想必受刑。我每看见此种情形，则头颅如梃击一次，今日复然。

小镇江困惫拟倒卧，我劝其挣扎。张汉奸亦不许其卧，小镇江不服，并偷詈云：“你不配说我，我虽是报贩，并不低气，你则是冀东汉奸，不如我甚。”张大窘，我急叱止之。默想人之行为，操守，必须砥砺，倘有可资式法，社会自有公论，亦自有人肯敬服。是则操守，名节岂可不自爱护哉？

午后一时半，有两便衣宪兵入室点名，我室则我列第一名，斯真老囚资格矣。于点名时，我知张汉奸本来姓名何复述，渠伪称张姓，似犹不欲人晓其真面目也。点毕转入他室查点。

午后二时半，饭团送来，大小不匀，先递进的最小，我室经我约束，为维持秩序，免遭无谓叱骂，连日来接取饭团及水碗，以坐次为顺序，不许乱动，乱抢。我向来于最后接取。今日应充连长露齿唇外的张先接，渠见饭团甚小，拒不肯接，惹得监视兵大怒，力踢栅门，大声詈骂，并忿令仆役中止分给，径提饭篓去他室。我等恐宪兵一怒，不再送给，皆对张抱怨。张亦后悔。幸不久该兵仍监视仆役送来，我恐怕张仍迟迟不肯接，乃首先接入，以次及于他人，日兵遂无话可说。

我乘于姓仆役送水来时，借姚钱一元，偷塞于手，嘱为购几份报纸或号外，于下次送饮食时，悄悄递来，于允之。讵晚间送饮食者易为宋姓仆役，于则未来，我大失望。趁接水之便，我询宋外间情形若何，宋谓各租界仍在封锁，交通非持通行证不可。河北河东秩序未复，情形颇乱。拟再询问，宋已提水桶而去。

大家因挤轧过甚，均彼此盼望释出几名，以便少得松动。

今夜我被挤不能入睡，汗流遍体，偷自坐起数次，以衣襟拭汗，听得监视兵脚步声响少近，急忙倒卧。睡不稳则多思虑，一念及被囚于此，生还无日，值此乱离，家人星散。即或幸免走失，生计亦属问题。想至此时，不由心胆俱碎。忽转念中日战事发生，其死于无情炮火下的将士，岂在少数。谁非人子？谁无父母妻小？谁无田园庐墓？一旦捐躯尽命，其父母妻子生计又当如何？我一知识份子，犹临难图苟免，宁无愧怍？一时私欲与大义交战于怀，终因良心克制，压服私欲。尽往大处远处去想，一己安危利害，完全抛开，心神宁稳，不觉帖然入睡矣。

八月二十日　星期五

今日晴，早九时小眼睛日兵来。启栅门倒马桶。探首内望多时，指定何复述前往，何两腿受棒伤犹未愈，踉跄提桶而去，归时小眼日兵似嫌其行路过缓，顺手披颊一记，何低声操日语有所哀恳，同室者皆未留意，我于是知何娴日语，特胆小不敢说耳。遂打定主意，今后如与其长禁一室，必设法利用之，以为大家谋便利。故当何归坐时，我即告大家，渠娴熟日语，倘众如有事，不妨托其一为翻译，何闻我言，两目上翻，欲辩不能，只避坐一隅，生其闷气。

林星于早九时被提出，我等眼见其双手被铐，为一宪兵牵去。午后三时方归，进门时，两腿沉重，举步困难。面色如蜡，嘴唇皆青。白帆布西装裤，滚溅皆污，西装蓝色衬衫，亦为水溅湿透。落坐之时，以两腿伤重不能屈曲，几乎倾踬。周谦、邵逊伯坐近于渠，合力搀扶，方咬紧牙关，勉强坐下。我待宪兵已去，询其所苦。林解下衣裤相示，则遍体青紫，而以后背，两腿，两胯，及手脚背为甚。血淤皮绽，肿高寸许，手脚不复听用，左颊被击亦红肿殊高，夹耳根起，指痕宛然，使人一见，万分恻恤，直欲对此无辜青年抱头一哭，方称快也。我嘱林勿动，并将午刻预留的饭团取出，令其少食，以充实体力，抵抗伤痛。林少吃数口，即弃置，频呼口渴欲死，恳我代为索水，我以一月来经验，知凡受伤过重的，思饮水尤急。乃硬却头皮向监视兵索讨，监视兵厉声叱责，谓："林不是好人，如果好人，绝不会被刑，坏人被刑，应当不给水喝。"天乎！林果真不是好人欤？抑日本人所说中国的好人，当作别解欤？！

今晚于姓仆役送饭团来，递我一块咸菜，约及半个胡桃大，告我日方监视严，报纸无法递进。我不能争，玩视手内一小方咸菜，的觉可笑。姚知我意，因道：“你勿伤感，刘社长——髯公——曾罄腰间所有之八元钱，嘱于宋两仆役为买大饼及手纸，结果只买得几匹草纸，并咸菜一块，计值总共不到一元，其余闻为日本仆役与于宋等三人朋分。你给一元买得骰子般大一块咸菜，亦属不坏了。”我闻之但有苦笑。

留置室内无手纸，向日兵索讨，每次给四五张，大家珍宝而用，好在人到此地，饮食既少，大便亦稀见，手纸尚不患缺乏。

我小便溃疡病，今已略好，近经细想，已得其溃疡之由。盖马桶经久不冲刷，积污成菌，蹲踞大便时，一不当心，小便触及桶缘，沾得垢秽，遂致溃破。自今以后凡坐马桶时，犹须特别留意。

已两日未给剩菜吃，每日两个饭团，佐盐少许。

晚六时三刻睡下，林呻吟不绝，且唤口喝，我见上次借我长衫的宪兵值勤，较易说话，为求得温水一碗饮下，少减燥痛。

张俊卿与小镇江，邵与张连长——长子，夜间为争睡地发生冲突，我强制四人均匀地位，始各无语。事后我想我在此地，殆是中国旧监狱之囚头矣，无乃可笑。

夜间沉思寡虑，地位虽极拥挤，汗虽汩汩下流，竟安然睡下。

八月二十一日　星期六

今日晴，由晨间即闻得附近街衢汽车驰驶声不断，莫测其故。

林伤势转重，青紫者变为青黑。后脊背皮绽处皆已溃烂，血液滴答蓝衬衫已印透。两手不能拳伸，两脚着地费力。一宵折腾，面颊顿呈憔悴。我询以昨日被讯情形，林谓，日人所追问的一点，即指渠为共党，逼其供出同党所在，潜伏平津的若干人，渠告以是广货店店员，日人不信。又因在渠行囊内搜出蒋委员长造像，复又疑渠系担任国民党秘密工作者，拷问愈烈。渠实无其事，虽辩不听，先遭二日人以皮鞭痛抽，嗣改用木棒，后又以胶皮管灌冷水，历一小时，痛极吼叫，乃日人殴击愈急，至无气息，方住手。苏醒后送回此地，不知以后复讯否？我劝其勿惶恐，如再被提讯，总宜镇静勿慌张，前后供述词要一律，莫自相矛盾，否则启其疑惑，不免仍被殴击。

放置留置室外的靴鞋，早已凌乱，不辨谁的丢失，谁的存在，其中较好的皮鞋数双，则为日本仆役偷取去，故现在三间留置犯共四十七人，所余靴鞋不足三十双。我的白纱鞋，已泥污成灰色，大概因尺寸较小，不合于用，尚弃置一旁。我望见我鞋，复生感慨，盖鞋已脱离我“足下”关系三周矣。——由总队解至此间时，曾一著用！

午刻张团长，刘军医处长被提出，其同伙五人，咸甚不安，深惧两人复遭拷问，受刑不过，胡说乱道，牵累余人亦被拷讯。未几两人平安回来，五人争询经过，张、刘谓被提出后，未去总队部，只令立于此地天井中候命，嗣有一矮子日人，操华语问伊等有无铺保，对以无。又问假如释放伊等，以后作何生理？是否仍居天津？对以苟得放还，即离开天津，归徐州家乡株守田园，不再作何事业。日人允转达于上峰，代为说项，随即还押。其余五人闻后，有虑及张、刘应对不恰，不能即释者，亦有归咎说回家乡一语不对者。七言八语，争执起来，我又极力制止，告以先莫争论，俟一二日看看动静，再有何批评不迟，诸人方罢争执。

我移禁此室之初，曾因张——团长——刘——军医处长——咯血，疑为肺病，向日监视兵交涉还押我于原室，日兵不允，递进一铁盒嘱张刘咯血于内以便化验。乃刘竟利用此铁盒，昼为贮水器，夜则作耳枕，有时则盛菜饭于中，数日来未咯一口血，可气复可笑。

小镇江再恳我向日宪兵声明，渠系报贩，无关于张俊卿等一案，我叱其愚呆，置诸不理。

今日午后于姓仆役送饭团来，我偷问外间情形如何，于只云交通未复，各租界仍戒备，对战事不提。宋姓仆役来送水，我询以外间有无战事，对以中国军已退马厂，日军新开到甚多，我闻之又为不快久之。

夜十时众已入睡，忽日翻译矮子偕三名宪兵补助队来，开我室栅门，点名唤出张俊卿等七人，小镇江亦在内，嗣在外室逐一询问姓名年岁职业，询到小镇江知其是报贩，与张等无关，复将其推回室内。张等七人则令宪兵押解而去，七人靴鞋，均在海光寺禁闭时，用以厕屎掷掉，今夜释放，则每人就外间存放的鞋子堆中挑选较新的穿走，我室诸人，眼巴巴望见自己的鞋子被穿去，不能制止，咸满怀愤怒，目送此七个赤背露体人，得意而去。

我对小镇江深致夸赞，许其有先见之明，日人果不出渠所料，误认渠是张俊卿等一案犯人。

十时一刻狂风雨，留置室内后墙突入水，芦席飘起，小镇江被浸醒，大家急将席子移开，并喊来宪兵报告，时为小眼睛日兵值勤，厌我等的麻烦，詈骂后，开门送入一铁箕，逼大家速将水淘净。我室顷余八人，合力淘取，何邵林姚四人动作少迟，遭日兵每人披颊一记，打得腮边红起，四人受辱，皆泪承于睫。水淘净，被逼铺好席子，立时睡下，我等遂睡于湿地上，湿气蒸薰肌肤，辗转难寐，只有咬紧牙关忍受之。隔室亦进水，要求淘出，淘净后，约亦被逼睡在湿地矣。

数日来我等忧虑三间留置室已患人满，不能再来新犯，及盼望放出数人，以资松动问题，今幸盼到，寻思及此，略为宽慰。

八月二十二日　星期日

今日晴，五时三刻，即为值勤宪兵唤起，每晚蚊虫吮噬，地气潮湿，不能成寐，只此拂晓时间，弥足珍贵，蚊蚋一宵光景业已吮饱，停止攻袭，气温亦似略低，大家得以酣睡。但每值睡得香甜时，即为高声唤醒，人人婆娑两眼，精神犹疲，至为难过，只因不许再睡，亦只好强打精神而坐。此室不如里间的一点，即接近房门太近，宪兵来时，爬起不及，易为所见，故不敢偷睡。

早九时小镇江被提出，大约释放。

今晨宪兵补助队均服装齐整，留置室外间屋宇，督饬仆役洒扫净洁。十一时许，忽来有新的补助队数名，由似班长的旧补助队引导检阅各室，十一时起，即易新来的宪兵补助队值勤。新兵比较和霭，管理亦松，我等见其情形似不熟习，得渐敢放胆半倚半靠而卧，新兵虽见，不作表示。且有数兵自动提来水壶，询问要水否。我等至午后殆已完全证实此地监视兵已新旧交代矣。

午后二时四十分送来饭团，佐以少许咸菜，新兵看我等食用，激于人道的同情，似觉被押的人可怜，有多人蹲踞栅外，面露悲悯色。仆役送水来时，一任大家从容饮用，不少催促，反是仆役不耐久候，逼令快喝。

今日室内只剩七人，坐卧处较前宽敞，空气亦获流通，宪兵补助队又不凶恶，精神身体所受苦痛略见减少，大家纵谈无忌，唯不敢高声耳。

我自移至香取街拘禁，经过战乱，六十三岁老母及细小等，情况如何，静极之候，不免牵挂；极思与家下通一信息，以慰老人。晚间宋姓仆役送饮食来，我偷询其可否为我家下送一信，我仍出代价五元，宋漫应之，但云外间尚戒严，出入租界搜索殊严，不好传递，基于我的祈求，姑一试之。我告以手头无铅笔，嘱其明日带来一枝，容我写好交伊。

今夜八时犹未传呼睡觉，已较平日迟一时半，我料知新兵或不明规章，旧兵仓卒开走，未曾交代，我等殆须反客为主，自行作例予新兵看，于是关照大家在八时一刻倒睡。一兵看见我们睡倒，并未发话，转到其他两室，命亦睡下，我听得清楚，觉我所料未误。

今夜睡地宽敞，人少减热，马桶气味亦轻，竟能睡熟。夜长多梦，所梦多不离开吃丰盛馔席范围。想五脏委屈多日，在那发挥幻想也。

八月二十三日　星期一

今早微阴，醒来时视姚表已六时三刻，在往日，早为唤起，大家多日以来，成为习惯，到晨六时后即自动惊觉，准备起坐，今日以不来呼喊，只有再睡。延至八时，虽见监视兵有时出进，对我等不甚注意，亦不知唤起。诸人咸卧睡时久，腰酸背痛，仰卧地上谈话。我料定新来宪兵仍属未明规例，与不晓传命睡觉情形相同。遂作主张，嘱大家自动起坐，并令假高声告知里外两间留置室，同时坐起，乘新兵一切懵然，为创一规例，免得以后睡兴过早，精神疲惫之苦。迨监视兵入室巡视，看见各室留置犯已坐起，认为一向如此，并无何说。

旁午小雨霏霏，监视兵不能出立天井中，遂在外室梭巡，一兵每过我等的留置室时，则偷向室内觑视，似查我等终日作何动作。有数兵间一二小时即送来开水，询众要否。目下天气阴寒，食物复少，各个已不似以前数日需水的切急，唯既已送来，不便峻拒，恐拂其意，他日一旦需水饮时，要求困难，大家因随便接饮一些。今日腹内竟觉水多食少，咕噜作响矣。

林究竟年少体健，受伤如彼之惨重，三二日来，背上结痂，手足肿渐消，起坐略似平时。

我见宪兵不在，伏于栅门询问外间留置室有无新来人，及脱掉下颚的李现状如何。邱宝山答话告我，李已释放，在被放的前一夜，睡觉中间，不觉如何翻身凑巧，下颚已咯噔合笋，完好如初，阖室中人，皆为称异。又云，该室前两日送来一清华助教孙君，对外间情形熟习，渠可告君以一切。我因与孙通话，孙操鲁音，据云，南口战事甚激烈，车站归日军手，我扼守山头，日军猛扑，攻击多日，死伤惨重，截至十八日，渠由北平来津时，日军犹未得手。平汉线我军守良乡。宋部二十九军集结保定。良乡以南，保定以北我兵力殊厚，敌未敢进攻。上海战事，我极占优势，虹口日军败退，我军驱逐敌军于沪郊外，日方增援，顷在浦东大战。谈至此外间皮靴声响渐近，彼此咸闻得，乃各退坐。

我就闻于孙者与众研究战情，并为诸人辟解我国抗战意义。我道：“芦沟桥战事之起因，迄于目前的局势，实出日军阀料外。日方少壮派军人，原拟师法故智，不费兵矢，可攫得理想中的华北明朗化地域权利，控制华北五省军政权，而达成其割裂中国本部土地目的。华北少壮派军人，亦认为中国往例，不禁恫吓，只须虚张声势，借端发蛮，即可讨得实惠。焉知我民族团结御侮之志，不甘再任宰割之心，由'九·一八'忍辱以来，无日无时不在发奋。日军阀误认我民族精神涣散犹昔，敢行再度的侮辱，是逼迫我，打骂我，驱逐我，压制我，使我民族退路是死，抗战是生，我那得不上下一致，万众一心，为求生存而与之搏斗。今者战端方开，我小试其锋，使敌不敢复具幸致心理，并知此庞大民族非可一再厚侮者也。我等被禁于此，不幸至于瘐死，倘抗战胜利，国而有望，民族复兴，亦无憾焉。故我劝诸位宜由此远大处想，为民族国家想，为子孙想，勿为一己安危生死萦虑不休，方不愧国民也。"

我为此话时，何复述颇受感动，凑近我前，向我攀谈，与我研究战情及日本国内战时情势，我虽鄙其人，但因其天良犹未尽泯，可以激发，稍与其周旋。

我为注意外间消息，及我方战情，再借姚钱两元，候晚间宋姓王姓两仆役送饭团来时偷予之，为买通信息路之贿赂。对付此种人，实不得不如此。

午后六时许，落雨，两日兵解来一著白汗褂，青呢裤三旬许男子，推入我室，裤带鞋子留于外。其人入室后，我令坐于姚侧。宪兵去后，其人突询姚："这里给饭吃给水喝否？"及一切规例，姚一一告之。我询其人何项职业，因何被捕，据云，姓名楚重三，现充津五分局警察，今午日宪兵到派出所见其所长，指名索渠，谓有事请协助。渠匆匆随来，不意到宪兵队后，被剥去制服，腰袋内所携钱表，亦为扣留。日人询彼是否曾充天津保安队，参加七·卅的天津战事，攻击日军。渠虽充过保安队，但二年前已退伍，改充五分局警察，七·卅战事自无参加资格。据此说明，日人不信，以木棒皮鞭不分头脑大打。渠言时脱衣裤示我等以伤痕，两肩以下，两膝以上，伤痕殆遍，血涔涔流。渠又继云，日人愈打，使我心愈愤激，咬紧牙关，不承认曾预七·卅战事。被敲扑多时，日人见无供述，始停手，一两目红督的日人——按即莳苗——突出手枪向渠瞄准，作欲射击状，仍恫吓其说实话。并骗渠云：如能供出七·卅参加战事抗日的保安队五名，经彼等捕获，则可恢复渠的自由。渠告以漫说供出五人，即一名亦无有。日人复问打你痛否，你为何不哭。渠不答。嗣为送至此地。渠家人犹不知渠被禁于此也。我觉其人尚有几分骨气，加以安慰，兼告以此地过去情形，一般规矩。

夜间小雨，室内殊寒，裹罗衫于足下而睡。

八月二十四日　星期二

今晨晴，早八时许，监视兵不来唤起，我等仍自动坐起，其有体力不支的，则照旧偃卧，监视兵虽见，以为向例如斯，竟不干涉，有数人则放胆睡熟。此为七月三十日以后稀有的自由也。

楚谈，沪战我极占优势，空军活动亦力，日前曾有我机炸日旗舰出云举，虽未炸沉，但敌舰受伤甚重。津东局子日飞机场水深数尺，自韩柳墅迄杨柳青、沧州、静海运河水漫溢，平地深约二三尺，军队行动皆受阻障。我军闻已退至马厂。外间消息憾不灵通，大报除日方的《庸报》外，小报则均变更态度，替敌人讲话，使人阅之发指。近来有一种号外发行，均系听自南京无线电广播消息，种类殊多，所传亦不一致。楚又谈，七月三十日保安队发动时，曾计划以一大队攻东局子日飞机场，投以火种，拟焚毁停放该场的飞机，及炸毁格纳库，但因队伍不能前后联络，遂为日军所觉，出以突击而遭失败，否则津市不致被日机轰炸如是之惨。

十时许一兵提水一巨壶，挨室问要否。说话时声言粗暴，面貌亦似蛮横，我阴关照诸人，对此兵须特别留心，恐日后大家一不小心，将吃其亏。

里外两室，进出犯人四五名，新来的多著长衫，服饰类是政学界者，苦于不得机会一问。

今日午后三时，及午后七时，两次送来的饭团，每人仅给咸菜一小片，我等已两日未得剩菜饮食矣。

七时半宪兵数名，解来一年约二十许高大青年，头发甚长，捆绑甚紧，两手被铐，口内复勒一绳，若马之衔环。衣扣亦均敞开，形状至为狼狈，宪兵在栅外搜索移时，仅将绳绑解下，双手仍铐，推入我室。我令其坐于楚侧。八时奉命睡下，我见宪兵未在，询其姓名，被捕原因。答，姓名赵新，系东北凤城籍，在平弘达高中读书，因事变来津访友，二十二日行至特三区码头，遭伪警局侦缉员检查，因发现渠所携小包袱内，有黄色短裤一条，疑渠为义勇军，捕入伪警察局，押在伪侦缉总队。该地拘押人犯甚多，数人合居一室，内有吸毒犯二三名，终日呕吐狼藉，渠实不能耐，今早拟跳楼逃逸，为保安队发现擒回，加以手铐。旋为日宪兵送来此处，日人并未讯彼。我因渠是学生，特加安慰。

赵新复告我，由北平来津时，平东站津东站检查极严，有日宪兵监视汉奸为之，少涉形迹可疑的即捕去。北平到天津短短一段路途，须走十二三小时，沿途各大站均有日兵检查，遇着学生及类似军警服装的即捕去。嗣又告我外间战事消息，我等谈话时，为避监视兵察觉，均伪为睡熟状，以臂障面，耳目并用，以防监视兵叱詈。赵双手不能挣动，惧手铐箍紧，转侧亦不敢大意，厥状殊苦。

十一时后方入睡，今日我室共禁九人矣。我颇虑人数再增，恢复十五人挤轧时候之苦。

八月二十五日　星期三

今日晴，早九时姚外出倾倒马桶，归来告众人，谓天井内坐有日兵数十名，揆其形状，似新开到者。倒马桶时有监视兵二名。一则司启门之责，一则在天井内持枪监视，但较前一班监视兵少松，马桶倾倒后，可以洗冲，减少臭气。

何似对我表示好感，每向我闲话平津掌故。

楚伤势愈红肿，痛苦加甚，唯仍强自支持，不哼不响，殊有丈夫骨气。林伤势渐愈，手脚浮肿益消。

十时许有数名宪兵来外室提人，监视兵未在，渠巡视各室，见所谓留置犯多半偃卧，立时大怒，将监视兵唤来痛斥，意似斥其监视松懈，不知约束犯人，维持秩序。监视兵诺诺唯唯，宪兵去后，监视兵即到各室栅外查视，见有倒卧的即厉声唤起，并操不完全华语叮嘱云："睡觉的不行。"十一时更换我等所认为蛮横凶暴的监视兵值勤，查视颇严，我等再倚壁假寐则不许矣。

午刻易一面目和善的一等兵值勤，不断在我室外梭巡，旋立近栅门，询我室内谁会讲日本语，何操日语答之。监视兵乃询何职业姓名，何时捕来。嗣渠谈云，渠等系廿二日调来此地，前一班监视兵匆匆交代而去，渠等对此地情形悉不明了。继问何：“宪兵伍长几日来查一次？留置犯一日给饮食几次？”何告以：“伍长何时来，无一定。留置犯日给饭团二次，水则无一定次数。”该兵因何日语娴熟，颇有敬意，询毕业何校。何告以“日本商船学校”卒业。姚等乘何与该兵攀谈渐熟，托何转为要求，准我等自己出钱，购买少许大饼充饥。何转述后，该兵摇首，笑而不许。

午后三时，及七时，送来饭团，附有剩菜。赵钢铐在手，不能夹取，我特分给一部，令其自食。余八人则围坐一起，在互相约束下，作有秩序的吃。

宋仆役送水来时，偷递我一段铅笔，我视之，既未削尖，且复细短。似一枝铅笔，折断一端者，急藏于裤管内。

夜不成寐，与何偷谈。何述其被捕，及通州事件经过云，七月廿八日夜半，张砚田率所部保安队举事，分兵围攻冀东政府，财、建、民、教诸厅。并包围殷汝耕住宅，将殷捉得，载于汽车内，押赴北平。一方则围攻通州日兵营，通州特务机关。由日本特务机关长细木繁中佐以下男女侨民，朝鲜男女老幼三百余名口，悉皆杀毙。虽五六个月婴孩亦不免，此亦系平日怨毒过深，一朝发泄，不克制止之行动也。二十九日，日飞机来轰炸城厢内外，炸毁甚重，平民死者无数，张砚田、张庆余两部空陆受敌，失却联络，向平西北退却。殷汝耕为五百余保安队簇拥，先避于通州关帝庙，受日机低空飞炸及机枪扫射，几濒于死。旋又沿平通路退北平，途中均遭日军日机袭击，迄三十日早一时许，方到达西便门。时城内二十九军已退却，该队大队长觅张庆余、张砚田等不见，且亦不获晤冀察首脑人，孤军陷于绝地，乃穿城而至永定门车站。时张庆余的副官在队，保安队大队长与其协议应取办法，集议于站，久而不决。殷遂乘间哀恳，求逮其一死，愿担保收编该队，并先发一批费用。该队处此歧途，允其恳求。纵殷随从进城，觅来其友人日领馆副领某氏，在站谈判，往返磋商至三十日早七时，方一切决定。保安队发得一批费用，由日军部派人点验带去改编。殷得坐车进入北平，入东交民巷六国饭店居住。伪民厅长张仁蠡，伪建厅长王厦材，伪外交处主任林志铭，伪保安处长刘宗纪，伪稽查处长刘友惠及何，均渐由通州只身逃来。大家方庆死里得生。不料八月一日，得驻平日宪兵队长派人来邀，谓战事吃紧，东交民巷，恐亦将波及，驻屯军部牵挂伊等安全，特请到宪兵队暂避，俾紧急时便于保护。殷等信而不疑，当夜随往，分住队长曹长之室，颇蒙优待，以为此后可无危险。乃八月五日之夜，忽宪兵队长派人请渠——何——及刘友惠说话，两人晤日队长时，见其面色迥异，态度严厉。径云："通州日侨被杀，保安队变乱事件，案情严重，宪兵队认有调查必要，暂请两位屈尊，到下边住几天再说。"渠与刘闻听，似冷水浇头，知分辩无益，遂被宪兵带至楼下留置室。入室后见林志铭已预先被囚于内，见渠两人来，彼此默然。旋窥见王厦材，张仁蠡，刘宗纪等皆被推入对面留置室，因知随殷同来诸人，无一幸脱。后又得宪兵告知殷亦被禁于后室，两差役并遭囚系。在平囚禁四日，每日给饭团三次，每次两个，咸菜少许。水尚可足用，监视兵因渠等懂日语，无过分刁难。有时给蚊香，令燃着驱蚊。有时给香烟吸，低声谈话，白昼睡觉，犹有自由。至八月八日渠与刘友惠被提出，由宪兵捆縶，押至平东站登运兵列车，露立餐风雨达八小时，载至天津，送入宪兵总队。初与刘禁于一室，翌日渠被提出，由莳苗——宪兵曹长——审讯。问渠姓名，渠供何复述，莳苗不信，强指渠名何刚之，系冀东政府参议，煽惑保安队举事。渠极口呼冤不听，由四五日人轮流灌水，及以木棒皮鞭大打，两臂两胯皆受重伤不能起立。当日以受刑过重，晕厥不能言语，被送至此处拘禁。八月十日复遭提出，仍然指渠即是何刚之，大打不休。幸亏渠娴日语，被打时力辩不停。莳苗渐觉情节有异，忽将殷妾美雯——北平一妓女，殷僭号后纳为妾，通州事起，时在天津日租界须磨街伪冀东办事处居住，亦遭日宪兵监视。——提来，令伊指认。美雯告以："渠实名何复述，为殷机要秘书，并非参议何刚之。"莳苗至此始无言，中止用刑，送渠回押。渠被禁迄今，未再提讯。通州事起，渠与老妻只身逃出，受惊之余，复受缧绁之苦，实觉人生乏味，不如一死完了。倘得生出此门，决远投海角，剃度为僧，不再于此尘世中鬼混矣。渠又谓："此为通州事件真相，及其亲历亲睹者，肺腑之言，因先生以精诚化人，特掬实奉告。"我觉其语出真诚，且似悔于以往行迹，不忍再有何诛讦之言，略慰藉之。

今夜辗转至十一时方入睡。何每夜鼾声极大，扰人清睡，渠又卧处傍我，使我无处避匿。每于矇眬中为其鼾声惊觉，则须推其翻身，但渠一转侧间，鼾声复起，是殆无可如何之事也。

八月二十六日　星期四

今日晴，但气候少寒，凡在此室赤足者，均患冷。每晨栅门孔隙吹入寒风，即均为冻醒。以前人人争抢栅门旁地位坐卧，借以取凉，今则人人争向里移，咸欲避开栅门以取暖。仅旬日间，情形相反如此。

今早六时起，隔壁似有工人工作，运用斧斤，凿剜墙壁，叮咚之声，不断传来，室内对面讲话，皆不能闻，不晓所为何故？

我询赵新以弘达中学校事，渠所答皆错误，我觉渠或属别有隐情，冒充弘达学生，因警告渠：“倘日人提讯，最好应当隐讳者隐讳，无须隐讳的，则要实说。必得讲谎话时，亦最好说得像真，千万莫露破绽，否则启日人疑，酷刑拷讯，支持不住，仍得实说。而实说之后，日人多疑，犹认尚有不尽之处，仍然刑逼，结果所遭匪刑，必定惨重。故汝欲扯谎，总要先有准备为是。”赵低头不语。

今日各兵值勤，监视较严，不许倒卧，不许谈话。但因隔室凿壁之声响不绝，震耳欲聋，监视兵多不愿在室久留，略一巡视后即外出，我等仍得偷自倒卧及谈话，以破岑寂。

午刻内外两号留置室提出犯人数名，午后二时许，送来新人数名，中有类似军人保安队者，不知何地捕来。

邵——逊伯，周——谦，均感烦闷，因渠二人被捕以来，除询其姓名年籍外，犹未正式提讯，一方耽心宪兵队忘怀，一方耽心将来被讯时的受刑，我劝两人勿躁急，所未提讯原因，当系宪兵队过忙，无暇办理之故。周谓：“我实倒霉，没来由随朋友吃苦。我探望朋友，本想告辞，朋友拉住不放，强令同去会见一人。为日宪兵队中国特务诳骗至南门外逮捕。我急于友难，近前查询，即为拖入汽车，朋友是正犯，则坐于座位上，我是罽误犯，反为手铐相加，按在车踏板上蹲踞。被禁二十七八日，犹不晓所犯何罪？”我打趣道：“此之所谓：事非只缘多开口也。”众闻之咸笑。

午十二时工人休息，叮咚声停止，午后一时半又复响起，敲至晚七时方停，终日耳根不清，倍加烦恼。

夜十时许望见宪兵数名，偕武装补助队数人，启里外两室门，提出形似军人的犯人十余名。内有十余日前拘禁的排长王某及其同伴七八名。佟兴周亦在内。另外两名，据邵辨识系二十九军被俘的排长朱某，士兵李某。我等对此十余人的被提出，断为凶多吉少，每人心头不约而同，替渠等耽心也。

夜间思潮起伏，萦系家人与老母。当心如刀搅，悲苦至极时，突反躬自责，自问我是否华人，际此国难方兴，战事乍起，含辛茹苦，受尽磨难者岂我一人？我何竟存幸免心理，得勿扪心有愧？一念及此，顿觉神志清澈，不复胡想，闭目渐渐入睡矣。

八月二十八日　星期六

今日晴，隔壁工人工作不停，响声愈大。工人似已加多，铁石之具，发出声音，令人不可一刻耐。

邵昨日被提出，手铐加腕，由一宪兵牵之去，经过三时久送回。并未受刑，渠颇觉得意。对众谓，日人讯其南开反日事件，渠供渠仅是该校一事务员，不参加学生活动，对于学生有何组织则不晓。日人反复追问，最后谓：“嫌疑之点，犹未解消，不能释你。”遂仍然还押。邵又谓，王永泉——前福建督办，现充伪华北临时政府治安部次长——系其舅父，知渠被逮，当必烦人说话，或可早获释放。于是段、周、林、赵诸人均纷请邵出狱后，代向其家下传一信。今日为星期六日，向例此日释放犯人，早间邵与诸人即引领企盼，但迄旁午并无消息。

十一时许宪兵陆续送来犯人七八名，分禁于各室，送进我室的为一朝鲜人，姓名李秀光，充海光寺日军部随军翻译，因与同事韩人口角，遭其构陷，为送入此地禁押。此人入室后，以娴华语、日语，自以为曾与日军部有关，其一种奴隶谄媚日人，卑视华人两种表情，令人一望知非善类，我阴嘱众人当心，免吃其亏。

李坐于栅门旁，凡日监兵经过，渠即勾搭谈话，表示好感，有时则传译日兵意旨于我等。我觉此人有挟日兵自重心理，愈思有以镇服之，以免将来受其控制。

李指示于我等，面目和善的一等兵，为此地监视兵班长。其长形面孔，好为滑稽表情的系副班长。一笑眼眯缝的姓井上。其余则有五人，受班长节制，但均系同阶级的一等兵也。

李不断与日监视兵谈话，监视兵遂不断立于我室门外，致人家欲偷懒休息不可能。李因监视兵熟识故，行动渐行放肆，大声谈话，任意站立，我料渠迟早惹恼日兵，将讨一无趣。

午后二时半送来饭团，并有剩菜，日兵单予李一小碗，坐于一角自食，显是优待，李颇得意。

旁晚叮咚凿壁声未绝，杂以李高谈，及不时叫骂陷害渠的韩人声，我室顿觉空气尘嚣，增人烦恼。

连日晚八时半左右睡觉，殆成惯常，今晚睡时，外间落雨，近栅处冷风吹入，遍体生凉，李只著西服褂裤，不耐夜寒，睡不宁帖，即坐起不时唉叹与叫骂，扰人不能入睡。何又鼾声间作，更令人对此长夜，倍增忉怛。

八月二十九日　星期日

今晨五时许，李即冻醒起坐，叫骂不休，大家均为吵醒，我愈厌其人，筹思对付方法。早九时假外出倒马桶，井上特许其冲刷。并令洗濯其头面，此为一向所不许者，段归为众人述之，于是众咸欲得此机会，便于吸收新空气，及一洗濯头脸。倒马桶由今日起，成为美差矣。

李与监视兵班长谈甚久，旋转告我等，日兵已到南口，争夺南口时一联队死亡十分九，只余三百人，冲到南口，并已攻进张家口。日皇因此三百名士兵具有殊勋，特人给金质奖章一枚。我觉李此种宣传，存有恶意，特告诸人："我等现被囚于此，除个人利害外，不必注意于他。"用以打破李恶意宣传之术。李见诸人听我嘱咐以我见解为瞻，对我渐有仇视意。嗣李又谓，隔壁凿墙工作，是修理新留置室，将另有两间新室辟设。新室铺有地板，开有后窗，且较此室为大，将来修成后，移大家于彼处，此室与隔号的两室亦加修理。李并云此话系闻诸监视兵所说者。

李自谓，以前渠是特殊贸易商人，——按，即走私商人——本年五月曾赴山东乐陵卖货，为当地中华警察捕捉，押于一学校内，校长刘某，系韩复榘亲信，协助军警机关，严刑吊打渠，认渠是华北日军部间谍，令供出同伙，与到鲁使命。渠不招，为吊打三日夜，渠始终供系辽宁人。但刘则谓渠口音不符。最后由津日领去电交涉，得以押解回津，转行引渡于日领馆，旋得自由。此仇没齿不忘，将来必随日军前往，捉刘报复。我笑道：“你们朝鲜近代中出了两个志士，足为你们朝鲜人式法。一个是炸死伊藤博文的安重根，一个是炸死白川大将，炸伤植田谦吉，重光葵的尹重吉。此二人举世闻名，为中外人士所敬佩。即东北朝鲜独立党的活动，其中亦不乏烈士，所惜烈士过少，致复国运动，终未成功。而有一些人，‘数典忘祖’，正帮助其仇雠，进攻其友人，其人格志气，较安重根，尹重吉两君相去何可道里计。即对独立党的活动，能无愧怍？”李中国语极佳，知我所说意在讽渠，遽面赤不语。此为我第一次予此朝鲜浪人以攻心的惩创，业已起效。

午后见里间留置室送进二人，形似警察，均步履艰涩，若已受重刑而负伤者，心实难过。

夜九时众已入睡，唯李高丽犹在转侧叹气。我侧卧里向，取出宋仆役予我的铅笔，以齿啮去其外木，恐为监视兵听得，不敢发出声响。许久方啮破外木，少露铅端。见监视兵未来，铺手纸于席上，枕肱急写一家信，询问事变以来母亲以下安否？家下状况如何？外间情形如何？劝家人如为事实所许，可即迁入英租界居住。末并告母亲我甚安，不必惦念，现在天气已凉，能设法为我送来夹袍一件，夹裤一条，毛毯一床，袜子厚薄各一双最佳。写信时一方为防监视兵前来发现，一方为防李高丽看见报告，提心吊胆而为，纸软笔钝，草草成之。书毕叠放于裤管内，拟待机会交宋送我家下。盖我想天津战事发生，今将匝月，我六旬余老母，正恐为我耽心，忧思日增，我此信倘得传至家下，庶可减少老人愁苦，知我犹在人世也。

隔号拘禁的佟兴周，前日提出未回，当必释放，我料渠或为我传递家下一信。

夜十一时许在何的鼾声不断中睡熟。

八月三十日　星期一

早五时刚过，为李高丽吵醒，李与段不断谈话，众人皆为惊觉，均有愠意。渠近来昼则依壁假寐，终日昏昏不醒，周、林坐于其侧，则须照顾渠，监视兵来时，将其唤醒。但一眨眼间渠又阖目。隔壁斧斤之声，虽叮咚不绝，渠仍能盹睡。入夜则精神忽来，翻来覆去，轧得水门汀地声响咚咚，颇使诸人不快。故今早均向其交诋，渠不敢辩。

九时半见班长偕监视兵二名，入外间留置室内，有所勾当，李听得是在搜检犯人，转告我等。我急将昨夜写就的纸条，塞入坐席编花内，半段铅笔则放在裤管下端翻转处。姚的怀表，一向归我收管，恐为取去，则许多不便，特藏于罗衫口袋内。安放甫毕，班长率监视兵已来，入室后，令我等站起，逐一检查衣袋及身体，将我裤吊带摘下，掷于门外。何原穿进皮鞋一双，每夜充作枕头，此时亦拟为之掷出，经何说明作枕之义，复为留下。嗣又翻开坐席查视，凡是筷箸等类，皆为搜出。至我藏字条席处，则略视过去。约十分钟检查毕而去，我方一颗心落实。

旁午大眼睛蛮横的宪兵值勤，与李高丽谈话，谓数日前彼辈监视甚松，各室留置犯竟于白昼横躺竖卧，颇无秩序，总队伍长前来看见，对渠等大加斥责，渠等不得不严加管理。嗣后有白昼倒卧或睡觉的，即是犯规，渠不客气，执行体罚。李传译于众，大家面面相觑，觉此一班宪兵监视渐严矣。

午刻宪兵送来五六犯人，推入我室的为一老一少，老的约五旬许，操天津土著口音，进门大打招呼，似老于坐狱者。少的年约二十许，亦操天津口音，装束则似仆役。我令两人坐于李何之间。

监视兵不在，隔室工作叮咚声大起，新来两人得与周、段、邵攀谈。据老者谓，渠姓冯，系一小贩，少者为其长子，在北宁路饭车充仆役，其次子尝充津保安队司书，津市战事发生脱退。今早六时忽其家下去有日宪兵，将渠父子三人一总捕来，渠与长子未加询问，送到此地禁押，次子不知送往何地。周等询以外间情形，老冯谓，自日租界迄东马路东北城角一带，商店犹在关门，街上冷落异常。电车除环城路线已通，开往租界的，只可到日租界四面钟停止，法租界尚在封锁。万国桥通过行人，有时检查，有时则可随便行走。市间米面价飞涨，白面四十斤一袋者卖五元六角，较战前增价一元余，大米普通一类一袋百斤者售十九元余，较战前增五元余。贫苦人家所赖为食粮的棒子面——即玉蜀黍面，平津冀鲁贫民主要食品——每斤售至五十余枚，已合一角有余，较前涨至五分二强，一般贫民殆皆叫苦连天。

小冯谈，渠在饭车充仆役，前日随车过黄村站，有日兵出钱购三瓶啤酒，仓卒间同事误畀以“苏打”水一瓶，日兵饮不对味，大怒，认有意欺骗于彼等。时车已开行，言语不通，欲为掉换，实来不及，窘急中掷还其钱，以为可以无事。讵车抵下站，该站日兵已得前站电话，登车士兵数十名，将饭车所有职工十余名，悉皆捆绑。旋以货车送回黄村，当晚逐人被打，绳剪二背，不给饮食者一昼夜，后经饭车主人烦出日人哀恳，送以厚礼，始羁押两日夜放出。现在往来平津，殊非坦途，车行较慢于平时者四倍时间，沿途皆有日军，车停后即上车检查，看有形迹少疑的，即捕去拷打，甚至随意枪杀，死者亦不少矣。

我室已十二人，大家殊虑仍有人来，复返前此十五人时期的拥挤。讵我等愈忧虑之事，实现愈速。午后六时，六时半，先后送进三人，一为曾充保安队的张姓少年，一为曾充天津市府特务工作人员的白某，一为某铁厂主人石某。张则被指为参加七·三十天津战事的战斗员，今早由津四分局捕来，——时张已补为警察——由午前八时吊打灌水，令供出现匿居于津同队者为谁，并须至少举出五名姓名。张被打得两腿高肿，不能屈膝，口鼻受水灌注，唾涕不停下流，入室后以伤势过重，倚壁呻吟，一息仅属矣。白系有共党嫌疑，与一友人杜姓，为伪警察局侦缉队捕获，解来此地，犹未询问，杜押于里进留置室，白则与我同屋，白在侦缉队禁押时，与赵新同室，刻又相值，彼此不由报以苦笑。石则在日租界福岛街设工厂，以包装室内水门汀，暖炉等铁工为业，尝为一日人作工，工资久欠不给，石曾催索数次，日人不予。近战事爆发，该日人入宪兵队工作，今日忽派人将石唤去，云有工程包做，石到指定地点后，见该日人与另一日人预在，见石到来，彼此以目示意，其另一日人即领石到宪兵队，一句未讯，突送到此地禁押。其厂内工人犹认渠在工事地方督工也。

七时半送饭团来，附有剩菜，十五人围坐一圈，吃菜一碗，圈小人多，被挤于圈外的竟不得食。石情急之至，突起立作虎扑，自诸人头上压过，伸手于菜碗中，捞取一把，汤汁淋漓，满洒诸人身上及坐席间。我向来抱定屈己主义，只要同室诸人维持秩序，不受日兵过分侮辱与叱骂，大家听从我话，我虽少吃一口饭菜，则精神上犹可减少一分刺激，少受一分非人侮辱，所以除饭团人各一份，少有争抢外，菜则让大家平均分食。今日突来多人，而石又粗野万分，使我以前约束诸人的秩序，一旦破坏，栅外监视兵望见，一壁呵斥，一壁大笑，我更头如中刃。迨诸人抢食毕，监视兵已去，我乃缕述此间过去秩序如何良好："每日得吃两次饭团及剩菜，经过几度的要求，方才办到，人方视我等如猪狗，我等行为反猪狗的不若，岂非自甘受人奴视与侮辱？争食争喝，最足使日人鄙视，而十五人吃一碗菜，即或争抢，其能多吃几何？大家不肯少存一点脸面，自愿不如猪狗，宁不可痛可耻？"石闻我言，面红耳赤，连声道歉，谓以后决听从王先生话，不再抢吃抢喝。余人亦各认错，云明日起，遵守秩序。

夜十时许，宪兵又送人来，灯光昏暗中，莫辨人数。唯送入我室的共二名，均著警察制服，各年二十许。一瘦小，一细高。其细高的殆负重伤，咬牙忍痛，挨进门内，挤至靠墙壁坐下，一眼望见张——新来的保安队——怒目而视点头叹息。瘦小的方拟入室，为监视兵拖出，周身加以搜翻，于其衣袋中搜出香烟药丸等物甚多，均掷于外间桌子上。复将其怀表一只，手表一只，腰带一条一并取去，然后推之入室。其人入室后，望见赵新及白惊呼道："咦，你们二位早来了，不成想在这儿遇见。"赵、白均默然不语。

细高的刘姓，名森桂，渠原充保安队，津战事结束后，渠未随大队退走，改入第四分局充警察，与张是朋友，张由保安队补充警察，即刘所荐引，今日张被捕，日人令指出匿居津市的保安队五名，则可减轻渠罪名，张贪生心切，兼不耐酷刑，遂将刘攀出，刘致被捕来。初受讯时犹欲狡赖，日人出张供对证，刘不能辩，乃招承。日人复令渠指出五名保安队，刘不肯，乃遭痛打，后背为皮鞭抽伤，皮绽肉开，几露脊骨，嗣又绑扎双手，以胶皮管接水龙头向鼻孔灌水一时许，渠实熬刑不过，攀出多人。日人乃停刑送其至此。所以渠见张时怒目而视，不胜其积愤。何则在伪警察局服务，亦因有保安队嫌疑遭捕来，尚未讯问。

今夜我室已容十七人，开从来未有的纪录，一时室小人多，挤轧不下，不得已特颠倒穿插而卧，马桶旁睡倒两人，均蜷屈如蛇。我与赵、邵抵足，卧处过窄，不能伸腿，于是此伸彼屈，交换拳曲。空气少，住人多，十七人又复流汗遍体，衣裤湿濡。何有吸毒嗜好，所带毒质药粒，为监视兵搜去，瘾发不可耐，唾涎交流，呵欠不已，睡不能稳，则不断起坐，因与白相熟，——白在侦缉队羁押，何时以警察局公务员资格看见——强白调换卧处，一夜内调换去调换回者数次，扰得白亦不能交睫。我向其劝阻，渠嬉皮笑脸，不改如故，令人哭笑不得。

刘张伤痛，不断呻吟，何与老冯一间一起的鼾声，李高丽的愁苦叫骂声。白与何的争呶声，段的翻身触地声，诸人的嚷挤喊热声，交织于室，我安能入睡？

八月三十一日　星期二

今日晴，早五时，觉有人立我足后，以头触地作声，开目视之，乃石掌柜正在闭目合十，口中喃喃，向外跪拜。询其何为，云求佛佑，俾早脱险。我笑道："中国的佛受日本帝国主义压迫，到不了此地来，即使能来，汝平日不知烧香礼拜，急时抱脚，佛果有知，亦不救汝。"石大惭，中止叩头。

五时半李高丽冻醒，仍大声叫骂，并与石段诸人絮絮谈不休，我制止之，李不服。我告以留置室规矩，不许高声谈话，及同室犯人交换意见，且未到起坐时刻，汝已起坐，均属犯规。汝喊骂"报仇"，汝将报什么仇？如真有志气，待释放后为之不晚，现今说他何用？李被我指斥不敢辩，段石亦不敢再与其谈话。

晨五时三刻，刘森桂被两宪兵提出，午后一时许归来。时外间落大雨，刘衣裤尽湿，泥水淋漓，如行于淖泥中者，进门时忘却脱鞋，为大眼睛监视兵力披其颊一记，声极清脆，凡望见者皆为之悚然。

我问刘被提出，是否为宪兵押解赴各地捕曾充津市保安队者？刘俯首不语。我因对刘、张、何道：“汝等不幸被捉，惨遭榜掠，不能忍刑，被逼至于胡乱攀扯。攀扯的如是真正保安队，则汝等当知我国正在抗战中间，需要战斗员孔亟，保安队是经过长期训练，而具有抗战能力的，倘被日方捕来一人，不啻为国家减少一名战斗员的实力，亦等于汝等自为削弱国家实力之举。苟所攀扯的非是保安队，而系受刑不过，胡乱指出数人搪塞，使此数人受无妄之灾，被捕到后，匪刑拷打，多增一名留置室内受罪人，汝等问心能无惭愧？既不幸被捕，应当咬紧牙关，天大罪祸，一己当之，少牵涉一人，即少减我们国家一人的力量，少使一个中国人在此受苦，则多积我们自己一分私德。尤忌存乘此机会陷害仇人，以泄私忿之心。盖此种阴狠残忍的行为，非丈夫所应为。而假手寇仇以攀扯熟人，报复睚眦之怨，更属小人技俩。日人亦绝不会因汝攀捕数人，即可早日放汝，转恐因汝攀扯者，非其指定一类人，审讯不实，结果汝等反自取苦吃，将遭第二三次的拷讯也。”刘张闻我言均有愧色，白面何则云：“王先生你看吧，我决不含糊。”我道：“但愿你能如此！”

白面何——因其吸白面而假定的称号，以便有别于何复述——瘾发，不能支持，东倒西歪，有时躲于人后倒卧，有时则枕马桶休息。虽任令众人如何劝说，如何耽心，渠终不听。渠只谓："犯瘾难过，不如因犯规被打好受，若真被打一顿，亦许立刻精神焕发，不复再有瘾矣。"众闻之，哭笑不得。

十时许一黑面孔高大监视兵值勤，一手持枪，一手握一木棒，在外室敲桌发巨响。旋到我室，由栅门孔隙伸入木棒，对我等警告谓："白昼不许睡觉，不许说话，要规规矩矩的静坐，靠墙壁打一盹睡犹可通融，倘有人犯规，渠即以此木棒重打。"说毕令李高丽为我等传译，大家均为之变色。

石掌柜谈，前数日天津新到日兵甚多，其中颇有胡须甚长的老年兵，体格亦似孱弱。又谈，上星期日兵到杨柳青一带防御我中央军的进攻，在泥水中困守数昼夜，迨我军撤往静海，青县，日军方得退回天津，人马已遍是泥污，精神颓唐，马既懒于举步，人亦闭目合睛。其经过河北大经路，河东东马路者，士兵实在不能支持，竟不听长官命令及鞭扑，倒卧于人行便道，昏然入睡矣。

又谈，外间消息甚闭塞，租界内住户皆偷听无线电，借知我方军事进展消息，南口陷落后，我军正在扼守大同。平汉线我军前线在琉璃河，津浦线在静海，中央军北进于豫鲁境内者甚多，日军犹未进攻。沪战我军殊占优势，已歼敌不少。敌空军曾去南京轰炸数次，无甚结果，因我空防颇严密也。石谈时，诸人均倾耳听。我笑道："你能传述些类此消息，尚差强人意，若似昨晚抢菜行为，则不敢敬仰。"石急逊谢道："王先生，得了罢，不要再剜苦我，以后我没那宗事啦。"

午后三时送饭团来，仍有菜一碗，除李高丽由日兵另给一小碗外，我等十七人共吃一碗，我令大家各坐原处，菜碗一一传递，以免争抢，虽每人只得一箸，究胜于昨日的抢夺也。

宋姓仆役送水时，渠见监视兵未在，又递进半枝铅笔，盖因上次递进的，系仓卒折断的，细小又未削尖知不能用，故今日予我一削尖较长者。

午后四时，监视兵未在，诸人谈起吃的问题，彼此皆云吃不饱，倘准买些饼馍充饥，亦好少许补充。其实诸人被羁日久，除日吃饭团外，别无他物，一半是饿的作用，一半是馋的原因，遂一人提倡，众皆附和，甚至立刻有得饼馍在前，大嚼一番方好。但谈至结果，彼此一问“钱从何来”？咸如冷水兜头，哑然无语。因阖室十七人，除我知姚尚有钱外，余人皆于被捕时遭搜索一空，分文莫名。时白面何正倒卧马桶侧，瘾发折腾，翻来覆去，吐出许多绿沫。闻得诸人咨嗟钱的问题，突然坐起，问我道:“假如有钱可以买得大饼吗？”我未及答，李高丽在旁接话道：“你如果有钱，就可以办到。”白面何爬至栅门，指外室乱鞋袜堆内一条白裤带道：“我那裤带里藏有六元，你能交涉取来，大家买大饼油条吃吧，反正我不花，钱也不会到我手了。”于是李高丽立于栅门，俟值勤的副班长来，与其商恳，将钱取出，即以三元，恳副班长唤来中国仆役，为买两元大饼，八角油条，二角咸菜。余钱归何收藏，何托我代为保管，我因李高丽能办此事，令渠收存。

少选大饼，油条，咸菜买至，三十六只饿眼咸注视不瞬，李高丽以渠办交涉之功，居然径操分割之权，每人分给少许，物虽平常，但在此间已属珍馐，凡分得的人，皆细细咀啮，不愿一口吞下，失却领略之味。我见邵、段、姚、周未得油条，望人垂涎，特将我分得的分给。白面何见李高丽分的不匀，且有自行揹搂，留存待食之意，颇露悻悻色，我嘱其勿如此。

隔壁工作已停，在我室对面，新开一门，可与隔壁各室相通。坐于我室里角，即窥见隔室人的进出。班长值勤时，李高丽询以对面留置室修理如何，据云工事已毕，一二日内即可迁我等于彼室。姚何闻得将迁居，深虑与我分开，不胜其惴惴。

晚间宋送饭团，我偷将字条递与，嘱其速送我家。李高丽则借白面何钱一元，塞宋手，烦其为买香烟一二盒，送饭水时秘密递进。

今晚十八人睡一室，挤犹昨夕，我反正已如猪猡，抱定随遇而安主义，任何痛苦皆忍受之。

九月一日　星期三

今日晴，早五时，李高丽即畏凉起坐，取食昨日留存的大饼，白面何睡中惊觉，亦起坐争食。两人喧呶不休，众咸为吵醒。

早八时老冯被提出，九时许自面何被提出。午后一时老冯归，面有喜色，坐定后对小冯言，受讯时未被打，当时有赵锡钧充翻译，十年前赵充日租界巡捕官，渠在其手下做事，今日相见，赵顾念旧谊，为其在日人前说许多好话，渠对赵叩头称谢，赵愈为帮忙开脱。日人见信不疑，允候数日放渠。众闻人皆为之庆，我觉此种卑鄙小人，不可开导，任其自己欢喜，不为戳破。

外间留置室的邱唤周说话，问我室押有姓冯的没有，老冯应之，邱告以其次子现押于彼室。老冯乃与其次子说话。据其次子说，前日日人提讯渠，令供出五名保安队，渠当即指出，日人甚喜，未打渠，且赠给夹裤褂一套，允将来重用渠。老冯闻之愈喜。我待其谈话毕，警告之云："你父子同时被捕来，的确使人同情。但若为求自己自由，而嫁祸于人，攀扯许多熟人被捕，被捕的熟人，复又畏葸，又攀扯渠的熟人，若以一人攀扯五名计算，则辗转相攀，是受牵连的益广，而被祸的亦愈众，汝父子扪心，作何感想；汝年事老大，经验较多，汝次子年幼，或存幸免心理不讲道德，只顾个人利害，毫无民族国家思想，此于平时，汝已有'教子无方'之咎，今汝闻汝次子可供日方驱使，且将获得自由而有喜色，未免‘更无心肝’，须知汝子之自由，系卖却他人的自由而得来，汝不知训饬指斥，实有亏父职矣。进而言之，汝勿以汝子供日人驱使，汝全家即可飞升，傍借日人势力，不但此后得了安全保障，且可夸耀里巷，须知虎口内求食，为虎作伥，终有遭虎吞噬之日。”我说至此，并举佟兴周为例以证实之。老冯小冯闻得羞愧无地。急烦邵瞰监视兵不在，传话于邱，嘱转告其次子，勿允日方担任工作，以免危险，尤不得攀扯同侪，遭人诟骂。

保安队的张愤然道：“我被捕，当然是冯攀来，因我充保安队，时间甚短，除渠外无人知。”刘——保安队——亦云：我被捕是你（指张）攀来。我对老冯道：“如何？汝次子一人，畏死畏刑，攀扯多人，我等知道的此室已有三人，恐他室被禁的必不在少，追源溯本，皆汝次子之罪也。”老冯面红不语。

午后四时白面何安然归来，进门后对众扮一鬼脸道：“我以为今天不定怎样受苦，实则并未挨打，日本人令我指出五名保安队。我告以五名太少，我可以指出十五名。日人认我懈怠，将我按坐地上，以香烟火烧我头顶，我顺手接过，吸了两口，日人哭笑不得，踢我两脚，又拟寻找器械打我。我道：‘先不要打，等等我大便完了再打吧。’日人骂我混蛋，令仆役引我去厕所，我那有大便，不过为的躲挨一会，蹲在厕所有一刻钟，日人不耐，来催我出去，仍按我坐于地上，用冷水一桶，浇在我头，致我衣服皆湿，我当时倒在地上翻滚，大喊犯了瘾啦，不得了，要死啊，日人见我如此，莫知所措，即停止讯我，给我香烟一支，令我吸吸过瘾，嗣即将我送回。”众闻咸失笑。白面何又云，当渠受讯时，常望见有两人以便衣队嫌疑，在隔室受日人刑讯，五六人合力大打，两人如杀猪般叫喊，渠听见时心胆为碎。渠返回此间，见一人已受讯毕，两腿血流不止，白色裤皆为血污成红。一人尚被敲击中，声息渐微，似已负重伤，而晕厥矣。

晚七时宋仆役来送饭团，乘人不见，偷递我袜子两双，告我字条已送到我家，带一回条，今日不便，明日可为我带来，我家并托渠带来夹袍一件，毛毡一条，毛裤一条，自来水笔一支，共打成一大包，但事实无法送进，只好仍为送回。我嘱其急速送回，告我家人，直接向宪兵队送来，宋颔首。

宋递与李高丽香烟火柴各一盒。

晚八时宪兵送来一人，由两名中国仆役搀扶，似因受刑过重面已无血色。进门后，望见张——保安队——以手指点，示其忿恨，张则愧怍，不敢正视，众咸料知此人必系为张攀扯被捕者。该人膝盖以下被击破乱，血缘裤脚下流，犹咬牙忍隐。但欲坐下时，两膝业不可屈曲，经人扶掖，方勉强依壁而坐。刘——保安队——与其相识，询其受讯情形，渠云，自昨日被捕来后，已被打两次，渠咬紧牙关，不承认曾充保安队。今早九时复为提出，由晨迄晚遭六七名日人毒打，死去活来者达四五次之多，较昨日所受尤苦，日人打一次，休息少时，另易几人再打，前后更换五六次，渠气绝多次，皆为以水喷醒，实不能再熬，唯有诬服。日人又令渠指出五名保安队，渠不肯，并告以不愿为此害人之举，日人大怒，最后又打一顿，两膝几折，不能步履矣。又云："今日看情形，犹未讯毕，倘明日仍受提讯，再打一番，是有死无活了。"众闻之皆为凄恻，劝其放心，不必过虑明日之事。监视兵来，该人口渴舌干，恳众为求一些水饮，经我等与监视兵哀恳，给予冷水一盂，该人方拟接取，突然晕仆，二目上翻，气息皆无，众大惊，急以冷水喷面，撬开牙关以水灌注，历时许久，方悠悠苏转。监视兵在栅外蹲视，并不同情，反作鹭鸶笑。我等心愈如椎刺。

未几班长来点名，见我室已十九人，极端拥挤，询及负重伤的保安队，原押里间留置室，遂将其唤出，仍送往原室。其人乃勉忍伤痛，扶壁而去。我等对此受重伤，不攀扯同类的好男儿，咸不胜其忧念。

刘待其人去后，告知众，该人姓李，通州籍，确充保安队有年。

李高丽，白面何偷在马桶旁吸烟，监视兵行经栅外，嗅得气味，伫立门外，瞪目内视多时，不得形迹，方姗姗去。未几黑大的监视兵值勤，李何仍躲于墙角偷吸，并恐香味外溢，掀马桶盖，对内呼吸，但仍为监视兵嗅得，厉声问李此室有人吸烟否？有存火柴者否？速速交出！否则搜出决重罚，李对以无。监视兵梭巡甚久方去。我等虑有意外，力劝李何将香烟火柴掷入马桶内。

宋送来两双袜子，一双毛织，一双线制，我防为宪兵取去，一双围于腰际，一双穿著，虽两脚泥污漆黑，不暇顾也。我自被移禁于此，今已四十余日，方得有袜可穿，立刻足下温暖，而今我始知袜子穿著后的好处矣。

九月三日　星期五

今日小雨，早九时，白被提出。白面何告众人，白原系纱厂工人，后为津市党部担任秘密工作。与警察局侦缉第一队长徐树铭相识。日前日宪兵队向徐索要共党，徐无以应，找白前去，问白可知津市有无共党，白谓渠不知道，其杜姓朋友，或者晓得。徐即将杜寻来，向杜要共党，杜因案被禁津监狱八个月，甫获自由不及旬日，焉知何处匿居共党。徐为塞责，遂将白杜二人以共党送来宪兵队，真正冤枉之至。

姚自衣领内偷偷取出私藏的国币三张，每张五元，塞于我手，告我渠无用途，借与我用，我乃藏于裤管内。

白面何所余两元，昨日曾以一元买大饼，二角买糟糕，二角买手纸，所余仅六角，放于李高丽手，阖室十八人，顷只我偷藏十五元。

晚六时白送回，精神沮丧，对人无语，少时送饭团，渠亦不食，众询以故，初不肯说，嗣叹息道：“今晚有的吃了，明天要吃恐已不许吃。”众加追询，白始吐实，盖今日白与杜被提讯时，日人指二人为共党，逼供出同党在华北工作者若干人，其中有何组织。两人供以不知，日人曾将二人两臂反结，放置地上灌水，并以木棒痛击臀部，两人实无可供，唯有哀呼。日人见无供述，乃令起立，以铅笔书布告，上写“为布告事，枪决共党 ××× 一名”。一贴白杜二人头上，云明日白在午十二时，杜在午后二时，分别执行枪决。日人并问二人可有遗言，嘱其家人否？如有，准许书写，宪兵队可代为寄去。二人一想，事已至此，寄遗言与家人，徒增家人愁苦，故将心一横，对以无有。日人追问数遍，二人终不改词，后为送归。杜押于里间留置室，不知如何愁苦，白则一心耽心死亡，致食难下咽。我闻白述毕笑道：“你太愚直，人正开你玩笑，不视你为人。你为何遽信为真，试想枪毙犯人，有在其头上贴布告者乎？即或实有其事，你与杜既属一案，焉有分为前后两次枪毙道理？你苟细加寻思，则知决不会有此举。”众亦劝白勿过信为实，白始稍为宽解，勉进饮食。

夜间白面何起来卧下，折腾不休，前日宋仆役送进的香烟，众人曾劝其抛弃，不知渠竟偷留有两支，今夜竟躲于墙角与李高丽偷吸，监视兵不断来巡，对室内注意，众人皆为之耽心，两人则瘾发不顾利害，吸食若无事，后经众人强制，始吸尽半支，余掷马桶内。

夜十时许，忽里间留置室有人惨号，声音尖厉，闻之毛骨悚然。我等皆被惊醒，卧于席间，侧耳辨听。号呼由缓渐急，杂以呼痛之声，值勤宪兵初尚呵斥，禁其呼号，嗣见情形有异，方报告班长，启栅门入内查视，并唤仆役送去沸水，忙乱多时，呼号声仍未停，最后声音渐嘶，似已入弥留状态。四五宪兵用一木板，将其人搭出，送入对面新辟留置室内。我等窥见其人，即是一度关入我等所住留置室的保安队李。对面留置室距我等所居室甚近，惨号之声，声声送入耳鼓，令人闻之心酸发立，倍极凄楚。大家皆屏息倾耳以听，借以摸索李的生命最后时限。同时人人怀想将来的遭遇，而为安危下一疑问。

十一时许莳苗到来，唯时李呼声已微，经其检验后，饬四名中国仆役，用木板将李搭出，我等卧于笼中，目送此壮士如此而逝。大家胸腹如有重负，是悲苦，是哀痛，难以说出，唯每人皆觉最后的结束，或亦这样？！

今夜直无人能入睡，每一交睫，即宛闻李的惨号声送入耳内。

昨日曾望见李曾三度被提出，归时愈狼狈，意料必系复遭惨掠，前两次伤未愈，益以新伤，任是如何刚强汉子，亦支持不起，今夜伤势转重，遂致哀呼辗转以死矣。

九月四日　星期六

今早八时忽来许多便衣宪兵，先由里间留置室起，点名分号，提出犯人后，改囚于新修的留置室。新留置室编四五两号，四号最大，约宽丈八，长约二丈四五。五号则宽约丈二，长约丈八。两号皆已铺好地板，开有窗户。较原来各留置室豁朗。

我先被分入四号，后又提我入五号，乃坐未久，又拨我入四号。

四号共拨入犯人三十五名，其中多半为保安队便衣队。熟人则有何复述，周谦，邵逊伯，赵新，林星，白面何，楚重三，保安队的刘张。在昔曾禁一室，后忽分开，今又遇合的则有邱宝山，王振海，邵冠祥。与我曾经隔壁谈话今日方见到的则有苏月亭，曹振华。大家相见，似老友重逢，互相惋叹，辛酸滋味，皆涌上胸头。邵——冠祥——小语我道："王先生你瘦多了，胡子长的这么长了。"我无语可答，只好以手抚颔下须，报以苦笑。王振海此刻亦须长三绺，面颊瘦削，不似以前的英挺，邱苏则满腮连鬓须，若蓬草丛生，丑状难堪。大家万分感慨，只有互报以悲悯同情目光耳。

何复述移至我侧偎坐，低语道："我真耽心，和你分在两号，看你进来后又被提出，十分失望，不料你又提将回来，实我万幸。"

似因我囚此过久故，凡拨到此号犯人，均识我。

一王姓保安队，匐匍至我前，指其右膝棒伤告我道："王先生我这条腿被打坏了，已红肿三四天，创口溃烂，将来必成残废"。王言时声音凄惋，并解去其裹创破布，示我创口，则膝盖以下，溃烂成一洞，血肉皆腐，脓水不住下滴，我嘱其裹好，为想办法。旋班长值勤，我拖何复述为翻译，求准买药膏治疗王腿，邱等则乘间求买大饼，得其允许，我乃出洋五元，交中国仆役购硼酸膏一盒，绷带一卷。少时购来，则花去一元八角，另外未经我同意买得大饼一元。余钱付我，大饼分与众人，药膏绷带则付王去用。

大家研究监视兵辨认之法，众议咸同，各上以徽号。班长，副班长，井上称呼仍旧，大眼睛凶狠的监视兵，假定名为“二百五”，高大的监视兵名为“大老黑”。头大身短的名为“大脑袋”。另一阶级最小的名为“小兵”。译号既定，对于何人值勤，监视情形如何，亦略有辨别，可讲话时则讲，不许瞌睡时则不睡。此七名监视兵我等最提防的为“二百五”，因渠一发现瞌睡者，即开门大打，连日各室因此而被打的颇多。次为“大脑袋”，当其值勤时，每好伫立栅门外，向内窥察各犯人动静，渠注意的，不许犯人低声谈话。再次为“大老黑”，犯人瞌睡，说话皆不许，但渠好立于天井，守于室内之时殊少。至于“小兵”，则出出进进，似留意而实不留意矣。

我等所住的五号留置室，有后窗东山墙窗各二，均自外启闭。窗约尺半高，二尺阔，幔以铁丝网，并竖有手指粗铁条，殆防破窗逃逸。窗间玻璃漆以白油，关闭后不透明。昼间两后窗常开，可以流通空气，并可窥得反射光线，借觇阴晴。室内墙壁，砌一喇叭形方孔，监视兵转至后院，由后窗可以看见室内犯人动作。行至外室，则由栅门，或喇叭形方孔，亦可看见我室一切。即墙角屋宇亦洞见无遗，我等直无一寸地，可得隐避，偷自谈话与盹睡。虽七名监视兵，有二三人监视不十分严，而我等为恐招来詈辱，亦无敢偷睡。及随便移坐谈话。

新留置室有地板可坐，尻部不受潮湿，且不虑阴雨渗漏，屋地积水。虽终日须打叠精神危坐，顾已较前如衽席矣。

一二旬许少年忽凑至我前坐下，告我谓："王先生，你听听我的事是笑话否？"白面何指其人云："此即我所说受便衣队嫌疑的人，请看他裤子满是血了。"其人随白面何所指，翻开裤管与我看，则两腿被棒打已破烂，皮肉绽裂，屎液凝污自胯而下，几不辨血肉。白色单裤，血染遍红，令人见之不忍注视。据其述云："我姓宋名金义，原山东乐陵县籍，天津英租界黄家花园公顺合染店，为我叔父所设，我在店内帮理事务，自与妻小住南门外。上周内的一个早晨，我犹未起床，忽有人打门，我亲自开门看视，见有便衣及军服的日人数名，站我门首，问我此地是否孙振海住处，我告以我名宋金义，住此已久，并非孙振海所居。日人打量我多时，没说什么，即转往后院查询。约查询刻钟，未得其人。我自窗户望见诸人在我门前集议一下，遂又扑奔我家来。直接闯入室中，东张西望，并有数人信手翻检箱箧。后无所得，怅然走出。去不甚远，忽有一日人转来，招手唤我出门讲话，我随之出，即被带至一汽车旁，将我推入车中装来。我妻望见，奔出喊阻，路人虽见，无敢过问者。带至宪兵队后，早九时提讯，问我姓名，我供宋金义。日人大说我扯谎，本是孙振海，何得改名宋金义？六七个人，以木棒、皮鞭，没头没脑，将我乱打一顿，我被打时，虽喊至声嘶力竭，日人亦不住手，直到我已晕死，方停敲击。我苏醒后，复问我姓名，我仍对以宋金义，于是仍被痛打一顿，且骂我特已狡猾，明明是孙振海，为何改称宋金义。我极口呼冤，恳其调查。日人云已调查明白，绝无错误。第二次被打又复晕死。苏醒后还是问我姓名，我觉我若不诬承是孙振海，殆须敲至明天，亦不会完。反正不认亦死，认亦死，因拼却一死，认我就是孙振海。日人果不再打，唯问我在宋哲元部队任副官几年。我何尝认识宋哲元？又何尝充任宋部副官？遂对以我是公顺合染店少东，未曾充过宋哲元副官，日人怒骂，说孙振海本是宋哲元亲信副官，怎跑到染店充当少东？明是狡展。因又过来数人将我按倒，一人骑我身上，使我不得动转，一人则按住我两腿，另有二人用碗口粗细木棒，专打我下肢，致我皮开肉绽，死去活来者又两次。待我苏醒，复又逼问我，我只得认是宋哲元部副官。日人又问我什么阶级，上校副官，中校副官？或是少校，上尉副官？我既未作过军官，那晓什么阶级，因道我管我们家下用人，办理杂务的副官。日人骂道：'混蛋，管你们家里杂务作什么？得说管宋哲元家下杂务，和他的部下。'我不敢辩，只得应是。日人又道：'那么你是上尉副官了？'我亦不敢辩，应道'是'。日人遂即纪录于册，令我按一斗箕，我是日觉满腹冤屈，作宋哲元副官孙振海的替死鬼了。当夜送我于此处禁押，伤痛一夜，肤似火灼，自想无有生望，能早代孙振海一死亦好。辗转一宵，次日伤皆溃疡，讵又为提讯，日人首讯我姓名，我不敢再说是宋金义，只好隐起真我，承认假我，对以我叫孙振海。乃日人闻之忽动怒，大骂说：‘混蛋，你是宋金义，为何说是孙振海？’我犹以为日人恐我改供，故意作此反诘，正色告以我不是宋金义，我确是孙振海。讵日人勃然色变，令两人将我手脚捆起，置于地上，然后以胶皮管对准鼻孔，大灌冷水，我被灌昏迷历时许久方醒。日人又逼我到底叫什么名字，我此时不知如何说方好。日人逼问再三，我硬却头皮，大胆回以我叫宋金义。日人忽大笑道：‘你这个混蛋，你是宋金义，为何承认是孙振海？’我道：‘我昨日说我是宋金义，不是孙振海，你们不信，我能有什么法子使你们信？’我说此话，日人怒目视我，我知其意在回过，不敢再说。嗣日人问我：‘你为宋哲元带便衣队，图扰乱天津，你要说实话，你们一共来了五六百人，由北平、保定、南京各来多少？’我方启齿欲对我没有那事，早已挨了两棒，我已受伤无完肤的人，实不能直挺重刑，既存心一死，任他们问什么，我应什么好了。我意决定，不再分辩。遂道：‘我们共来了五六百人，由北平来二百，保定二百，南京二百。’日人道：‘怎那么均匀？每处不多不少整来二百呢？’我道：‘你们说来六百人，又是指定由三处来的，我每处若说少了，岂不挨打？’日人闻之大笑。又问道：‘听说你们六百人，分藏在天津东站、总站、西站，那么每站到底隐藏多少人？’我一听又是指定三处地方，乃道：‘在东站隐匿二百。’日人问：隐匿在何处？我道：‘藏隐在一所卖香烟的小铺子里。’日人问：‘那香烟铺子，有多少房子？’我用手指我听讯的房子告以有这么大小。日人怒骂道：‘混蛋，这屋子不过一间大小，岂能藏二百人？摆人头也摆它不下，简直是胡说。’两日人又顺手打我十余棒，打得我神志已晕，更无从择词。日人续问，余下四百人住在那里，我道：‘住西站二百，总站二百。’日人厉声骂道：‘你越发胡说，总站西站，全是日兵驻屯，那里有他们住处？’我哀恳道：‘我实在不知他们住那里去了。’一日人未打，怒目看我多时，又复问道：‘你们军火由那里来的？’我对：‘由北平来的。’日人问道：‘怎样运来？’我对：‘装汽船运来。’日人闻得暴怒，一跃而起，持皮鞭痛抽我十余下，我倒地翻滚，痛彻心髓，两手因护身体，亦并为抽肿，骨肉之内如同发火，舌燥唇焦，不能作语，延挨许久。日人方骂我道：‘混蛋，北平到天津那里通汽船，你想骗我们，皇军宪兵队怎能被你骗过呢？’我方知被打是因我编造的未对，实则我被打已糊涂，何尝想到此处。以为他们——日人——认我是便衣队首领，又是宋哲元副官，宋既在北平居官，则便衣队枪械，自以说由北平运来为对，不想因说错一句‘由汽船运来’，遭一顿皮鞭，真乃冤上加冤。后来日人又问：‘你们的军火，是那几种？’我以手比拟道：‘有这样长的步枪，这样短的手枪，和带腿的枪。’日人见我怕打情急胡说，及比拟的不伦不类，皆纵声大笑。骂我道：‘什么带腿的枪？那是机关枪。若有带腿的枪，还有带尾巴的枪呢？’嗣问道：‘你们的枪放在那里啦？’我对：‘都在六百人身上带着呢。’日人问：‘你认识冯玉祥吗？’我欲说不认识，但一看日人颜色甚厉，怕再被打，只好对以‘我认得’。日人问：‘在那里见过？’我想了半天，说不出来，因吞吐道：‘仅在各报发行的号外见过他的照片。’日人复大怒，三四个人用皮靴痛踢我后胯，踢的我如球滚，至渠等气息咻咻方止。当天由早九时审讯，被打数次，到午后六时方送回，我已不能举步，经日人饬一中国仆役扶我回来。夜间伤痛，较前更甚，几次以头触墙，欲行撞死，均以同室中人看见劝阻未遂。只隔一日，于被捕来的第四日，第三次为提出，日人看见我，不似前此态度的凶狠。对我道：‘我们已调查明白了，你是好人，是公顺合染店少东。但衙门的规矩，有错拿没有错放。你即是公顺合少东，姓宋又是乐陵人，与宋哲元同乡，当然与其家下有往来，你能引导我们宪兵队中人，前往英租界宋家将其亲信副官刘某捕来，则可放你。’我道：‘我虽与宋哲元同姓，且与其同乡，唯我与其并无往来，亦不认识刘副官，怎能引导你们去捕？’日人认我有意推脱，立刻变色，将我倒绑二背，拖于门外，一人取出手枪，拟我额门，逼问我是否引去，我仍辩以不识刘副官，无法指捕。日人厉声告我道：‘你既不去，抗拒皇军宪兵队，唯有枪毙你。’旋以手巾遮蔽我二目，枪管抵我头上，问我道：‘你有什么遗言吗？有告诉你妻子话吗？如有赶快说，还有三分钟，你就死了。’我此时热血奔腾，自度死就死了，较比活受罪犹好，将心一横，对以没有。不知日人用何物件，凉而且硬，在我后颈锯错数下，问我怕否，我不响。日人又数道：一二三，三分钟到了，你死吧，说时扳动枪机，放了一响，我方神志迷惘，准备忍受最后一霎痛苦。不意许久无甚异态，日人忽将我遮目手巾取下，五六人轰笑。拍我肩道：‘你是好人，不毙你了，候几天调查明白就放你。’当天将我捉弄半日送回。押至今天，还不晓何时可得生还？”宋谈此事时，适井上值勤，监视少松，得以一气述毕。大家闻之，皆为之扼腕叹息。

有两名保安队，因低头抚摩疮痕，“二百五”值班看见，启门拳打脚踢，指为盹睡，两人言语不通，虽被冤打一顿，亦唯满眶热泪，付一长叹而已。

三十六人住于一室，接取饮食，拥挤于门前，乱抢乱夺，日兵则叱骂万端。我不忍坐视，事后我劝众人务得维持秩序，挨次接取，大家吃剩菜一碗，殆无法可以围坐共食，为免争抢，由我主持，平均分与大家，我的一份也分与众人。虽每人所得无几，究觉争抢时得的多少不匀甚愈。

宋金义午后五时被提出，七时归，穿一套新蓝布裤褂，但满脸满胯泥污。同时有一铁路工人孟某随来，押于我室。

宋对众言，今日提出，日人仍令其领中国特务赴英租界宋哲元宅捕其刘姓副官。给其衣裤一套，遮蔽血衣，不容分说即推渠于汽车内。将到万国桥，两名中国特务对渠谓："你如不认识刘副官，不妨随便指一人，由我们捕去塞责，免得到英租界麻烦。"渠不肯。车停万国桥头，渠忽望见一邻人骑脚踏车驰过，拟将其唤住托其传与家下一信。不意一招手时，其人车驰迅速已去远，适此人经过——指孟——两特务即拖其入车，捉之前来。渠见冤枉好人，心实难过，不顾一切，跳车奔向海河，拟投河一死，为特务捉回，所以弄得满身泥污，如此狼狈。宋谈时，孟呆坐一旁，其衷心烦恼，正无可喻。

苏月亭、王振海，及保安队三人，均以睡湿地多日，并吃冷饭团，患赤痢甚重，每间一二十分钟，即蹲一次马桶，苏病较重，时发呻吟声。

今夜三十六人睡一室，地上无隙地，赴马桶时，如蜀道之难。

九月五日　星期日

今早五时半，忽为人吵醒，开目见宋金义手足拘挛，身体僵挺，下颚颤抖，口角流涎，因呼吸不舒，发出哽哽之声。睡于其旁的保安队李——另一人——洪诸人，正为其拳弄手足，捶打后背，时井上值勤，经邱宝山向其报告，渠急将后窗敞开，使空气流通，一方转告于监视兵班长，少时班长与各监视兵咸来，看见宋情形危急，忙奔赴宪兵总队部报告。六时半归来，告我等宪兵队部中人，犹未上班，少时可来。时宋已拘挛时久，知觉全失。邱洪等更番叫唤，并以冷水喷面皆无效。合室中人睹此情况，均满腔悲恻，莫知所可。

时正初秋天气，早寒袭人，窗户敞开后，风吹入室，各个仅只单衣一袭，复睹此意外，不由均冷得战抖起来，有数人惊恐与冷交织，牙齿捉对在响。

七时莳苗，赵锡钧，及许多宪兵前来，启开栅门，令犯人四名，搭宋于外室，置于水门汀地上，行人工呼吸法，施救半时许无效。后由邱哀述，请买一瓶红灵丹来，用以救急，日人允许，令仆役买来，经邱等撬开宋的牙关，以水灌送半瓶，余为抹于鼻孔，果然收效，宋连打喷嚏十余个，得以醒转，唯身体僵硬，手脚拘挛，下颚头抖如故。后日军医到来，略为诊视，谓系破伤风，留一小粒药，即去，对宋死生及医疗，则无负责验断。八时半，复抬回室内，已略能言语。但邱洪等四人，在外间救治时间过久，已冻得鼻涕眼泪下流矣。

大家乘宋暴疾为词，向莳苗要求准许各个函知家下，为送衣物前来备穿用，莳苗不作可否，只云“明白了”而去。

九时许会讲华语的日本矮人前来，唤宋金义及我，各送入毛衣一套，宋为棉绒织成，我的乃绒线所结。我以为日前我家下接我字条，特直接送来。正翻视间，忽一人凑我面前取过衣裤检视，于衣袋内检出卫生丸数粒，凄声道：“这衣服是我的。”我疑而询之。方知其人姓李，在哈尔滨车站做事，上月底回沧州原籍，因久未回家，特买许多衣物，拟分赠亲友。到津值津浦战事正紧，交通断绝，遂住于津总站一旅店，忽为日宪兵捉来，指为军事间谍，衣物及现款三百余元，皆被没收。提讯两次，后胯及两腿皆已打乱，顷左腿下部尚有一创口未封，不能起立。其所携衣物，为防虫蚀，特藏有卫生丸，故此刻看见得以辨认清楚。我方知此一袭衣裤，并非我家送来。我因告李："将来我如能先被释放，则衣服为你留下，你如先我而得自由，可到我家中取几元，略偿损失。目前我不便给你，恐宪兵队向我索回，我无以应。"李闻之心稍慰。

午十一时，为"二百五"值勤，大家战战兢兢，屏息静坐，防遭意外殴辱。"二百五"因此室囚禁保安队甚多，认保安队曾参加抗战，杀伤其皇军，仇视殊甚，每无事找错，借端打人，监视之严，亦为以前各班兵士所无有。我等虽十二分小心，仍不时闻其厉声叱咤，及开门入室打人之举。此室窗孔既多，渠前后绕寻，稍一失神，即被其望见，而有被打之危。今午一点钟内曾为开门四次，以睡觉为借口，将白、林，及两保安队各痛打一顿，四人负屈，仍只一包热泪盈眶，垂首愁苦而已。

今日监视兵有四名与总部服务的对调。被调走的为"大老黑""大脑袋""小兵""副班长"，新来四人，我等仍为各上一诨号，一鼻子高大的，名为"大鼻头"，一眼睛特别大的名为"大眼睛"，一不好说话而行动特别安静的名为“二井上”，一好骂人而嘴特别尖锐的名为“猪八戒”。

午后三时，我室又送来两犯人，一为保安队巡官，一为二十九军上士，两人均已被重刑，自脊背以迄脚面，被皮鞭抽肿，入室后不能支持，拟倒卧少息，但监视兵不许，此两人乃忍隐伤痛，咬牙而坐，测想其苦楚，必难说出。我室自此二人来，已囚三十八人，拥挤异常矣。

宋仆役送饭团来，偷递我一字条，并告我，所有存在渠手内衣物，已为我送还家下了。我偷阅来条，乃我三弟所写，告我“家人已有一部避居法租界亲串家，自母亲以下虽经变乱，犹幸平安。末并告我租界房屋价奇昂，且不易找，全家迁居有待。字条内注有已托带字人为我稍来五元备零用，并衣物等件”，除衣物宋已允送回我家，五元钱则未收到，想系宋已干没，我为日后通信方便，马马虎虎，不向其索讨。

今晚室内病人既多，哼咳声复不绝于耳，颇增人烦恼。

五十余日，睡觉并无枕头，席头垫得耳根皆肿，今日得有绒衣一袭，乃以上衣铺衬为褥，下衣卷为枕头，睡倒之后，顿觉飘飘。

井上夜十时值勤，与何复述谈话，询何职业姓名，见何衣裤垢污，为取得单背心，短衬裤各一件，偷偷递入，嘱何勿为人知，可以换穿。何瞰井上已去，以短裤转赠我。我短裤已五十余日未换，秽污几不能看，得此后始有换替。

宋哼声渐剧，伤痛与病苦双重折腾，难怪其如此。今早之急病，据大家测断，当系昨日渠被逼赴英租界捕人，中途误将孟捉来，既觉良心不忍，复虑自己释放无日，加以伤势殊重，遂病发甚骤。

九月八日　星期三

今日晴，早七时“大鼻头”值勤，开门倒马桶，知何复述通日语，警告之曰：“你为我找两个可靠的人出去倒马桶，假如他们不可靠，乘机跑脱，那我先枪毙你。”大鼻头讲话时，态度严重，何被吓的二目上翻，一语皆无。我偷示意于刘森桂段福成出外倒马桶，——此室因人多有马桶二个——幸无事归来。

旧住留置室由前日开工，叮咚声起，似在辟做窗户，及铺地板。

“猪八戒”上班，自栅门内窥多时，忽指一人盹睡，唤至门前，隔栅门伸入一木棒痛击其人头部。其人哀恳何复述代为求情，何甫开口，为“猪八戒”厉声叱止，亦唤至门前，敲击数下，指何有意反抗，回护犯人。何被打不敢出声，迨“猪八戒”离去，何赌气发恨道：“以后我决不当大家义务翻译，谁再拉我讲日本话也不行。”我笑道：“不要如此讲罢，现在由不得你了，日兵已知你会说日本话，有事就来找你，你不讲已不可能。假使有人向日兵要求事物，直接讲不通话，日兵仍要你来翻译。”何闻我言，目翻不语。

午前十一时许，送来两名新犯人，有人告我：“此二人系受雇于日宪兵，专四出搜捕保安队者，经其指捕前来的，业已多人。”我平生最恨此类小汉奸，因对众道：“任何人不许告此二人以留置室规矩，应使他们尝尝苦头，俾知被他们陷害遭禁于此的人，日在活受罪，少可激发他们的天良，日后被释，不再陷害同类。在此抗战期内，凡是含血有灵的中国人，该当如何爱护他的同胞，为国家维护一名壮丁，存一分力量？乃竟昧尽天良，贪图些微报酬，害人入地狱，岂不该死该杀？”众闻我言，咸怒视此二人，羞得二人面红头低，无地自容。未几“二百五”值勤，硬说二人打盹，开门各重打一顿，两颊亦为披肿，众皆称快。

保安队王经我为购药医治，未两日伤已转好。

晚七时送饭团来时，一上等日兵，酒气醺醺，站在栅门外，找会讲日本话的，何不能不应。该兵对何出以训话姿态，大演其说。事后何对众讲，该兵所讲的，是此次中日战事，完全由于中国抗战排日所致，东亚应以日本为盟主，组织大亚细亚阵线，抵抗欧人，中国竟敢断然拒绝，并杀伤在华日侨，皇军不得不予以膺惩，现华北派遣军司令官寺内大将已到，决以三个月时间内，扫荡中国排日军队，抗战思想。你们中国人被禁此处，应当枪毙，不应给饮食，现在宪兵队特别优待，你们该知感激。我对众道：“日本人一向心理如此，欲将中国置其卵翼下，雄视东亚，唯我独尊。我人如不愿为奴隶，自须抗战到底。方才日兵所讲夸大言语，不要听它。”

昨夜十一时许，井上值勤，倚枪于壁，坐一铁桶假寐，白面何瘾发不能入睡，爬至栅门，以头试向栅孔外伸，并小语邱宝山云："若能探首栅外，将栅门锁扭落，大家闯将出去，抱住井上，夺下其枪，则众人可一总越狱逃走。"邱不答，井上为谈话声惊觉，见白面何鬼祟动作，测非善意，俟"二百五"接班告之，于是"二百五"进内，将白面何痛打一顿。今晨所有监视兵皆知此事，复将白面何唤出，在外间室内，由五六人更番大打，两颊赤肿，头顶亦破，白面何哀呼不已，约打半小时方放回。果然以受伤过重，不复犯瘾，只知疼痛矣，午后三时渠忽被提出，闻日人翻译对其讲，因有人来保，故即释放。

白面何被捕来时，带有腕表，怀表各一只，约共值四十余元，为监视兵搜去，白面何向日兵索讨，但监视兵寻找许久竟不得，殆已不知为谁窃去。白面何不敢求真，认损失而去。

九月九日　星期四

今晨九时，又来多名宪兵，将我等重新分号。我仍回前住的留置室，现知此室已编为“二号”。室内地板铺好，并铺有新席，辟一后窗，内障铁条与铁网，较前已焕然一新。

拨回“二号”的为何、邵——逊伯——段、林、周、白、杜及姚元太。姚与我隔居数日，今又重逢，渠不胜其欣喜。

此室无马桶，监视兵为提一巨铁桶来，既无上盖，便溺于内，气味上腾，一室皆满。而桶高尿多，若大便时，屎落则须欠身，否则溅尿一臀，尤尽淋漓之致。嗣仆役送一新马桶来，我等要求监视兵许可，换出铁桶。

由宪兵点名，得窃听“一号”为八人，“三号”二人，“四号”十九人，“五号”二十二人，我等的“二号”九人。此地共禁犯人已六十名。

监视兵“二百五”，“大眼睛”，“井上”调总队部。“副班长”“大脑袋”“大老黑”换回。“二百五”之走，我等如释重负，而“大脑袋”“大老黑”之来，则又使我等耽心。

后窗敞开，可窥见阳光及天空，我被禁五十余天，方得窥见一线天日，颇引为快。

晚七时送饭团来，五号被禁保安队为多，日仅吃两饭团，饿得早已不能支撑，我等不在该号，无人维持秩序，接取饭团时，争先抢夺，有得两个，有得三个者，虽监视兵如何叱骂，亦不能制止此饥饿之群暴动。结果将我室应分得之份抢去一半。我与姚等三四人均未得食，监视兵觉于理不合，问我等谁有钱，可购大饼果腹。我遂出洋五角，买得一些大饼油条，与众分食，夜间监视兵惩罚五号犯人，不准入睡，围坐一圈，脊背相靠，面向栅门，有闭目的，即扯出痛打。各犯人早六时许即被唤起，枯坐一日，迄午后七时许，即已疲惫不能再行支持，平日坐在一厢，业强打精神，半入昏睡状态，今夜延挨至十时不许睡倒，各个皆疲至东倒西跌，坐不能稳。因以被打的亦正多，至十时半，实不能再挨，方由大家哀恳，监视兵开恩，得以睡下。

九月十四日　星期二

清华，燕京被捕的学生，前后七八名，即我等一月前望见，禁闭于一二号的，曾与姚住于四号，我由姚谈方知。连日渠等陆续被提出，未见回来，约是已放。

曾充清华助教的孙君，前日一度关入我室，渠携一毛毡，放于一号留置室内，十三日渠得释出，毛毡留给孙宝山用。何竟伪称孙曾嘱渠保存，将来渠出狱时，为携归北平学校，求监视兵班长，代之索来。何乃铺于席上，与邵、姚、我享用。我殊不直何的所为，劝其勿如此，何不听。

前日段、林被提讯。均再度受刑，林遭灌水昏迷半时始醒，归后改禁于三号，周今日乘监视兵不在，曾问知彼等被讯情形。

昨日捕来一王姓工人，与保安队有关，禁于我室，今早六时曾将其提出，领导宪兵往捕隐匿于南市一小学校的退伍保安队数名，结果未捕得，王因此被打殊重，午刻归来，食不能下，只求水饮，监视兵不予。

午后三时送来一年二十许跛子，姓名王耀山，因卖《小公报》——此类报为事变后一般爱国份子发行者——为伪警探捕获，送交宪兵队。在总队部时，为吊在木桩上半日，不给饮食，宪兵走过的，有的以水浇其头上，有的以木棒敲其头顶，尤有以两枝铅笔拶其手指者，致头顶肿包坟起，手指亦红肿破皮。

跛子住居南开，对该方罹劫情况甚详。据云南开女中，在七月三十日为日军炮火所中，起火焚毁，男中则为日兵占用，今犹驻屯。学校及职员学生书籍什物，皆为打成小包，标价三四角不等，由日兵在门前拦截行人硬卖，或以香烟掉换亦可，致不数日，全校物品，悉为卖光，附近居民看见的，皆万分痛心，现学校已被蹂躏不复成形，教室地板，半为劈焚矣。

一号有人讲话，为“大脑袋”听得，握一木棒隔门伸入，痛打十余下，木棒着头砰砰声，闻之甚清，大家皆不敢续谈。

“大脑袋”过我室门外，唤跛子跪栅门内，以木棒击跛子十余下，跛子被打莫明其故，我等亦不知渠因何被打。“大脑袋”发表其理由，谓跛子不应伸一条腿而坐。坐像难看，故将其责打。跛子方知因未盘膝打坐被责，乃指其跛脚告“大脑袋”，渠是残疾，脚不听用，实不能屈膝而坐。何为之翻译，“大脑袋”闻之甚讶，令跛子作势一看，果然非属假话。但不认错，强词云：“反正我看你腿那样伸不好看，再伸出仍要打。”跛子怕打，只好蹲踞受罪。

今日起监视兵对谈话监视綦严，“大老黑”“大脑袋”稽查尤力。

九月十七日　星期五

昨夜十二时许，宪兵送来一日人，我等于睡梦中为惊醒。该日人终宵在生闷气，时擦火柴吸香烟，坐于室正中沉思忍怒，监视兵虽望见，不加制止，似对其人存有优容之意。今早五时何及我均醒，望见该日人犹抱膝而坐，气尚未消，我嗾何询其因何被逮。何问之，该日人对以“渠是日租界正风堂点心店工人，正风堂主人前日赴丰台兜揽生意，店务由渠照料，昨夜十二时，渠料理店务毕拟归寓所，穿过马路时，遇见巡查部队，认渠冲断行列，将渠捕来，实则渠行距队伍犹远，军人的跋扈，令平民无公理可言”。何询以外间战事情形怎样，该日人谓：“保定、沧州、大同正由日军进攻，战事恐不是短时间所可解决，唯日本已准备出兵二百万。”又谓：“现在天津物价奇昂，洋葱，在先一分钱可买四五个，今则一角钱只可买三四个，米面均特别涨价。日本在天津的商业，大都归陆军指定御用。”我闻此日人语，颇有感触，觉我个人站在知识份子线上，尚不及此一日本工人爱国情绪之高，渠固满腔愤怒，对其被捕事不平，但对外人谈话，仍为其祖国宣传，夸大武威，示以日本力量不可厚侮之意，知识不若我的国人，当不如此日本工人远矣，是则我民众的训练工夫，仍须加倍努力也。八时许此日人提出，料系释放。

“大老黑”值勤，置枪于外室，手握一茶杯口粗木棒，且行且击地作巨响，令人闻之，战战兢兢，时觉有被打恐慌。五号及四号一小时内已有五六人被打，揆度当不外为讲话与盹睡两事。

今日起监视兵“大老黑”、“大脑袋”、“大鼻子”、“猪八戒”四人值勤时，发出号令，我等坐时，必须规矩，不得伸出两腿，不得抱头缩肩，或以手支颐，亦不许半倚半靠墙壁，尤不许盹睡，讲话。违反时重责，此为我被禁两个月以来，初次尝试的苦楚，同室诸人闻后，咸愁眉双结，暗自嗟叹，坐时腿不许伸，不盘即踞，时间一久，臀部则酸痛麻木渐不能耐，彼此偷自集商，以周谦坐处颇占地利，监视兵由五号门前进来，渠可看见，稍作手势，或低声传告，大家即赶快整理坐的姿式，停止小声的谈话，如监视兵不来，则偷空放肆一下，或靠壁休息，或伸伸两腿，舒展筋骨，此亦情势所逼，无办法中想出的办法。周谦疲倦时，则由白、杜两人代替，我等呼此三人为“更夫”。

晚七时许，四号留置室栅门忽坏，监视兵恐犯人乘间暴动逃逸，将该号犯人，分拨其他各号暂禁，拨入“二号”室来者为苏月亭及三名保安队。苏赤痢病转剧，渠贿赂宋、于两仆役偷赴其家下取钱，得钱后任意购买水果，油条等物吃。肠胃既未调治，复不忌食品，所以病仍不愈。

与苏同来我室的一名保安队，告我，渠前日被捕来，押在总队部，与《益世报》经理生宝堂君，《新天津报》社长刘髯公君同室。生君被捕已十余日，并未审讯，亦未受刑，故精神甚好，刘君则负重伤，两腿被打不能动转，左脚踝骨似碎，不能起立，一耳被击出血，听话则须侧其好耳。渠被刑已有一月余，伤势以无药调治，故不见痊可，现时胡须甚长，瘦不成形，说话亦无气力。

姚闻其社长受苦，心痛切几于落泪。我今日方知刘君犹未获释，且已被刑，生君亦不幸被捕来，深为之惊惋悲悒。

晚间送饭团为于姓仆役，我偷问总部禁有几人，可有《益世报》生宝堂，《新天津报》刘髯公二人？于对以："现在总部四号留置室，共押十二三人，有《益世报》《新天津报》经理在内，《新天津报》刘经理受伤还未好，打的很重。"我与姚得此消息，愈信保安队所传非虚，心头益增烦躁及忧郁。

夜九时许，宪兵送来一二十许少年，其人著青布夹袍，进门时神态自若，一眼望见周谦，即至周侧坐下，并与周招呼。忽一顾我，灯光之下，见我发长披颈，蓬松似鬼，须髯鬑鬑面色铁青，极呈其怖意。经周代为指告，渠方知我为何人，操何职业。

其人姓名胡春水，原系天津小型报《兴报》记者，事变后脱离《兴报》，得与在津党务工作人携手，办一号外性质八开小报。报名时常更换，常用者为《小公报》，《小义世报》，专刊登有利于国军的消息。但近来津市此种小型报纸发行过多，日宪兵队，认不利于彼方，大肆搜捕发行人及贩卖者。伪警察局侦缉队亦派出伪探多人访缉，二日前胡遂与其印刷人王金荣，并一报贩，同时被捕，押于侦缉队二日，伪侦缉队曾动刑逼供，掌其手心五十记，手掌被打肿有数寸，经过同押老囚指示，烦看守人为买得鸡蛋数枚生揉，肿势方消。今日则为日宪兵队提来，审讯一日，受刑酷烈，不可言状，顷始送到二号收押。时监视兵不断来巡，胡有许多话欲讲，我劝止之。

今夜睡十五人，又显拥挤矣。

九月十八日　星期六

今日为“九·一八”六周年纪念，早间起坐时，大家互相提示，研究如何纪念此沉痛的一日，我主张众人同时静默三分钟，为失地及英勇抗战而死的东北义勇军志士志悼，众佥赞同，遂于六时三十分起始静默。

今日我倍极伤感，觉有生以来，所受倭敌的欺凌侮辱，不可擢数。“九·一八”后，满拟奔到关内，尽其自我力量，参加我广大民众，抗战雪耻的奋斗阵线内，不意敌惧我民众复仇抗战，侵略压迫，较前尤急，迫我无喘息休养的机会，趁我疮痍未复之候，拟一举将我掊仆，迄于永不复起，今次战事，在倭敌发动之意，正是如此，我于此全民抗战，拼死求存当中，竟为敌絷系入狱，使我个人不能出一分力量，参加民族雪耻的运动，且在敌人拘禁下，渡此奇耻大辱的“九·一八”六周年，实一痛心疾首，五内为摧之事也。

胡春水述其被刑经过云：“昨早我被提到宪兵队，足甫逾阈，即有两宪兵各握木棒，如雨般向我打下，我被打跌仆数次，均为踢起。约打刻钟，方才住手，时我周身青紫，肿痛已不能动转，日人令我坐于地上，讯我口供，问《小义世报》主办人为谁？背景是否中央？编辑发行人共有几名？每日销数若干？已出版多久？我告以主办人即我个人，并无任何背景，发行不过两星期，每日印刷二三千份不等，我是编辑兼发行人。同遭捕来的王金荣是印字馆经理，受我委托代印，每千份给予若干代价。日人认我扯谎，取出一种刑具，系一长约五尺宽约三尺六七木板一方，上有四块锯齿状木垫，并有四条皮带。日人强我脱光衣服，逼我趴在板上。将我膝盖及肘端放正于木垫上，然后用皮带束紧，使我不能转动。木垫锯齿，渐次嵌入肉中，痛不可当，若少动移，愈难挨忍。此时我臀部高耸，俯伏于板上，日人逼我速说实话，我不肯讲。渠等即以皮靴轻踢我臀部，我身躯略一悠动，膝肘立如刀割，痛极大喊。日人不顾，分持皮鞭木棒如铁匠之击铁，此起彼落，向我脊背及两膝两肘大打，打脊背时，犹可咬牙挨忍，打膝肘时则痛彻心髓，不能须臾支持。我晕厥二次，被以冷水喷醒，实难再挨，不得已说出实话，供出我发行《小义世报》的背景，连同为中央工作的人姓名说出，唯已说晚，日人认我尚有不尽之处，仍然逼我，我无的说，渠等则擦火柴掷在我尻部，或臀孔内，火着皮肤，燃烧的‘吃吃’发声，痛得我直着喉咙喊叫，声嘶力竭，气息就微。日人惨忍万分，不少见怜，仍续掷火柴，及香烟头不已，烧的我喊声皆无，人入晕迷始罢手。喷水获苏后，使我略获喘息，复又讯我，我只有任其逼问，尽情实说。并恐其不信，仍将动刑，特编造许多耸听情节供之。日人认我毫无隐讳，草一听取书始停讯。计早九时被讯，午前仅遭鞭棒痛打。午后二时续讯，则上木板，烧打，至晚七时停刑，松解捆扎时，我已伤重，难以起立，欠伸多次，皆痛极而仆。最后日人燃纸一束，向我面孔掷来，我一惊避，急力而起。日人令坐地上，渠则缮写听取书，听取书极长，缮毕令我阅看是否如此，看过后由我按一斗箕，故延至夜九时许，方送我于此地。料今日宪兵必往捕与我有关的各人，深盼渠等早得信息逃逸，勿被捉来受罪也。”胡述毕解衣示众以伤痕，除脊胯两膝两肘青紫高肿外，尻部为火烧疤痕十余，其中最大的有酒杯口样，深则数分，均已焦黑不辨皮肉，据云：“今日伤势转剧，痛不可耐，现在静坐，时时发晕，倘能倒卧少息，则万分幸福。”众闻见后，咸倒吸一口凉气。

周谦患赤痢，仅半日已坐马桶三次，据云腹痛如绞，上胀下坠，排泄不出。井上值勤，众向其要求，为送来治腹痛药十余粒，系日军身畔常备者，周服下迄晚无效。

苏月亭等四人复被提回“四号”，我室刻禁周、邵、胡、姚、何、杜、白、王——跛子——王——保安队——及我，午后复送进二十九军刘汝明部排长周一名，是在津东站捉来。前后共十一人。

“大老黑”值勤，持纸书的号数纸，于我室门上悬一“六”字，余悬他室。班长值勤，何与其谈话。据云各留置室番号重新排定，总部原有四室定为一二三四号，此地原称一二三四五号各室，改称五六七八九号。

班长与何谈，渠属华北驻屯军第二联队，天津战起，日军在津的正规军不足千二百名，连同义勇队，在乡军人不过千五百名；津保安队与二十九军合计约八九千名。日方以实力相悬，万分恐慌。渠与同伍士兵十八人守海光寺无线电台，保安队约五百余来攻，已濒于危，后不知中国方面为何下令退却，倘是日中国方面再猛攻半日，日方即须放弃租界，保护侨民退却。事后想来，真属万幸。我等闻此似褒实贬之语，弥增惭愧。觉年来我国对日凡百事件的失败，均大都同此，日本的胜利，皆出其始料之外，致逐渐使敌滋长幸致心理，殊堪浩叹也。

今日“九·一八”闻此不快意语，益添刺激，几欲觅一机会早死，落得耳根与脑子清静。

跛子抱怨胡春水道：“都是你们这种人不管好歹，乱出号外，累得我们卖报人也被捉来受苦。”胡睿笑不答。

大家都断定跛子可早得释放，于是此也托传口信其家属，彼也偷写字条塞在跛子衣袋，烦出狱时，为一传递。我亦书一字条，嘱跛子放出时，即送往我家。弄得跛子应此失彼，衣袋内满是字条矣。

大家研究胡遭受的刑具，证以在先未见，必系新制成者，无可以名之，姑名为“好汉床”。

夜间胡偷讲外间情形，及战事消息，因得知近来我方一般军事的状况，与津平新闻界的大概。

九月十九日　星期日

今日为旧历中秋节，自后窗外窥，秋阳皎洁，气爽宜人。隔垣为一中国人富室所居，仆妇男女笑语噪杂，时时送入耳鼓，留声机无线电皮簧弦索之声，不断播奏，使我等作囚于此，际此佳节，闻此繁音，凄凉身世，翘望云天，增加无限悲感。

同是中国人，同生于中国土，有捐弃血肉之躯断脰丧元于沙场者，有失却自由，楚囚入槛者，亦有只讲个人主义，“后庭花”隔溪大唱者。如斯中国？如斯民族？

那得不受人宰割欺凌？是则“万众一心”，“动员全民”尚须领导阶级彻底去做也。

“每逢佳节倍思亲”一句唐诗，旧日读此，不辨味道，今日作囚，逢此佳节，咀啮诗意，方觉隽永，几于不能自抑，而纵声一哭矣。同室诸人皆如遭大事，人人怀思往事，及其家人，新被捕来的便衣队，周，刘二人，及白、杜、姚等人均不胜俯仰，吞声咽泣。我强作解人，对众劝慰，但我心的悲苦，恐尤过于人。

此室诸人，只我犹有钱八九元，——其余连日买手纸，大饼等花掉，我乃出一元五角，嘱姚与监视兵交涉，买三块月饼，及大饼油条，咸菜等物，为大家分食，借以点缀佳节，减少诸人家思之病。

五七两号犯人，大概亦兴佳节伤感，悉索同号中人所有的钱，买些月饼，大饼油条之类，算做渡节。

我前日曾书一请求条，要求班长为转递宪兵队，拟领取我存钱十元，为大家过节之用，因我手内存钱，防囚禁日久，应急之需，不敢多用。当日班长告我，字条业已转上，总部许可，允今日送钱来。但今日班长来告，谓宪兵曹长已拒支付，盖恐此端一开，则其他犯人援例求领，大家闻之颇失望。

胡臀部被烧伤处溃烂，发出臭味，如同腐尸，嗅之头痛，同室中人皆为之掩鼻。胡亦以伤势转重，不能再坐，不顾一切而倒卧。周谦亦因赤痢过剧，病不能兴。我等对此二人既须照顾，复防其被打，值“二百五”“大脑袋”值勤，特为预先报告，恳其宽许，两人进内验视，见非虚伪，姑予宽假。

晚间秋月光明，反映玻窗，更使我等伤怀。日兵亦渡中秋，置酒欢饮，猜枚之声，喧成一片，我等精神上益感刺激。井上九时值勤，喝酒逾量，逐室开门入内而坐，与犯人攀话。到我等的六号，坐于栅门旁，谓自被征入伍，每天服役苦死，难得接连五小时以上的休息，渠深愿在此室内久坐，虽然被监视失自由，亦较负兵役，不知何时死为愈。又云，今晚外边月亮甚好，可惜不为所许，否则渠愿领大家到外边踏月，并送给几瓶啤酒喝。

夜九时半睡倒，今晚因井上值勤，渠复饮醉，故大家讲话不甚避忌，渠又不传呼，遂睡倒较迟。何倒下后忽感慨丛生，潜自弹泪，告我被禁于此，老妻幼子均不知下落，思乡思家之念油然而生，热泪遂夺眶而出。我闻之亦为惘然。

今夜忧心如焚，延至中夜方迷惘入睡。

九月二十二日　星期三

两日来送来犯人颇多，五、七、八、九号均关进多人，尤以八号关入的为多，闻宋姓仆役送饭团点人数，已到八十九名，不知新捕来的，为何许人？

闻监视兵“大鼻头”对何言，总队部二号室，犯人患赤痢而死，总部对其余犯人，正拟隔离。

胡伤势溃烂日甚，周谦藏有钱一元，许久未露，人皆不知，今日特借与胡，恳得监视兵的许可，买得“如意膏”一小盒，由姚代为涂于创口，痛楚少减。但烂肉腐败，既无水洗涤，均由姚尽心用席杆为之拨下。众对姚此种看护仁慈之举，皆致钦敬。

午后二时许，宪兵送来一犯人，著丈青哔叽长衫，约三十许，右额角有一刀疤，态度颇具蛮横。时“二百五”值班，“猪八戒”帮同搜索该人身体。其人闪展腾挪，避不解怀，满口天津土语，高声恳求“爷们高高手吧，修福修寿”。“猪八戒”莫明其意，揪扭其人，强欲解其衣襟，其人更口出鄙语，哀恳不已，绕室躲避，累得“二百五”“猪八戒”忙于堵截。终为“猪八戒”所获，劈胸扭结，大掼其跤。其人被掼喊声转宏，“爷们饶命，修福修寿”两句话，讲更不休。“猪八戒”疑其抗拒，掼的愈急，我等坐于室内，看最清楚，见其人摔倒爬起，体干触地咕咚之声不绝，均为心酸。最后其人被掼至晕迷，大呼“我不活了，我死了吧”，不待“猪八戒”来掼，频自以头触地，崩崩发响。“二百五”“猪八戒”大惊，束手瞠目，莫知所措，“二百五”凑近六号室栅门，问何其人所喊“修福修寿”何故，何对可作“万岁”讲解，“二百五”至此方知其人并非反抗，启门将其推入。“猪八戒”气喘嘘嘘，立于门外，问其人服否，不服再出来掼跤。其人不知应如何对答，我等嘱其说“服了”。“猪八戒”问何：“此人是什么职业？他不听检查是何居心？”何代为询问，其人对以系充省立模范小学教员，方才不知是要检查，误会是将衣服剥脱动刑，故闪躲告饶。何译与“猪八戒”听，始气平而去。“二百五”

此时忽技痒，对何夸示道：“方才那一名兵，掼跤并非好手，渠技优于彼，若此教员经渠掼摔，早将其掼得服贴。”“二百五”去后，大家咸道：“坏了，‘二百五’一生此念，迟早必寻对像一试身手，不知谁将吃苦矣。”

我询新来的教员姓名，对以董寿颐。我复询其充教员几年，对已八九年。我道：“既系老资格教员，当然修养与常识丰富，为何连一些镇静工夫皆无？方才监视兵欲搜索你身体，就应当听其检查。即便不明白其用意，亦应静以观变，临事勿慌。倘不幸被打，只好认为横来侮辱，难以躲避。似你乱喊乱叫，满口乞怜鄙语，既失你教员身份，复启日人误会与鄙视之心。日人果要用刑，亦决不因你能喊出‘爷们修福修寿’的话而住手。普法日俄之战，胜利国归功小学教员，似你为人师的，负教育未来中国主人翁责任，临难今竟如此惶恐失态，实有玷你的教员职务，有负教育儿童之托矣。”董大惭。

董的被捕，据其对周谦胡春水谈，渠有弟不肖，与其争产，弟之岳父帮同争竞，法律上既难获胜，遂造作渠是国民党与中央有关等说，捏词告密于日宪兵队，致为捕来。

董谈：“首都某部发现汉奸，为中央察觉，已捕获数名，牵涉甚广，首犯则已枪决。”又云：“日方正利用天津市汉奸辈，恢复教育机关，使小学开学，以示地方安靖。顷有多人正奉命筹备，约九月二十五六日可以开学，但课本均已删改。”续谈：“东马路各商店仍多闭门，恢复营业的甚少。中秋节冷落异常，而谣言亦甚，纷传中央军到平津吃月饼，致日军是日戒备极严。”

“二百五”晚间值勤，告我等，渠明日调往总队部服务，一星期后回来。嗣云：“我调总部，你们听见高兴罢？因为我好打人，你们听我调走，当然欢喜。”何诡词以对之，实则我等早盼其调走，渠殊有自知之明，可笑矣。

九月二十三日　星期四

今早晴，秋风乍起，晨间甚寒，“大老黑”值勤，五时许即将窗户敞开，大家均为冻醒，衣服单薄如周谦白杜诸人瑟缩不已。

胡连日敷如意膏，及姚为之尽心调药，已见痊，唯不敢起坐。周谦赤痢病愈重，面容瘦不成形，气息奄奄，终日偃卧，我等对此可怜少年，除慰藉之外无他法。白、杜、周——二十九军排长——并董教员亦被传染患痢，每日五人更番坐马桶。同室诸人均耽心一旦被传染，则无药医疗，认此殊一严重问题。

午前十时许，闻得附近有军乐及炮声，杂以庆祝欢呼声，不知何故？

“猪八戒”值勤，开门问董教员服未服，不服可出来掼几跤，董连声对以“服了”。“猪八戒”方得意而去。

午刻有许多日兵来参观，我每遇此种情形，则如椎刺在胸。觉日人直视我等为其战利品，陈列于此，供其皇军展览。故当日兵行近栅门，我则面红耳赤，羞恧愤激恨无地缝可以钻入。日兵参观毕，见外室摆放许多靴鞋，遂纷纷挑选一双携去。我一双白纱鞋，置于外室将近两月，为“大眼睛”监视兵选中，赠与一兵挟走。事后“大眼睛”见我室中人，均皆已望见，颇难为情，凑至栅门问我等：“方才为各兵挑去的靴鞋，有你等的么？”何代答“有王君的一双”。“大眼睛”道：“这实在对不起，我给他取回来吧。”旋问我道：“你的鞋送我可以吗？”我道：“我被禁于此，将六十天，鞋子久未著用，你拿去有何不可？”“大眼睛”道：“让我挑一双好的皮鞋，放在那个木箱里面，留归你用。”我道：“不必罢，因为我还不晓得何时获得自由，要一双鞋没有用处，你选别人的鞋给我，如果那人出狱时，找不到他的鞋穿，也对他不起。”“大眼睛”闻我话颇起敬意，转身外出，少时袖藏一块枣糕，鬼鬼祟祟递与何，令交给我，算为谢意。我觉“大眼睛”此种行动的属可笑，盛意难却，分给大家食之。“二百五”昨日并未调走，仍在此间勤务，瞥见“大眼睛”所为，亦偷买枣糕一块，较“大眼睛”所给的为大，值勤时暗地送来，令何分与我吃，我亦分赠与众，其实两块枣糕所值，不及五分洋，日人的小人行径，未免太幼稚。

夜间“大眼睛”复送来“冷面”半碗，“羊羹”一条（豆沙制成的日本点心）与我，仍是酬我送鞋子之谊，我仍分给众吃。大众边吃边讲，不是在吃羊羹，冷面，而是吃王先生鞋子。实则我的鞋子，何尝愿送与日人，只是我不应允，渠亦取去，反不若慷慨一下，落得送一人情也。

“二百五”忽开七号室门，入内打人，初闻木棒着体砰砰之声，及“二百五”叱咤之声，继闻咕咚咕咚如重物跌仆声，历时许久，始见“二百五”气喘嘘嘘外去。我等料“二百五”必是技痒难熬，在七号找得对像，大掼其跤，大家均注视董教员谓：“今后此地增加一种虐待方法，始作俑的当是‘猪八戒’与董教员了。”董不能辩。

九月二十四日　星期五

“二百五”今早值勤，嘱何转告大家，渠昨夜到总部办事，看见那边禁闭的中国人甚表同情，故自今日起，不再打人。大家方自庆幸，讵午刻渠又值勤，竟开八号门三次，责打四五人，我等听得被打人哀呼甚清。斯真残忍性民族，不能改易的习性。

午后一时有一上等兵伴医务宪兵数人，到各号查验有无病人，因总部发现赤痢，病死一人，宪兵队恐此间亦有染患者，不得不防。查验结果，每室皆有病赤痢的四五人。上等兵询问致病之由，大都说是天气已冷，衣服单薄，吃些凉饭团，既吃不饱，复又给些半温水喝。地板有缝，风从板下吹出，于是佥患腹泻，转为赤痢。上等兵华语甚好，听毕转译于医务宪兵。嗣对我等云："即想办法，将来可以改善一点。"

午后五时，送来一卅许西装男子，据其告胡、姚，渠姓名关子云，河北盐山籍，今日应朋友邀，在日租界一饭馆吃酒，突为日宪兵捕来，渠犹不知为的何事?

午后六时，两中国仆役扶一西装四旬许受重伤男子前来。进门后即仆于室中央，不能起坐，面色泛青，闭目哆口，似忍挨伤痛。我等初恐系日人，均坐视其动静，约五分钟，该人忽呻吟出声，并呼口渴，恳我等为求一点水饮。我讶其华语殊纯熟，问其是否中国人，其人对以"是"，渠姓名鄂玉成，系北宁路工程司，大家方悉确是华人，乃由姚俟监视兵走过，乞点水饮，讵值勤的恰是"大老黑"，厉声叱咤不予。鄂虽口燥舌干，只好忍受。

"大老黑""二百五"同来，逐室嘱告留置人须盘膝静坐，不许倚靠墙壁，不许盹睡，不许讲话。如伸腿而坐，是犯规矩，须受责罚。何为转译于众，大家均觉此则过于虐待，若盘膝坐半小时，两腿将酸痛如折，任何人亦不能为。恰值适间询问病状的上等兵来过，乃向其恳求，述说盘膝静坐的困难，且非华人所长。渠闻之频为点头示同情，允转商于监视兵。少时班长值勤，众又向其申述，五号中犯人亦作同样要求。班长颇不直发布此种办法的两兵，谓彼等多系幼年兵，气质粗暴，缺乏理智，渠将加以劝告，并令我等仍随便坐，只要不睡觉，伸腿亦无不可。大家得此宣告，如解桎梏。

晚八时许宪兵送来四五人，分别关入五六八七号。我望见生宝堂君在内，宪兵已将我室门启开，生方探身拟钻入，忽又为拖出，改送于七号。另将一四旬许头发甚长，微生髭须的男子推入。该人手提一暖水瓶，及一小包，内裹点心，饭碗之类。何望见，忙欠身移开一坐位，招其人坐下，并偷告我，其人乃伪冀东政府稽查处长刘友惠。

刘与生宝堂及另外两犯人，禁于宪兵总队部的二号室，今晚忽被移送到此地，渠殊莫明其故。

今晚我室禁十七人。夜间何刘久别重逢，大讲其福建话，刘衣服发出一股特别臭味，似浸润于油腻食品日久，而发散的腐气，其卧处傍我，嗅之不能入睡。

九月二十六日　星期日

今日晴，晨间飞机经过屋顶向西南天空飞去十余架，自忖津浦路线战况必属紧急，日机特大批出动，冥索及此，颇为我军危。

班长领一木工，于各栅门钉三根横木，钉毕望我等作一神秘微笑，我等犹未会意，少时"大脑袋"值勤，手握木棒，梭巡至门前，突望见栅门多三根横木，瞪目呆视许久，旋唤来"大老黑"共同观看，面有愠色而去。我等方悟班长连日看见"大脑袋""大老黑"，好由栅门伸入木棒打人，且专敲犯人头部，渠为防止此种行为，特每号栅门，钉三根横木，即使"大脑袋"等再欲敲扑，有横木阻隔，力量减少，被敲者不致负重伤耳。我等对此人的"人道同情"颇为心佩。

刘友惠每日由外间送饭两次，一次为午十二时，一次为午后六时。饭为殷汝耕妻舅井上家送做。每次约日本式菜二种，汤一种，饭两碗余，量数极少，盛于一手提饭盒内，另外带进一暖壶沸水。刘食量甚宏，每食不饱。何自刘来后，如获至宝，态度亦变，盖刘系帝大毕业，日语甚好，彼此可得照应，精神上得一友助，不复孤立。同时刘有饭送来，渠不患每日饥渴，至少略可分食些许也。

鄂玉成复为提出，早九时去，晚四时归。回来时愈显狼狈，西服裤被撕破，满身水淋，衬衫则遭水湿后，难以着体，搭于肩头。面色青白，较前日尤甚，仍由两中国仆役搀来，进门即晕仆。经杜白王等扶掖揉按多时始苏。我等睹此情状，心头咸蒙一层愁苦，井上值勤，特为讨得一些温水灌饮，鄂饮后精神少好。

今日新捕来犯人甚多，著西装似体面的约六七人，分关于七八九等号。晚间班长逐室查点人数，得知五号留置室已共禁百零四人。不知遭祸者何界人最多？心焉痛之。

旁晚监视兵不在室，我伏于栅门唤生宝堂君说话，询其状况，渠告我被捕来已一月余，仅初到时，受一次讯，以后未问。刻身体尚好，亦未受刑，只胃病发生，是大问题。我劝其忍耐勿躁。

刘友惠得享送饭优遇，是殷汝耕妻舅井上代为请求多次，得宪兵队许可始办到。井上被提到天津，现禁于宪兵总队部，一度与刘同室，适井上家下请得宪兵队准许，每日送饭两次，刘亦得援例请准。顷总队部及此地共禁犯人百廿余名，只此两人得斯待遇。宪兵队规例，如准犯人自外送进饮食，则衣物，药品等类，即可随之送进，旧衣服亦可随饭具送出，交家下浣洗，然后送来，所谓一获优待，无往不可优待。获有优待的犯人，监视兵亦对之略异。但办到优待实非易事耳。

今日抚摸颔下须，长将二寸。上唇髯亦长寸许，口为蔽遮，饮食至为不便。顾视两腿瘦且露骨，皮松肉懈，至少瘦减体重三分二。自忖日内必须找一监视少缓时间，恢复我"八段锦"柔软操。倘我得死于此内，无说矣。否则尫羸不堪，驯成痼疾，即获自由，亦等废物。我不能不于死里求活，保持健康，准备努力挣扎出去。——我练"八段锦"系自民廿年秋由朝鲜归来开始。是年我在朝鲜调查华侨被惨杀案，曾患呕血病，经练"八段锦"后，体力渐增，呕血病愈。以后视为必要晨操，行之七年，颇觉有益。

夜间鄂伤痛如焚，频呼喉干，经众向监视兵乞水遭拒绝。

九月二十八日　星期二

今日晨兴晕眩，头胀欲呕，强自支持，至十时许忽头痛转剧，实不能再坐，倚壁半卧，并将绒线衣裤穿起，由十时迄午后一时为班长、井上，及“二百五”三人值勤，由同室诸人向之报告，得倒卧许可，迄午后一时方略愈。我体力本来顽健，怎奈被禁两月余，营养不足，日就瘦弱，缺乏运动，睡在湿地，早已作成病因，故一朝感冒，弗克抵抗，因今日之病，愈觉我有即练“八段锦”必要。

刘友惠谈，生宝堂君与渠押于总队部二号。生君夫人每周托刘的送饭仆役，偷带与生食物数次，每次随刘饮食送来，故生在总部虽患胃病犹不剧，今移禁于此，生君禁于七号，不在一室，其夫人仍为带进食品，实无法转给。旋刘语我，倘能有人被释，送与我家下一信，不妨仿生君办法，每日带进食物少许，最好挤入饭盒内，不使日兵察觉，则我可免逐日忍饿之苦。刘并为写一字条付我，俟判断何人能早自由时，交其带出，姚元太坐我旁，闻得此种论议，嘱我告我家人多带一些食物，分渠些吃，因渠亦在饿得欲死。

鄂伤痛略减，唯逐日只思水饮，食物一些不能下咽，自被禁于此，已五日未进食品。

鄂倒卧不能起坐，臀部创口溃疡，脓血流滴，衣裤皆污。且不能仰卧。转侧极困难，跛子坐于其旁，时须照顾。刘友惠保有牙膏一管，众集议利用之，敷鄂伤处，或收奇效。于是由姚与跛子将鄂扶起，脱却衣裤，伤势外露，则腰胯之间，为烧伤大小数十处，较胡春水者尤甚。后背、两臂、两胯青紫已失肤色，肿势未消，血流淤凝，致不能运用。尻端一圆疤，直径约及二寸，似被火柴烧伤，深已见骨，使人望见，为之胆悸。烧伤各疤疮，均已溃烂，腐肉发出恶臭，脓血流满中衣。同室中人，多不敢卒睹。姚与跛子不避秽污，细为刮敷，一管牙膏，犹未足用。

鄂谈："我在北宁路充工程司八年，现在任职天津分段。九月廿四日忽为东站日宪兵分遣队请去，云日本宪兵总队部有事奉询，我不疑有他，即随其前来，到后方知系被捕。当日提讯，问我北宁路津榆假平津段由八月廿七日以来，屡次发生路轨被拆毁，或拔去道钉，致日军用车倾覆，闻系汝等北宁路一部员工受中央密令，阴有组织，接受中央费用，秘密所为的，你要说出此中为首的何人，八月中旬，你们在法租界基泰大楼秘密会议，由前任北宁路副局长张润田主席，这次会议，决定的什么事情，要一一实说，不难为你。我告以北宁路发生各次路轨被拆，及日军用车倾覆，路局方面，亦未调查清楚，刻路方尚为此事督促员工负责调查中。我在铁路做事八年，除职务外，与任何方面并无联络，更无破坏铁路的组织。基泰大楼的会议，是研究怎样恢复交通，没有其他讨议。日人以我不肯实说，立刻变色厉声叱我剥下衣服，置我于一木板上——按：即胡春水所上的好汉床——缚好手足，皮鞭木棒大打，且专在膝肘敲击。嗣复用火柴烧臀，香烟头烧两胯。后见我身体强壮，以上各刑犹不能致我惨痛。竟有一日人登我脊背上，以皮靴大踏，我两膝两肘受重压遂被木垫切破，深入肉内，痛不可当，两次晕死。日人方住刑，仍以前词讯我，我实无其事，何能胡说？故所答仍非所问。是日审讯一日，送来此地押禁。前日再被提出，复缚于木板上，先以木棒痛打，后以胶皮管灌水。此种酷刑，实难须臾忍受。我彼时只求速死，故大喊愿说。日人停刑，令我自述。我说基泰大楼会议，系中央派来两名代表，前来指挥秘密破坏交通工作。当时由张润田为首，秘密组织破坏交通工作员工队，所有各段工程司均加入。工人加入的亦颇多，其名册在张润田手。每拆毁一段路轨，致日兵车出险，则领奖金一次。工程司可分百元，工头可分五十元，工人分十元廿元不等。拔道钉一根，工人得奖一元，工程司得百元。凡此均我被打，不能挺刑，不得已编造之供词。我目下但愿一死，免得再酷刑逼我，牵涉多人也。”

由鄂此述，证以连日新捕来犯人甚多，当系宪兵队根据鄂的供述，大捕北宁员工矣。

十月一日　星期五

今晨“二百五”值勤，与何谈话，夸赞中国军队战斗力强，远胜欧战时的法国军队，诚出日军意外。战事恐非短时间所能结束，由国内新来军队，多半为预备役士兵，年岁既老大，素质亦不良，实已失却兵的资格。以此种失却兵的资格军队担当大任，自难收效。目下山西战事转紧，日方颇有牺牲，不久将来，渠等或有被调赴前方之举。又云，渠在留置所值勤，是最苦恼之事，每日看守些犯人，言语不通，欲彼此攀话亦不可能。“二百五”谈话时，显见充满反战情绪，只不便明说，由此足证日军阀骗其军队侵略中国，实违反其全民众的公意也。

今晚八时半，方送饭来。每一犯人，给予筷箸一双，饭碗一只，饭则改为稀饭，一人半碗，浇以剩汤汁少许，由监视兵协同中国仆役传送。饭甚干，较饭团之量为多，此当系日前“上等兵”所谓改良办法的实现。吃毕每室提出犯人二名，洗刷碗箸，洗毕置于外厢。

鄂伤痕经敷牙膏后，居然奏效，脓血止流，创口结痂，但不敢起坐。右手筋略被打麻痹，自中指迄小指，不能屈伸，殆成残废。渠仍口干舌燥，想吃水果，连日我为出钱六角，购得白梨赠食。周谦病重，每日昏睡，今日宪兵来各号查视病人，我等以周谦报告，宪兵略一顾视即去。

闻鄂谈，北宁路局实权，已握于华北日派遣军顾问手，伪局长陈觉生，一切皆须请命于顾问。全路职工，均加入满铁，调来的约近千余名，各大小车站，皆有日人驻在，调度车辆办理军运。日方并为防铁路被破坏，特令路局通饬全线沿路各庄村，组织护路会，取连坐办法，倘某一段发生路轨被毁，日兵车肇险情事，则唯护路会是问。老百姓畏惧责任与祸事，咸弃家远扬，致铁路沿线村庄，路静人稀，十室九空。

虱子已渐繁殖，无分畛域，任何人皆已生长，入夜爬行席上，传布殊速，尤以周谦，鄂胡何为多，衣裤内外，咸成虱子殖民地。入夜么魔小丑活动，直使人不能入睡，斯亦一添人烦恼之事。

十月二日　星期六

今早姚外出倒马桶，归后告众，自大门望见街心满是全武装日兵架枪休息，揆其情形，或系新开到者。并闻中国仆役与人谈，日租界为通过军队，交通封锁，已断绝四小时。我等推测，必是战事紧张。

上等兵来，问各室犯人，改给稀饭吃如何？众对以量数过少，仍难抵一饱，上等兵问如日给三次如何？众谓倘三次均能干稠，尚无不可。

“二百五”与“大老黑”各握木棒，逐号启门，询问谁于今早外出倾倒马桶？询明后即按倒于室，两人用木棒痛打，被打人均惨号告饶。我等闻之，均为屏息变色。姚因曾往倾倒马桶，乃直接被打的对像，更为觳觫。众亦为之捏把汗。旋“二百五”“大老黑”怒容满面，来六号启门，询明姚系倾马桶人，厉声问以今早倾马桶时，为何不加小心，竟倾倒于厕所外，致秽污不堪，姚对以非渠所为。“二百五”叱以无论谁为，汝亦有责。于是不容再辩，用力一脚，踹中姚之肩胛骨，姚遂仆于地上，“大老黑”“二百五”即抡起木棒痛打，姚痛极号呼滚翻，我等目睹情形，痛切万分，对此可怜同胞，无力护救，直任两兵打至力乏，姚流血被面始已。二兵去后，姚伤感及痛楚至于落泪，大家皆为疚痛无语。少时“二百五”与“大脑袋”“大老黑”复又逐室开门入内，再披每人颊数下，逼令同去将厕所收拾干净始罢休。

井上值勤，何向其商借一剪刀，剪修指甲，因羁押于此日久的人，指甲生长，拳屈至感不便，井上偷为送来，我等乃得将指甲剪掉。

今日两次稀饭，已较昨日为稀，水多饭少，论量犹不及一饭团多，众人皆叫苦。

晚九时，忽八号室内，有人惨呼，声直而戾，较前所闻已死的保安队李毕命前发的号叫声，尤为尖锐凄惨。我等每闻一声，则发一冷战，如死神已满布周遭，张其巨手，正扼一人咽喉，致其死命焉。少时闻惨号之声渐微，迄十时则已沉寂。旋见监视兵将隔壁门半掩，纷纷忙乱，或取芦席，或取木板，布置毕启开八号栅门，四五名兵自内舁出一人，头以衣服障蔽，置于木板上，一兵取出消毒器，向木板上喷射消毒水，卧在木板上人丝毫不动，度已死去。至十时半莳苗等人来，验视一过，即着人抬去，此可哀的同胞，竟不悉其姓名死因，绝命于倭敌处治手内，所予我等的刺激，较李尤甚也。

夜间不能入睡，对八号死一人事，憧憬于脑海，任如何自为排解，亦不能祛此惨痛景像。延至翌日早二时方睡着。

十月三日　星期日

今早七时半宪兵忽来提人，每号提出六七人不等，揆其情形，当属释放。我室被提出的为白、杜、王——保安队——周——廿九军排长，董教员，及姚元太等。姚之被释，出我等料外，渠出室后，立于栅门，目注我似寄无限悲悯，盖一方固知渠可自由，一方则忧虑我的释放问题。我断定渠必为我家送一信息，渠与我同禁日久，对我情形甚详，当能向我家人细述，我母亲以下，或可宽怀，故甚快慰。

上等兵来，问我等吃稀饭如何，我等对以饭过稀，犹不及饭团量多，最好仍发饭团。渠谓天气已凉，吃饭团容易害赤痢，不若吃稀饭，但拟每日给三次，每次佐以咸菜。我等知此事似经宪兵队决定之办法，要求变更，不会生效，只好听之。

宪兵来将七号犯人分拨于他号，我室拨来的为三旬许男子黄奇峰，与关子云同案。各号患病者，则均拨入七号，以示隔离。周谦则被拨往，临去时对我等不胜依依。

羁押总队部犯人，均拨至此地。望见刘髯公君由两人搀扶，步履艰难，经过我室关入七号。渠发须甚长，面孔瘦不成形。我俟监视兵不在，伏于栅门询其状况，渠不能起立答话，托周谦转达，云伤势略好，但左脚踝骨已断，无药调治，溃烂成洞将成残废。我劝其静养勿躁，以待释放。我知生刘二君身边分文皆无，日在忍饿，乃于午后二时，出钱二元，为购八角大饼油条，余钱一元二角，一并恳井上代为传与二君。截至今日止，我借得姚钱十五元，已用去十二元，余钱只三元。决从今日起，不再花用，保留此数，备万一急需。

新来两仆役，一日人一华人，专办传递犯人饮食，洗刷碗盏事。但晚饭后华仆来取碗箸，挨号低问谁欲向外传信，渠可代办。据渠云，来此虽仅半日，但已万分伤心，看这些中国人被囚于此，渠百廿分同情，一时一刻不愿干下去，明日决不来，大家有信有字条，赶快递渠，渠可不索报酬为送去。我等对此人深致感佩，纷纷写字条递给，我将前已书好藏于跛子身边字条索回，托该人带去，因我家已迁，嘱其送往我朋友处，取脚力费三元。渠匆匆掖藏毕，乘监视兵未来而去。

班长曾去北平公干，今晚归来，对刘友惠何复述言，殷汝耕、王厦材、张仁蠡、林志铭等——伪冀东汉奸——犹在北平分队拘押，殷每日唪经祈神庇护。

十月八日　星期五

今日晴，秋风渐凉，早七时监视兵即将后窗敞开，此室除我有一袭绒线衣，可披以御寒，如何刘邵跛子等，均只一袭单衫，金风吹拂，略感瑟缩，但窗户既为敞开，不能要求关闭，大家唯有抱膝缩为一团，借以取暖。

自改给稀饭后，已由新来的日本仆役包办，早八时，午十二时，晚七时各给一次，每次一碗，极其稀薄，尤多冷饭，因熬煮不宜，多已成糜，与其名粥，无宁名为浆糊。每次每人付以小片咸菜，为佐食品。大家喝此稀粥，尚不及日给两次饭团解饿，逐日嗟叹唤饿之声不绝。有人曾外出倾倒马桶，看见后院埋锅两口，日本仆役与一中国仆役，忙于做饭，米不淘洗，即入锅内，并加入一半冷饭，然后以大木杵在锅内搅匀，此即我等的食物。

改吃稀饭后，些许食物，到胃中不及一小时即消化干净，于是尿的排泄亦勤，马桶须臾则满，往时每日倾倒一次，今则半日即得倾倒一次，一日须倒二三次，要求监视兵准许倒出，多嫌麻烦，有的延挨推诿，一小时勤务完了，不管而去，有的一遇要求，则径申斥，大家唯有节制排泄，厉行忍尿工夫。

黄奇峰谈，渠住七号内，该号尚禁有土匪保安队十余名，穷凶极恶，凡有购得食物的犯人，自己尚未到口，即为渠等抢去。苏月亭新移入该号，病势转重，托宋于两仆役自其家中取钱，每次取十五元，为宋于扣留十元，到苏手者只余五元。苏以之购食物，经手的仆役，复为剥削，每以一元购食品，至多购到者值四五角，被土匪保安队抢去大半，苏入口的业已无几。该土匪保安队正密议越狱逃走之法，恐最近或许闹出祸事。

刘友惠谈，宋于两仆役曾受生宝堂君托，赴《益世报》馆取卅元备用，说定以十五元酬二人，十五元归生君用，讵两人取来后，分文未给生，只为购皮蛋六个，豆腐皮四张偷偷送入，生干发气而无办法，若苏取十五元，犹得五元，的属万幸矣。

此地自改给稀饭，宋于两仆役不许来，只一帮助日本仆役的四旬许中国男子常得出入留置室外间，以前每日渠为犯人购买食物，每次除索脚力外，复克扣十之五六，一元代价只为买来四五角物件，众对此人十分痛恨，均思苟得机会，必为其戳破，使渠亦尝尝留置所况味。

午十二时刘友惠饭送到，启食盒察视，则菜已变更，内有萝葡牛肉一种，及烧饼七八个，刘偷告我，必是姚元太已送信我家，我家人照我等商量办法，偷由刘的送饭人，带进食物，因我等商量办法时，姚适在侧参加意见也。于是一份饭刘何与我三人分吃，被禁八十三日今日方知肉味矣。

我于一烧饼内，吃出一纸条，系我妻所写，寥寥数字，告我家已搬，由本日起始托刘送饭人逐日带进饭食二次。我交刘何看过，愈知是姚元太热心助我，指告我家人如何去办，其古道热肠，急人危难之谊，弥可感也。

我患赤痢病三日，腹胀且痛，肠鸣不已，一日坐马桶三次，但寒气郁结，排泄不下。同时头目晕眩，肢酸体软，初尚挣扎，今日则感加剧，唯恐病倒后不遽死去，痛苦且深，乃力疾练习“八段锦”。我练“八段锦”已数日，瞰监视兵不在，则托跛子看更，偷自起立操练。

今则拟借此加增体力，以抵抗痛苦。

黄奇峰关子云两人的被捕，究是一谜，两人亦不严实说，似强欲隐讳，我觉两人非善类，加以注意，以刺探其底细。

晚间六时刘饭送来，仍有我家所制冬瓜汤一种，花卷七个。我日常所喜食菜肴，我妻均熟知，故其送来的，一望即知系我家烧煮的。但我因病已不能吃，归刘何享用。

夜间腹痛益剧，坐马桶三次，痛不少减，殊为愁苦。

十月九日　星期六

早间甚凉，但监视兵仍敞开窗户，实无法可使其不如此办，我既病不能当风，同室诸人亦皆畏凉颤抖，乃纷向一隅挤坐，略以取暖。

我虽赤痢渐重，但不能倒卧，一恐监视兵不许，一恐跌倒后不复能兴，为此特勉力挣扎而坐。

胡伤势以缺药未愈，仍有数处流脓水。鄂伤势未痊，仍卧于一角，十余日来，鄂已头发蓬蓬，须髯如猬，的一十足典型囚徒矣。

早十时鄂为提出，渠力忍伤痛随去。我等殊为耽心恐其再被敲打，不任重刑，则难免性命危险。且恐渠畏刑乱说，攀扯方面益广。午后一时鄂竟安然归来，据云，今日提去，令其述说前此供词一遍，渠供述毕，日人谓宪兵曾照渠供述调查，内有不实处，逼渠重说，渠无的可说，不敢乱供。日人用木棒痛敲渠脊背数下，不再逼问，送渠还押。

黄奇峰关子云的秘密，我今日已知，盖此二人系受津日本特务机关雇买，专赴西北为□□□组织运动的，其同党甚多。由平凉日特务机关长横山指挥者居半数。□□□的组织，日方蓄心已久，早拟打通西北道路，以与西北把握军政权的五□接近，前年绥远战事，其用兵趋向，即注意于此，不料计划失败。兹因我全面抗战，日方欲割裂我土地，分化我民族，兼切断我与苏联的联络，增加国际防共壁垒，遂积极图其成功。关黄原在川岛芳子手下作事，顷经津日特务机关调去。□□□旗帜，团体制度，皆已在津研究决定，只俟道路打通，一方利用民族自决内起的响应，一方外用华北各□族新组织的团体呼吁，以促其成。预定至迟来年春即可实现。关黄与一沈某等五人以泄漏秘密嫌疑，为日宪兵捕来禁押，两人禁于我室，自以所为，羞为人道，故讳莫如深，今日经我试以诱发，遂不再隐讳而说出。我感于关黄所为，特为剖述此次民族抗战意义，与我等国民应尽的责任，劝两人倘获释出，勿再供人驱使，甘为分裂祖国行动，两人赧然。

饭愈稀，我虽不吃，颇替大家愁虑。班长来，怂何一为述说，众亦说明饥饿之苦。渠谓队部将留置犯饭食，包办与人，每日米有定数，欲稠少加水，欲稀多加水，其实米并不加多，渠固同情我等的饿，但莫可如何。

副班长值勤，告我等："别人值岗，不许你们谈话，我值岗，你们可随便说话，但不要大声吵，免外边来人听见。"说毕扮一鬼脸而去。

自栅门钉三根横木后，"大老黑"、"大脑袋"隔门伸入木棒打人的事，果然较少。除"二百五"好开门入内寻人打外，一星期来，各号犯人挨打次数已减。

晚十时六号栅门开启，送入北宁路工五名，均由平津段廊坊，魏善庄工务段捕来。我室今夜共禁新旧犯人十六名。

十月十二日　星期二

今早宪兵为刘友惠送来牛乳两罐、饼干一包，“爱表司”胃肠药半瓶，约百余粒，刘断系生宝堂夫人所送来，犹误认生与刘同号禁押也。

刘劝我服用“爱表司”，每日三次，每次四粒。

生宝堂夫人为法国籍，自生君被逮，伊奔走营救，并尝烦津法领为疏通，奈日法交恶，日宪兵队，尤认生有意拉出法领，干涉其皇军宪兵队权限，故明应准许事，明应早释放，均故意不为，生夫人曾设法于食物中藏一字条，通告于生君，时刘友惠与生同禁总队部中，深知其详，特述于众人。唯生夫人仍不时来送衣物，初时日宪兵队收下，后以其来过频，渐行拒绝。生夫人乃托言系刘友惠的妻友，受刘妻之托，为刘送致衣物，宪兵队因刘受有外送饮食优待权，不复拒绝。嗣因生夫人送来次数太多，又复生疑。某次一宪兵持衬衫裤三件，西服一袭送来，问刘可有外国女朋友，刘正欲对“无”，生君急暗牵其裾，刘顿悟所谓外国女人，必是生夫人无疑，乃改口应“有”。宪兵始将衣物留下，经生君检视，果是渠物。顾刘颇虑生夫人生成外国，不明中日情形，以后不断送来许多衣物，致宪兵队疑有别情，从而侦查，一为发觉，则刘所享优待利益，必被取消。以是在离总部拨至此地拘禁前，已向生君嘱告，务必设法传与生夫人一信，莫再如斯办去。今日所送来药物，证明生夫人犹未得生君通知，依照前例直向宪兵队送来者也。

十二时许，上等兵来，提一布包唤我接取。我接过点视，为毛毡一床，衬衫一件，衬褂裤各二件，棉袍一件。烧饼十五个，酱牛肉一大包。上等兵告我：“你母亲和你太太来了，到总部送交这些衣物给你，你收下吧。”

我被禁八十五日，衬衣未换，垢污如铁，天气渐冷，复愁单衣难以御寒，夜间且感寒凉，需要铺盖，兹家下为我送来衣物，必是日前花三元代价托彼中国仆役送一字条，我家已收到，故能悉照我开示的衣物送来。我有饭可吃，有衣物可换用，虽被禁此一二年亦无忧惧，想至此精神立焕发。

换下的衬衫裤，托刘友惠送饭人带出洗浣。

午后新送来多名犯人，分押于各室。班长点名，闻五号为十八名，七号廿八名，八号四十一名，九号廿二名，我室十七名——新送来一人——此地共禁一百廿六名，超过从来未有的数字。

晚八时半忽闻七号人声噪杂，宪兵出入忙乱，约历半时许，则见两监视兵拖一芦席入内，铺于六号门前，嗣见自七号舁出一人，穿著短衣，形似工人，年卅余岁，体已僵，盖已死去。监视兵置尸体于席上，施以消毒工作，旋遮以麻袋而去。我等坐对此死人，增无限感伤，觉中国人命于此，最如草芥，敌人捕来后，非刑拷讯，处治成伤，不负治疗责任，一任其辗转哀号，负伤以死，死后家人不知，不能归正首邱，除赢得我等一点同情感叹，及少数人掬把伤心泪外，谁又悲惋？是夜横尸在堂，灯火磷磷，我等各个竟满腔愁绪，睡不安稳矣。

班长夜间值勤，告我等渠等属于驻屯军第二联队的士兵，一二日内即调赴山西，开前方作战，此地将由新开到预备役兵服务。我等因此人尚具几分“人道主义”，自来服务五十余日，未尝打过一犯人，有时为我等求便利，一旦他调，不知后来的监视兵性质何似？颇为悒悒。

十月十三日　星期三

今日早起，监视兵忙于查点人数。“大老黑”、“二百五”、“大鼻头”、“井上”、“猪八戒”等均垂头丧气，值勤时不似往日的负责，“大老黑”、“二百五”、“大脑袋”虽好打人，禁人谈话与瞌睡，但今日则已例外，皆立门外，拄枪思索，似因开往前方，生死决于战场，安危问题萦于胸中，反涌出怯懦，思家之态。“大鼻头”值勤时不断出入，皮靴触地，橐橐发出巨响，若有无限愁怼，欲于此大踏步中消灭之。嗣行近六号栅门，招何刘闲话，自云，彼等所隶部队，将于三日内开往山西，明日午刻交卸此地勤务。山西战事甚剧烈，中国军队抵抗甚力，日军有相当牺牲。此次天津部队开往增援，兵力不及二千，与关东军取联络，胜负在不可知之数。日军部如此蛮干，战事既解决无期，且恐不久会掀起第三国际参战危险。“大鼻头”谈时，言出由衷，颇露悲愤之色。

何询“大鼻头”姓氏，初不肯告，嗣始对以姓山泽。

又告刘、何，班长姓宫泽，“大老黑”姓黑田，“二百五”姓井上，“大脑袋”姓前田，“副班长”姓木村。

木村值勤，执军部所发“支那语会话”，蹲我室栅门前向众学习，该会话本所编言语，多以我乡民为对像，如问路，问井，问村庄，问水道，及恫吓诱骗言语。如诱问乡民：“前边有没有军队？要说实话，不说枪毙你。”“这地方归谁的军队驻防？”“你能领道，走抄道最好，到你们驻防军队那去，领对了多赏你钱。”“不要害怕，日本军能替你们打跑扰乱你们的地方□军。”“有□军遗留物件和军火，赶快献出，不然查出枪毙。”“你们这里谁是国民党共产党？你说出来，日本军奖赏你钱。”诸如此类言语甚多。每句语音，诠以解释。木村自念，嘱众为矫误，我听其读念，觉敌寇用心之深，的足骇人，深虑晋人难免供其利用也。

宫泽值勤，交我等一张报纸。报系华北派遣军部宣抚班特务机关，作战课共同发行。名为“支那阵中”，每周发行二次印刷半张两版，专载其陆海空军战斗胜利，鼓吹奖励将士英勇赴战。通报两版，皆极力诋毁我军的无能，彼军的英扬。此种报纸使其军人阅之，易生勇往作战，及对我“摧枯拉朽，势如破竹”之心理，其欺骗将士，巧妙宣传，殊令人惊讶。

我于此一张报纸内，获知津浦路沧州、平汉路保定亦已沦陷。日军正向德州，石家庄两要点进攻。我回想旬日前闻得的欢呼奏乐，及炮声，必系日人庆祝攻陷沧保，一想及此，感慨与悲观丛生，怅然久之。

午前九时，宪兵来提铁路五名工人，其他各号内禁押的北宁路员工亦多为提出，午后四时，陆续送回。我等望见，凡归来的，皆已身负重伤，步履不能自如。归我室内的工人张连发后胯被打破，血流裤外，尿撒裤内。程福巨臀部被烧伤数十块疤，睾丸且一为打肿小腹缩痛，冷汗阵阵流。薛广文被打伤后背青肿寸许，米殿贵被烧伤后背，囟门被击裂一口，血流涔涔下，日人为倒半盒牙粉，致顶上红白相间，愈为可惨。尚有一五旬许老工人谢福义，头顶被击成一包，臀部被木梃戳伤数处，复有数处红肿，此五人曾被捆好汉床上白身无衣冻各一时许。所讯事由，与讯鄂玉成者大同小异，均问受谁领导？得几多报酬？参加何次交通破坏工作？五人皆懵然不知所对。日人初则用刑，续则取出鄂的供词为根据，诡称鄂已供出实话，并招认破坏铁路组织，有尔辈在内。工人无知不辨真假，且严刑逼讯，不容不认，于是日人指示如何供述，并依照鄂玉成供词为蓝本，一一屈打成招，故五人还后，皆怒目视鄂，以为渠等被捕，系鄂所攀来，鄂不能辩。

午后五时，又送来一北宁路魏善庄段工头李恩庆，年五旬许，受刑一日，两腿皆已跪肿，灌水过多，气结不能讲话。今日未讯终了，即送入我室，进门后即横卧于地板上，两目呆视，面色屡变，众急为乞得冷水半盂饮之，逾半时许方好转。

据路工谈，渠等被提讯时，曾看见同路工程司龚、蒋、王三名，及工务段长王等数人。候审于总部时，无人监视，得互相致讯，得知八号留置室日前死的人，为北宁路唐山工务段科员王树枬。昨日七号死的为唐山工人魏某。此二人均因被打伤甚重，急火攻心暴毙。又谈，北宁路工已被捕到四十余名。路局副局长张润田，科长马增祺亦遭逮捕，今日见其被提讯，但不知押于何处。蒋龚王三工程司皆受重刑，被烧打多时，渠等曾闻三人惨呼声。今日审讯分为数室，由日人十余名分办，每室皆置有好汉床，任何人不招认，即剥脱衣服，绑于床上灌水或敲打，各室相通，声息互闻，此室有人被打，彼室被讯人即惊恐失常，供述遂亦错乱。

晚间各监视兵满腔愁绪，更无精打彩，监视益松懈。夜十时许闻监视兵在楼上饮酒消愁，轰闹不已。盖渠等十余人——连服务总部者——非隶同一中队，后日即各归原队，此后死生莫卜，际此将别，乃痛饮示诀。

山泽十一时值勤，酒气醺醺，找何刘说话，仍系牢骚愁苦，充分表示厌战情绪。并破例递与二人香烟各一支，且吸且谈。山泽知我为新闻界中人，呼我道："新闻记者大人，为何装睡？你有什么意思发表听听。"我仍伪睡不答，何刘代我解释，云我患病甚重，不愿起坐讲话。

夜十二时后"大老黑"值勤，在留置室外间，大耍酒疯，殆借酒发泄愁苦。外室堆有碗盏及盛粥铁桶，"大老黑"则用皮鞋乱踢，致碗盏多半粉碎，筷箸亦散乱满地。一只铁桶，被踢发出巨响，滚出室外，复被踢入，踢入之后，又被踢出。如此声响震耳，直扰乱一小时迄渠下班方止。谁谓日兵不畏死，试以此为证，正恐此辈惧死心理，较我尤甚也。

今夜被扰迄十四日晨方入睡。

十月十四日　星期四

今早八时半，方经山泽唤醒，较平日迟起二小时，想见监视兵无心绪管理我等。

宫泽督中国仆役在外室洒扫，似备移交。

我赤痢病经吃“爱表司”药锭后已渐愈。虑以后再犯，刘友惠嘱我倘得机会可告知我家人为买“若素”来用，此药较“爱表司”功效为巨。今日起日本仆役已换著军属制服，一反其初来时猥琐之状。晨间“大眼睛”开门监视倒马桶时，日仆役亦武装起来，帮助监视，我等觉此人，动作渐不同前，有对留置人凌夷意，大家互相嘱告，俟后注意。

早午两次稀饭，水多饭少，且未煮沸，生米犹在于内，日仆役即送来，令大家吃，大家告以未熟，其人竟板起面孔，叱众人胡说，监视兵虽见不响，众无法只好忍受之。

午后一时新监视兵十余人到来，由一年老蓄八字须的上等兵为导。宫泽执名册逐室为之细讲，并告以起息时间，倒马桶钟点，以及留置人饮食诸端。旋引至我室，告以此号羁押人犯，最有秩序，为九号留置室最优的。点交毕由午后一时起，即归新兵值勤。

宫泽、木村、二井上、上等兵、井上，均于午后二时武装齐整，离此地归队。行前到各留置室辞行，对犯人行敬礼，井上并云如不死，得生还，必来看你们。我等固不愿渠归来看视，但抛开敌我之见，基于人道立言，此五兵服务留置所五十余日，未尝过分虐待我等，差足使人留得一点好印象耳。

此一班新兵，闻宫泽预先说过，多半是预备役，预备役兵性质虽不似现役兵躁急，但是经验阅历较多，监视方法亦特别严密，我等于此五六小时内已领略得之。

对新兵留此地服务的七人，仍各上一称号，以资识别。计为上等兵二，命名为“老头儿”——班长年岁最大，“毛包”——此兵言语躁急，有“二百五”风，“黑大个”，“大金牙”，“小伙计”——此名年事最轻，“马面”——此兵一副死板面孔，凛然不可犯，“小胖子”。

此七人“小胖子”似往总部临时出勤，余六人窥察情形，以“毛包”、“大金牙”、“马面”三人最严厉，而“马面”更为阴狠。只来半日，即看此兵行径特殊，渠值勤时，换著水袜，行地无声，且偷偷溜进，即地上人影亦力避为我等看见，每好站在五八号穿堂门间，其地极扼要，左右瞰五八号两室，一瞥无遗，窃听六七九三号声音，亦极清晰，选择地势之优，使我室值更人亦不敢探头外窥。

晚间日仆役送饭来，居然反客为主，代监视兵办理一切启闭栅门，查点人犯之事，于应对不周犯人，则大声呵斥，监视兵认故例如此，任其所为，我等今日起，多一监视人。

晚饭后饭碗不取出洗刷，日仆役躲懒，仅为送来少许温水，令各室自洗，洗毕置于室内。

铁路工人睡觉无枕，竟发明以饭碗代替，将碗覆翻，碗底朝上，垫以袜子内衣之类，睡于耳下。唯转侧中，碗声响亮不绝，是究不同于真正之枕也。

十月十六日　星期六

两日来觉新来监视兵，除"小伙计"、"黑大个"外，余人监视极严，对谈话尤为注意。内外各号欲如前此的偷自通话，互致问讯，事实殆不可能。监视兵除于室内梭巡不断外，有时则转至后院巡视，后窗终日开敞，为渠等巡视方便，我等冷的问题，非渠等所置意。

今日刘友惠送饭时送进两份，一份为何复述的，何大喜过望。与刘推测原因，断系井上——殷汝耕妻弟——必已被释，井上获自由后代为要求，即以渠所享优待利益，转移于何，故可未费力即送进。

我家带进的食物甚多，分装刘何饭盒内，刘何自有的饭菜，殊不多，赖有我的分食，三人均获吃饱，有余则分与鄂胡及诸人吃。

日仆役姓马场，今日起对留置犯人愈凶蛮，五八两号犯人，均因人多而给饭不符数，要求添给，马场竟大声呵斥，并以华语骂众人，说你们没一个好人，应当拖出来打，两号中人争讲不过，只有吞声，未摊到稀饭的，唯有挨饿。我觉我室应想法防止，免起纠纷。嘱黄与跛子，专管接饭之责，接到手后，先摆放栅门内，俟饭碗与人数相符，然后大家再分食。如数目不符，尚可要求其查点，予以添盛。不然随接随分，数目一经记错，则日人诬赖先分得的人，已经吃下，不予添足，大家亦无法与辩。众遵我意，果照办后，无有争执。

晚七时忽闻七号人声噪杂，有人向马场报告事物。马场通告监视兵，少时监视兵大集，启开七号门，提出一人，关入五号。同时九号内亦有人提出，关入八号。七时半见莳苗等宪兵曹长，军曹等十余人，率宪兵补助队十数名，全武装到来，先由七号内提出十一人，生宝堂君及《益世报》馆秘书施君二人在内。嗣又自九号提出六名，此十余人即由宪兵补助队絷系而去。七、九号其余犯人皆提出分别拨入五、六、八号，关入六号室内的为段福成、王振海，及铁路工人李任，报贩韩等五名。

旋见刘髯公君被抬出，不知移地禁闭，抑系释放？

扰攘迄八时半方毕，我等询之段王李，方知七九号事故。盖七号被禁人犯，内有土匪及保安队便衣队十余名，穷凶极恶，同室犯人均遭此辈欺侮，一般人恐与之争执，为监视兵所晓，将不分青红皂白，一律责打，□□□[1]命徒愍不畏死，有何可惧，一般人则觉既已在此作囚业已受罪，何苦再寻罪受，避不与争执，是此渠气焰愈高，夺食夺衣之事，日有发生。及至有越狱之谋。依此辈计划，是□□□□□丝网，拆下铁条，夜间钻窗而出，跃垣登隔邻中国人家屋顶，再跃往马路，经宝岛街北端，折而西行，穿淡路街过西开小桥奔入法租界，即可安然逃脱。参加此项密谋的十二三人，生宝堂君，与其秘书施君，亦以急求自由，被拉入秘密团体内。初拟在十月十四日夜动手，俟井上值勤，骗其开门倾倒马桶，两人伏于门侧扼其咽喉拖入。倒马桶的一人，则自外□□拥之入内，逃走以前，将其捆置七号室中，免为察觉。众既有此图谋，对同室表示异议者，严予监视，防消息泄漏，所有接取饭水之役倒马桶之事，皆渠等轮流为之。并于倾倒马桶时，偷将鞋子揣入，备逃逸时穿著。讵十四日晚已拟发动，忽监视兵交代，计划不得不缓。今日则以时不可失，白昼之间，由两人偷偷拆开后

[1] 原书此处污损，模糊不清，又无其他版本可供参照，故以方框示之。下文中还有几处，也同此处理。——编者注

窗铁丝网，卸下两根铁条，虚置窗上，专候天色一晚，即行发动。今午苏月亭购买大饼，遭此辈夺去多半，保安队黄夺食过多，受余人怨怼，黄与争论，更激起十余人愤怒，众口交谪，将黄痛骂。黄一小人，焉能容此，乃筹思报复之道。晚七时马场往送饭，黄以不能接近栅门，难以报告，竟伪为晕仆，倒于栅门侧，众方惊眙谋救，黄即乘此机会，爬近门前，向马场报告。马场转述于监视兵，此辈至此已张惶无措，恐惧至于颤抖矣。黄先为提出，由其指出预谋的十一人，生君则为指作发动人，致首为提出。唯内中一王姓，年已六旬许，原为铁路工人，并未预谋，另一王某，确预其事，黄报告错误，“李代桃僵”，此一老王遂代彼少王被絷走。

九号发动的情形，与七号大致相同，有北宁路工六七名，联络保安队四五名，欲于今晚骗监视兵启门倒马桶时动手，将监视兵抱住，扼喉致之于死，然后逃逸。不料为同室一二十九军上士所卖，乘马场送饭时报告，遂一并为提出。

现七号室内，只余苏月亭一人，病正垂危，半入昏迷状态，据王段相告，恐苏将不久人世，凡识苏者，均为之愀然。

今晚此室睡二十四人，为以前所未有。马桶旁睡倒报贩韩、路工谢。任、李睡于室中央，成为诸人腿的担架。王振海段福成睡我及胡等脚下，彼此不能伸腿，互置于腹上。挤得一寸余地皆无，汗臭与呼出碳气，洋溢一室，嗅入鼻管，头几胀裂。同时汗由发内及颈后流出，津津如沈，令人一分一秒都不得稳睡。何近来因吃饱故，消化不良，鼾声益大，任何人闻之，均不能闭目。今晚渠竟睡着，是亦奇人也。

清夜不能入睡，殊为生君耽心，虑渠今晚或吃苦头。故颇注意其送回否，但候至十七日早三时，未见归来，度必移禁海光寺，因彼处日方认为监视严密，重要犯人向押于该处也。

十月十八日　星期一

今晨四时，马桶即满，二十四人，每人膀胱为尿胀满无地排泄，咸捧腹皱眉。有数人情急几欲撒于裤内。今日方知忍尿之痛苦，实甚于任何事。挨至九时，“黑大个”值勤，方得其许可开门倾倒。马桶进室，犹未放稳，即有数人争先排泄，溺出后有“一身轻”概。

七号后窗，由宪兵招来匠人修理。因七九两号图谋越狱事发生，各兵监视愈严。“马面”“大金牙”值勤对六号亦不放松。我等少一倚壁休息，或小声讲话，即大声叱骂。只是“小伙计”、“黑大个”、“小胖子”三人尚属和平，不过分严厉。我等坐狱既久，一切渐较精明，对于监视兵某也何时值勤，何时休息，传呼睡觉者为谁，明晨唤起者为谁，皆推算甚确。大抵若是六人则每五小时，监视兵轮值一循环，若系七人，则六小时一循环。近来睡觉时间，为晚九时，早起时间，视人而异，倘晨六至七时为“毛包”、“大金牙”、“马面”、“老头儿”四人值班，至迟六时半即为唤起，秋深夜长，六时半犹未天明，我等即须危坐忍尿，因早间虽起，马桶不能立倒，非延至九十时倾倒不可。但九十时设为“马面”“老头儿”值班，则故意不管此事，又须延至“小伙计”“黑大个”值勤始为倒出。若晨间六至七时系“小伙计”“黑大个”“小胖子”值勤，吾等可多睡半小时，约在六时五十分迄七时一刻唤起。由此推算，我等又可知今晚命令睡觉的为何人，借以预先筹算马桶在何时倾倒，可获得允许。倘八至九时为“马面”“毛包”诸人值勤，我等必须于前一二小时“小伙计”“黑大个”等人上班时间，提前倾出，否则夜间马桶一满，即得受忍尿之罪。大家近来耽心问题，不在吃饭睡觉、夜冷、患病，及个人的释放，而只在马桶可得倾倒否？今夜忍尿否？一严重当前之事矣。

“小胖子”好诙谐，每与六号跛子打趣，故当其值班，我室一切办不通之事，多请跛子代表与“小胖子”交涉，十九可以办通，跛子乃成六号的独脚外交家。

昨日段王耽心苏月亭病，要求“老头儿”之许可，归七号室看护。我室余二十二人，但夜间睡倒仍十分拥挤。

睡至夜半，忽“黑大个”启门，将段王两人提来，关入我室。我见两人泪痕满面，询以故，云，苏已于今午后三时死去，死前一语未发，的是可惨。同室中人闻言惊觉，深更听此消息，愈觉凄惨。

苏被禁以来共八十三天，初因终日愁结，饮食、睡卧不宜，染患赤痢，继则以不戒口腹，得钱乱购吃食致赤痢日重，愁苦益添，无医无药，终于逝去。段王原拟在室守候至于明日，奈以夜寒人寂，伴此死尸，不免胆怯，特求得“黑大个”许可，复押于我室。

我自被禁此室，已目击死者三人，耳闻而未见者二人——死于总部及海光寺，前后已有同胞五名。凄凉身世，自度个人生命前途如爝火之光，不知何时毕灭，可慨也已。

十月二十日　星期三

今日阴，深秋金风甚厉，早间“马面”值勤，启开后窗，冷风吹得我等皆发抖战。至十一时“黑大个”值勤，借倒马桶机会，方由跛子外出合闭。

苏月亭尸体，于昨晨抬出，两条麻袋，分由头脚套进，外捆以麻绳，情形至为凄惨。两兵舁出时段王大哭，我等咸为之酸鼻。今早七号消毒毕，九号亦将栅门加锁，各号犯人重行拨分，我深虑我与刘何分开，则我家下送来饮食，均装在刘何食盒内，我既吃它不得，同时我家人犹不知此中情形，照常送来，不想其他办法，岂不大糟。现在此地一切似已较紧，既无术向外传信，即或有钱，再买大饼油条食物亦所不许。故昨夜为此事焦虑终宵。迨今午前十时分拨，我室除段王韩三人仍回原号——七号——外，余未拨分，我甚欣喜庆幸。

马场日仆因犯人买大饼油条，不系渠经手，无油水可沾，竟在宪兵队报告，云犯人自外购买食物易带入传染病菌，现各号中人患病之多，即因此故，于是宪兵队特谕饬监视兵，不准再许可我等购食物之请求。大饼油条等品，自今日起，虽有钱亦购不得。

午后一时，闻天井内我老母与人讲话声音，似在说明来意，我听甚清晰。少时“毛包”进来，挨号唤名寻我，我忙应之，渠持一包蛋糕与我，告我：“你母亲来过了，送些食物，照理不应收受，现特别通融，为你收下这一点。”又告我：“你母亲已去总部去了。”我接过后百感交集，自思我六旬余老母，值此乱离之候，为我生死置念，不避艰辛，不顾危险奔走，我为人子的，作囚于此，不能奉母远乱，明哲保身，有匮孝思，有负亲育矣。

我测想，我母必仍怀疑我的生存，故就姚元太指示地点，冒险前来试探，以监视兵能否为我收受物品，而断定我犹在人间与否，果然用心已苦矣。

晚间马场为各号送稀饭，查点人数，我等默计五号共一百十七人。

十月二十二日　星期五

今早五时三刻，即为“毛包”唤醒，大家睡眼婆娑静坐，既不敢盹睡，又不能讲话，膀胱内尿已积满，马桶早告流溢，是真苦痛。通常坐时膀胱受压迫，犹可忍尿一时，若倒卧后，尿向下行，几欲胀破膀胱而溃决。有尿在内作祟，睡焉能稳？故夜间当监视兵未来，则偷偷起坐片刻，以资忍煞。

今早八时稀饭忽改为豆浆，每人一碗，油条一根，大家乍得此新鲜食品，均似获珍馐，一饮立尽。

午十二时半，我已吃毕送来的饭，忽听我母又在天井讲话，我甚焦急，虑监视兵厌其繁扰，加以驱逐，则老人将何以堪？嗣闻我母对监视兵言：“此来已得总部许可，领有一纸牌为证。”马场似在旁翻译。未闻监视兵发作，旋见“小伙计”提一饭盒走来，至六号唤我云：

“你母亲为你送来的饭，你可以吃罢！现在特别通融，将你母亲领进来，见你一面，但你不要多讲话，你要知道这是我个人同情于你的办法。”何为我翻译，我表示谢意，少顷我母果由引进。留置室黑暗，白昼亦燃电灯，老人乍入此间，如入鬼域，二目昏花，不辨我在何处。我忙低呼，凑于栅门，隔栅相见。母亲看我发长披肩，蓬头囚首面无人色，早已忍泪不住，对我大哭。同室被禁诸人，触动伤怀，感慨遭遇，均皆泣不成声。鄂玉成、李恩庆、关子云、黄奇峰、程福巨、跛子等更泣不可抑。我强忍悲泪，询母亲遭事变后身体安否，家人如何，母亲且泣且告我伊身体犹好，家人亦安，现已迁住英租界，嘱我不必忧虑，末并询我何时可以出去，我道：“大约还得二三个月，目前料无被释之希望。”母亲闻我一时尚无获自由之望，愈哭不成声。我忙安慰道：“何时被释，实难预知，也许最近被放回。”一我恐“小伙计”不耐久候，有些厌烦，忙劝我母回去。我母告我：“伊为我衣物饮食的送进，已前后去宪兵队十余次，不顾叱骂，一再恳求，今日方得准许，以后每天即可直接送饭前来，你要放心保养，只要有性命出去，再图施展。”我忙应“是”。我母于是痛哭而去。“小伙计”在旁见此一幕悲惨情景，亦为之偷弹眼泪。

鄂在我母去时，感动最深，纵声大哭。何刘斥其不当，谓不应该大哭失声，应知此举是“小伙计”特别通融，渠须担负责任。你似此大哭，惊来其他监视兵，致“小伙计”受处分，未免对他不起。鄂哽咽道：“我实在制止不住伤感，因王先生母亲的来，想起我的七十多岁母亲了，所以声泪俱下。”

我看母亲送来的食物，乃是汤面一种，大约是头次送进，仓卒置煮，不敢必定可得送进，故只于此，我虽吃饱，觉慈母躬自不畏艰险送来的食物，不应辜负老人厚爱之意，勉进半器，余分与鄂胡吃掉。我今日看见母亲已消瘦许多，老态龙钟，不复似昔。自忖老人从我作囚以来，愁肠百结，忧心如焚，精神所受悲苦，必臻极巅，兴念及此，为怅惘久之。

我自天津战起，在总队部羁押，孙宝山等曾隔室询我以大家安危及自由问题，我判断起码须被禁三月，必得敌在华北伪组织作成，战事顺利，我等方有生还之望，今我已被禁九十七日，超过预期三个月，以近日在此中听传进的消息推测，沪京济如不落于敌手，宪兵队看到我无能为力时，决不能放我。故我自今日起，仍得平心静气，不急不躁，打叠精神，蓄养体力，再准备作囚于此三个月，以待敌人舒掌纵我。今日对母亲所说尚得二三个月出去一语，即根据此种测断。

晚六时我的饭未送来，颇耽心母亲未能十分办通。延至六时半忽送至，菜两种，面食一种，吃不消，分与同室中人多半，刘何吃剩的亦分与大家。此室被禁诸人，受我三人惠殊多也。

鄂尚不能起坐，唯创口大半已痊。

十月二十五日　星期一

今日由早八时起，见宪兵陆续送来童子多名，均禁于八号内，童子因何被捕？实莫解其由！

旁午“小胖子”值勤，唤跛子出室，打扫留置室外间。跛子归来告众，渠看见八号已坐有十余名童子，年龄最长不过十四五，幼小者仅十一二，渠识得内有数名是卖报生活的。故推断必因卖反日报纸为捕来。

童子既多，又患冷患饿，年幼的思家哭泣不已。我等闻之，殊为痛恻。

晚间无稀饭，每人发给窝窝头——玉蜀黍面制成——二个，小如鸡卵，凡接到手内，均叹息不置，因吃此一点食物，直等于无。今夜又须大挨其饿。八号童子们接取少迟，竟为同室中保安队代为夺去，两口吞尽，童子等大喊大哭，“马面”“毛包”听见，启门入内，不分老幼一律大打，童子被打既痛，哭声愈纵，“毛包”等后无办法，只有任其啼泣，隔室闻之更如刀刺于胸。

晚六时，看见宋金义被提至外室，由“黑大个”监视洒扫，过我门前低问“王先生还没出去吗”？我亦问渠“病好没有”，渠对：“好已半个月了。”

每日最难忍挨者，为晚七至八时，人人在此刻疲倦欲死。盖由早六时许起坐，不许活动，终日静坐，监视甚严，话不准谈，自然人人精神耗散，迄至晚七时，坐逾十三四小时，实已无力再坐。盹睡既所不许，大家唯有强自挣扎，互相照看，但任是如何彼此警惕，终不能驱遣疲惫，故方一交睫，即昏然入睡。无论何人皆疲得东摇西倒，眼难睁开。头失支持重心，如金鸡之乱点。

刘友惠，何复述更甚，刘昏昏然如不倒翁，坐于其侧之人，时须将其拖醒。何则头甫依壁，即起一鼾声。疲倦至此，可云极矣。

胡于晚八时许，与工人张连发立于栅门，拟要求监视兵准倒马桶，时为“马面”值勤，疑有暴动，转至后窗，突将窗户启开，厉声叱咤，罚两人立正而站。旋又报告于“老头儿”“毛包”等人。“毛包”“大金牙”气势汹汹，开我室栅门，拖倒胡张以木棒痛打，两人痛极长号，我等对之心惊色变。“毛包”打毕，厉声问，我等是否有意图逃，倘生此意，打死勿论，嗣见无人应答，仍罚胡张立正站立，不许睡觉方去。

五号亦有人被责打，号叫声复戾，旋闻亦遭罚立正而站，不得睡觉。

至夜十一时许，“黑大个”值勤，方许胡张睡下，两人竟站立三小时半，腿已酸痛。若再逾半小时许，不得赦免，必将仆矣，五号的被罚人，更因站立时久，偷自少息，为“毛包”走来看见，关照各班监视兵，不许其人睡倒，此人竟为罚立正一宵，所受痛苦尤甚于胡张。

十月二十八日　星期四

今早五时，即为八号一般童子吵醒。八号日来已禁闭五十六七人，室小人多，拥挤为各室冠，夜间二十余名童子，被挤得时起争吵，有时半夜啼哭，监视兵虽打亦不能制止。夜闻八号人多，马桶常满，童子嚷尿喊屎，哭闹要求监视兵准倒马桶，监视兵恐深夜启门，发生意外，十九拒绝，童子哭求不已，与监视兵呵斥声一应一和，往往终夜不休。今早则因地小人多，挤压的一童子大哭，争吵起来，时“小胖子”值勤，以手蔽耳，躲往室外，俟哭声停止方进来。可见此辈监视兵亦感苦痛，无善处之法也。

“毛包”值勤，逐室宣告，凡是白昼打盹睡的，罚立正站立。讲话的不给饭吃。旋又送来“留置室犯人心得”，每室张贴一张，令大家默记遵守，此为我在总部留置室见过的，无何新例。

今早复给豆浆，但内搀冷水，已起化学作用，既黑且羶，不能入口，各室均未用，摆于栅门内，“毛包”来看见，尚有几分人心，找马场来，略有责斥，马场忸怩而退。后令中国仆役收去，并问各号犯人谁有钱，可为代购大饼，但各号人犯，均曾于被捕来时，搜洗一空，故对此宽放，无认领者。百余人遂挨饿一早。

午前十时，刘友惠、何复述被提出，午后三时归，两人均有喜气，对众讲，今日受讯，未遭责斥，案已终结，度不久可获自由。

午后“黑大个”监视马场以铁桶盛温水送进，嘱大家洗脸，此为向来所无的享受，众人洗后，颇觉“神彩焕发，去垢出光”矣。

闻“毛包”在点各号人数，令各号犯人自报数目，计“五号”十九人，“六号”十八人，——张连发二十六日释放，“七号”二十五人，“八号”五十六人，“九号”二十七人。共一百四十五人。

今晚二宪兵来，挨号查问谁是夏天被捕来的，各号向之说明，二兵笔之于册而去，众猜测何故。我道：“恐宪兵队因苏月亭之死，略动恻隐之心将为著单衣的，觅些防寒具。约觅来的不是天津监狱的囚衣，即属保安队或警察的旧棉制服，反正不使你冻死而已。”

晚间囚粮仍是鸡卵般大窝窝头二个，诸人每一见此，则愁皱双眉，认又须忍受一宵的饿罪，吃窝窝头后，需要水饮，向马场索要，拒绝不给，大家干渴逾恒，值“小胖子”上班，恳乞多时，始获得温水少许润喉。唯有一桩最为效验，假使晚间诸人吃得窝窝头，则排尿减少，马桶可延至翌晨五时至六时满。大家最低可少二小时胀尿之苦。

今晚刘何饭忽未送进，渠二人询之监视兵，对以两人饭盒置于门外，不晓何时为人偷去，因无饭盒，致未送到。两人乃俟我饭送进时加入共食。

十月三十一日　星期日

今晨九时各号倒马桶，看见赵新由五号走出，手铐已脱掉，但面容身体瘦损许多，提马桶外出，身躯微颤，似饿得已无气力。我室跛子亦外出倒马桶，乘监视兵未在，询赵手铐何时摘脱。赵告以在十月十五日，七号室发生越狱之事前夕，计被铐七十余日，两腕业各被铐一深痕。

鄂玉成与赵新父同乡，渠谈，赵新原是东北中山学校学生，平津事变后辍学回津，拟转西安入东北大学，不意在津特三区被伪警探盘获。其父闻知自北平来津，辗转托人运动，曾在莳苗手中贿赂数百元，求去掉手铐，莳苗受贿后，认赵父颇有油水，故不释放，亦不为去手铐，赵父复又行贿，前后花去颇多，恐系贿赂之力，赵手铐方得摘下。

连日各号犯人颇多收到家属送来衣物者，刘友惠、何复述、周谦、曹振华、孙宝山及铁路工人均接到二三件棉衣等物。北宁路局则为被禁的工程司段长等出公款送来毛毡一床，毛衣裤一袭，饼干、罐头等数种。

“黑大个”值勤时，语我等，《新天津报》社长刘髯公君业于两周前释出。生宝堂君及七九号图越狱逃逸等人犹未放，禁于何地，渠不知。

肠胃病复发，“小伙计”值勤，烦其转告我的送饭人为买一瓶胃药送来，得其许可，令我开一字条，由渠交与我的送饭人，晚间竟得照购送进。

马场又翻花样，今晚囚粮，改给黑面饼，每人一小张，约重四两，外给大葱半段，面酱少许，众人吃后，复不给水饮，肠胃作烧，干渴一宵，有多人竟因渴而不得入睡。

“小胖子”对何谈，渠是民航公司飞行师，取得航空驾驶员资格，将来渠转入空军，俟对苏联作战时，发挥其驾驶技术。此兵殆完全一法西斯皂军思想最发达者也。

刘友惠谈及西安事变因果，颇多谬论，何复述从而和之，我为辟解，发生争论。最后我谓，以思想与素行并个人所持的政见而言，我等无接谈的必要，盖尔我行径不同，薰莸难以共器，只以同是中国人，抛开个人平日行径，专就在此作囚而论，大家尚可互相照应，故以后我等以勿谈思想，评论政治为是，否则意见径庭，持论凿枘，不可须臾共处也，刘何面赤默然。

十一月三日　星期三

今早六时，为“毛包”唤起，睡眼惺忪中见有许多日兵前来，伏各号栅门参观，扰攘迄七时方去。

八号被禁童子清晨即啼哭，“毛包”不明原因，领其中一年较长的来我室，令何复述询问情由，翻译渠听。

据童子谓，被捕到此已十余日，每日吃不饱，睡不好，又想爹妈，所以哭泣，恳求早日释放，以后可不再做卖报营生。“毛包”闻之不语，仍将该童子领去禁闭。

李恩庆是北宁路魏善庄段工头，年已五十许，与其子同遭捕来，前日受第二次审讯，两腿被打伤，左眼角亦红肿。已两日未进饮食，今早坐起后低与其子——亦禁六号内——耳语，且说且流泪，众皆莫明其妙，询其故，李叹息道：“我这里是嘱咐我儿子家务，所有家下人欠、欠人及一切经手的事，交代明白，免我有意外时，我子不摸头绪，无法清理。”众问何以有此准备？李又愀然道：“诸位不晓得，前日我被提出后，受日人重刑，后又书一字条贴于我头上，文为‘枪决破坏交通，妨害日本军运犯李恩庆一名’，复于我腹上朱笔写一行‘抗日头儿’四字，故我测知，决无生望，不得不希望吾子早得释放，继我事业，办理未了各事。”众闻之大笑，告以此系日人故寻开心，并非实欲此作，切莫恐惧，将心放稳可也，李将信将疑。

监视兵更换四名，“马面”、“毛包”、“大金牙”、“老头儿”调走。新来的四名，一身躯高大的上等兵，我等命名为“半截塔”，一蓄有小髯的命名为“小胡子”，一面孔死板，毫无笑容的命名“冰面”，一年岁似少身躯瘦小的命名“小孩儿”。据“大金牙”告何，彼等将开北平，将来或转赴石家庄，此地由幼年兵——即现役兵——与新开到的预备役兵负责。

近来我等默察监视兵性质，预备役兵，社会人事的经验较富，虽不甚责打留置犯，但监视则严，凡事不予通融，一似渠辈此次被征集入伍，与我等抗日份子有关，渠等厌烦兵役，遂兼厌我等。现役兵有时性情较暴，好责打犯人，然有时犹可激发人道同情心，少予事务上的通融。此则两类监视兵不同之处，有如此者。

连日马场所送囚食，稀饭多酸冷不堪，且稀薄愈甚，各号留置犯皆喊饥饿难挨，向监视兵“小胖子”，“黑大个”要求转详总队部添给，两兵不作表示。

北宁路老工人谢每夜睡马桶旁，头靠马桶，致一遇大小便者，即溅满脸嘴，因以屡起争吵，众劝其回头朝东，颠倒睡下，谢又不肯，渠但盼有人释出，室内松动，则渠可选一好去处睡卧。

十一月五日　星期五

今早八时鄂玉成李恩庆及铁路工人悉被提出，十时归来，据云，渠等是被提往总队部，每人胸挂一白纸条，上书姓名，所有工人均令分持锨镐。工程司，段长及路局副局长张润田和科长马增祺坐于正中，由日人拍摄照片多幅；送诸人回来。众测宪兵队此举，必系认定鄂等为破坏交通，妨害日军运输犯，拍摄照片呈报主管机关备案，并揭露报章上，夸大宪兵队的功绩也。

午前十时许三名宪兵来，送与各号破旧保安队皮大衣各七八件不等，令未著夹衣，夏日被捕作囚的人穿著，六号共得八件，由黄奇峰、关子云、邵逊伯、路工任、谢、跛子、大饼司务、包子司务等八人分穿，一室之内，皆成保安队，八人彼此互视一种尴尬形状，相与而笑。

马场送饭时与刘友惠言，外间发现真性赤痢，日租界疫死数人，津各租界正为此急于预防，刘友惠何复述两人的饮食，本自井上家送来，现因井上家亦发现疫病，且已死一人，宪兵队虑病菌传染至于留置所内，特令暂停送进。刘、何日来正分食我饭，三人一份，各不得饱，两人既为饮食问题忧虑，复由此事推测渠等前途，必将不利。我亦因刘、何饭不送进，原因莫明，疑系宪兵队将取消所有外间送饮食举，虑我的特殊优享，或亦不久绝断，今得马场传达消息，疑虑皆消。

留置所外室今日起，按置铁炉，一在六号门外，一在八号门外，但未即燃着。

大家留心新来监视兵，“半截塔”“冰面”监视极严，说话蛮强，且不可理喻，早间我等要求倾倒马桶，亦所不许，大声叱骂，指我等啰苏。“小胡子”向不负责，值班时，则躲往天井内站立，或门外游动，进内时殊少。“小孩儿”较好讲话，所以求水，倒马桶等事，均向渠要求，否则须待“小胖子”、“小伙计”、“黑大个”值班恳乞。

“冰面”“小胡子”值勤，不论何时，大敞后窗，今日天阴风寒，早六时一刻后窗即由“冰面”敞开，我等挨冻四小时许，至“小胖子”值勤，方求其关闭。现今我等又多一开闭窗户忧虑矣。

今夜有八人穿皮大衣睡觉，占地较多，至为拥挤，大家乃侧身而卧，除马桶外，室内无半尺余地。

十一月六日　星期六

今早四时许，多人为尿憋醒，马桶已满，无处排泄，大家低语，应如何想法，获准倾倒马桶方妙，但值勤的恰为“半截塔”，渠向来不喜启门监视犯人作此事，自无获准希望，大家唯有眼巴巴延挨。迄六时半“小胡子”值勤，渠首先办理之事，即敞开后窗，然后躲往天井，虽呼之亦不来，时一线天空，犹未发白，早风殊厉，吹入室内，吾人又冻又得忍尿，大家苦急，只有以手捧腹免其胀痛。七至八时为“冰面”，向其要求，渠则骂以讨厌。八至九时为“小孩儿”值勤，大家认为马桶可以倒矣，讵五八两号向其甫一要求，渠竟大怒，厉声责问，为什么一到他值勤时，即要倒马桶，五八号中人被叱吓难以回答，“小孩儿”气忿异常亦躲往天井，不再进来。九至十时应为“黑大个”，但自上班后，即未进来，七号有人大喊“马桶满了”冀监视兵获闻，进来询问，但竟未来。我等憋的坐立皆难，情急万分，直至十至十一时“小伙计”值勤方得倾倒，马桶入室，大家争先排溺，仅半数人溺毕即满，复又哀求“小伙计”再准倾倒一次，才算解决此事。

鄂脱下衬衣捉虱子，虱子之多，几难以数，坐闻其以指甲辗压咯噔之声接连不绝，约半小时方毕。何复述亦痒发脱衣寻找，捉到之数，不下于鄂。

关衬衣破，渠于壁间寻得一极细铁丝，磨其一端尖锐，搓衣服拆下的线头为线，耐心缝连，费三四小时工夫，居然缝好，我因想“天下无难事，只怕心不专”一语，洵非欺吾也。

“小伙计”值勤，手一报纸立于栅门阅读，偷觑其题目，知日军已抵太原附近，代、雁、同蒲北段各要隘皆失守，颇为不快。

我偷写一字条，拟乘间放在我的饭盒内，传与我家下，询家人状况，但虑为监视兵查出，停止我饮食之送入，踌躇半日未敢为。

今早又给豆浆油条，豆浆多半搀入温水，大家如饮水一碗，毫不解饿。五号因禁十九人，马场只予油条十七根，求其添给，马场怒骂，并唤来“半截塔”，将五号中人，痛加叱骂方已。

晚间未给稀饭，每人给予半段煮山芋，众与马场争论，马场谓外面发现传染病，被禁于此的留置犯，为免得传染病死去，少吃点东西没什么。大家既气且饿，无可如何。夜间有多人因饿极发慌，辗转不能成寐。

十一月八日　星期一

今早九时许，中国仆役来送洗碗水，我乘监视兵未在，偷递与钱两角，嘱其为买报纸一份，悄由后窗孔塞进，渠应诺而去。

卖包子司务，是因便衣队嫌疑被捕，拘禁已一月余，每当夜阑人静，则偷自弹泪，近来复患赤痢，愈为愁苦。有一事为渠所发明，诸人竟仿效之，渠夜间畏寒，两腿尤甚，乃将皮大衣倒转，而腿插入皮衣袖内，另以麻绳，（我送饮食进来时，每因裹扎物品带入细绳，监视兵有时疏忽，则忘取去。）将袖口扎好，使两脚不致伸出，睡倒后，再将纽扣合上，如此蜷屈而眠，有铺有盖，较仅覆衣于身上暖和多矣。

关子云尝随川岛芳子干秘密工作，据谈，川岛已三十六岁，面孔甚长，并无半点女人姿色，伊颇知藏拙，遂为男装，实则伊何尝不愿著女装，有一次伊换女装，顾镜多时，愈看愈觉难看，赌气将衣服撕毁。伊住津日租界宫岛街，门额悬王将军公馆，与刘桂棠等人往来甚频，伊拟假关东军力量，在华北弄一局面，但遭华北驻屯军之忌，暗地破坏，民国二十四年冬，天津的伪华北自治运动，即伊与土肥原所鼓动。因华北驻屯军司令官多田骏反对，并驻屯军参谋长酒井隆的嫉妒，授意天津市长程克公安局长刘玉书，一方向驻屯军直办交涉，一方则加紧天津戒备。结果土肥原川岛的计划遭逢打击，未得实现。川岛后来因花用“伪满”秘密费太多，同时受关东军的怨怼，并因受制于华北驻屯军，遂于今春以养病名义回日。川岛丈夫为蒙古一王子，曾留学日本陆军士官学校，久已不和，其夫对伊行动不敢干涉，晤面亦少。两人结婚后生一子，年已十二，川岛令呼伊为父。每日往访伊的朋友极多，殷汝耕亦幕中一宾。每值客到，男仆均不能入客堂以内，非传呼虽其仆亦不得进内室，故伊究有何种行为则不能知。

午前十时许，宪兵送来犯人十五名，关于七号十二名，关于五号二名，关于六号一名。入我室的姓名厚学文，山东乐陵籍，在津锅店街设一枣庄。渠充经理，尚有一总经理刘姓，与宋哲元同乡。枣庄资本五万元，多半借自宋母，战事既起，刘畏牵连逃逸，由厚在此负责。今晨六时，忽去日宪兵二十余名，及当地警察多名，将枣庄包围，渠与账房及主要柜伙五人，皆为捕来。同院尚有棉花堆栈等业，其柜伙执事人，亦一并为捕来。尚有一油行前任经理，今早病死家中，无以为殓，由其妻弟来访现任经理告帮，犹未谈出结果，日宪兵突掩至，遂一并被捕，未免太屈。

厚谈，津东马路商店半已复业，市内电车已通，但各业萧条，仅租界内畸形发达，尤以饭馆、浴馆、旅店业生涯鼎盛。晚六七时无论到租界任何饭馆均无空座。又云，宋哲元除其母妻等在天津英租界住外，男丁皆已逃往南方，英工部局恐日人往滋扰，派有警捕在宋宅附近逻守。

午后四时许，中国仆役行近后窗，匆匆塞入一份日文《京津日日新闻》，跛子看见，急取下置我坐后。迨"小胖子"上班，常立八号门外，与犯人捣乱，不到六七号门前，我乃将报纸裁割为数段，偷自阅读，得知日方正在酝酿华北伪组织，山西战事，太原我失守。平汉路我军退大名石家庄以南，津浦路日军已渡河，正向济南进攻。阅毕又为之怏怏。

今晚马场改给馒首，每人二个，不给水饮，大家又干渴一宵。

十一月九日　星期二

今晨五时三刻，“冰面”即将后窗敞开，星光犹未尽隐，寒风吹入甚厉，大家均为冻醒，既无唤起之命，唯有倒卧地上挨冻，迨至六时一刻，“冰面”下班，“小胡子”上班，方令大家坐起。李恩庆、谢、跛子等早已冻得鼻涕下注，颤抖不已。

早九时厚学文被提出，午后三时归来，两中国仆役搀扶，不能举步，进门仆于地上，时时蹙额皱眉忍痛，一件衬裤，披于肩头，被水湿过，犹滴答不止。“半截塔”值勤走过门前，叱令坐起，厚不能转移，但“半截塔”绝对不许渠倒卧，大家七手八脚，将厚移至墙根倚靠。厚口渴唇干。我予以储水——我家下送饭时，每次带进一暖瓶沸水，不敢浪用，每天特储留一半，为大家万一时饮用便利——少许，渠饮下后，情形始略好。

黄奇峰尝加入“正一天心龙华圣教会”，该会为数年前轰动山东的马皇帝所组织。马为韩复榘驱逐，逃匿天津日租界须磨街住居，犹借日方保护，阴自进行不规。日方亦愿庇荫豢养，备为他日之用。据黄云，马本人与伪东西两宫妃住津英租界四十五号路永定里内。其秘密机关设于日租界须磨街。入会男女教友已达七八万，散居山东河北河南三省。凡入会教友，均蓄发留须，蓝衫左衽，结一发辫，戴红结青帽。一人入教，全家均入，教友均住会内，资财悉献纳于教长——马皇帝，再由教长供给饮食需要，无论资财多寡，皆一律待遇。无事教友不得外出，亦不得与外界联络，每日除唪经外，不得作他事。所持教义谓“天下黄阳已死，青阳数尽，白阳当立，白阳真命主人出在山东，应运于马皇帝，故不久将来，中国山河，须由马治理”等荒谬之说。入教的多属愚氓，自不辨邪伪，故信之甚坚，只天津一地，已有教友二万余。目前据云青阳之数，尚有二三年寿命，不便发动，待二三年后，再由白阳命主出世，届时天下归心，万邦一统矣。我问黄为何退出该教，不俟马皇帝“龙飞九五”之日，获一“裂土分茅”之封？黄赧然道，天地间那有如此易事？我多少受过中等教育，安能信此谬说？彼时加入，不过为好奇心驱策而已。

午后一时许，“冰面”值勤，觉室内阴寒，取进木煤升火，唯火炉未曾装好，烟冒一室，六号八号适对火炉，直当其冲，烟入室内，弥漫不散，后窗早已关闭，要求“冰面”敞开，遭其大骂。渠畏烟躲往天井，我等被烟薰呛，咳嗽流泪，殆至晕仆，约半时许烟方吹散，大家渐复常态。今日多此特别罪苦，宁愿多挨些冻，不再冀炉火升起。故旁晚“黑大个”值勤，亦畏寒升火，我等急向其说明，恳其停止，幸得渠许可。

晚间马场发众人食物，每人窝窝头三个，大小不匀，总计共重不及五两，在渠已示为众增添之意，在众则觉此三个数目，较两个多重无几。众人吃完讨水润喉，迄“小胖子”值勤，始给每室两碗温水喝。夜间有数人以饮未沸水，食窝窝头，竟致腹泻，而米殿贵尤腹痛似绞，幸我家下日前偷于饭盒内带进万金油两小盒，和水给米饮下一半，方愈。

十一月十二日　星期五

今早五时四十分，“冰面”值勤，又将后窗大开，寒风入骨，砭肤起鸡粟，我坐处适在窗下，骤为寒风吹入，连打冷战，胡等劝我移往墙角暂住。我移坐未久，“冰面”接连走近栅门数次，向内探望，且露诧疑之色。最后一次，慌急跑来，问坐在中间那人到那里去了，我知渠是问我，盖我终日坐在正面墙下，渠等看得最熟，今我忽移往他处，地位空虚，渠遂起疑。乃告以我患感冒怕风，躲此墙角取暖，渠瞪视多时，始去。

昨晚马场提苹果一篓，逐号分送，每人一只，大家得此意外果食，皆大欢喜。我总觉日人突给众人水果吃，不能无故，因向众提示此意，众亦纳闷。我推测道：“假如有故的施予，恐系上海陷落，日方庆祝，军中领得此物，宪兵食余，分给我等。”一众亦信多半如此。

午后周身发烧，寒冷时作，“八段锦”甫练，头忽晕眩，站立不稳，两额角疼痛殊剧，延至三时，实不能支持，倒卧休息。“半截塔”值勤，询知我病，未说什么。晚间头痛欲裂，自抚体温当在卅八至四十度。烧得面红耳赤，舌唇皆干。周身筋骨，无处不痛。两腿及腰因夏日睡于湿水门汀上，受病业深，刻均发作，动转欠伸皆酸楚至极。略一交睫，即出盗汗，衣服皆为湿透。昏迷中不复辨一切，晚间家中送饭前来，由刘何接入分吃。我饮食不入。夜深病痛每欲呻吟为快，但觉如此，则似乞怜于敌，有愧中国丈夫，迷惘中极力克制，幸无丑态。

十一月十三日　星期六

今早病势少减，唯头仍疼痛，腰酸不敢欠伸，偶一呼吸，亦觉后背酸痛，如针刺肌肉。勉强坐起，至九时复觉头重脚轻，两目昏花，遂又颓卧，监视兵等走过，看我睡倒，问明缘故，查我非属虚伪，未作何说。

胡春水跛子等亦患腰痛，黄奇峰关子云李恩庆等皆患脊背酸痛，大家研究原因，查明是地板不严，中多宽缝，风由地下吹出，席上既无铺盖，乃均受风寒致痛。胡、李、跛子三人，坐久则腰不能伸直，故乘监视兵换“小胖子”“小伙计”时，即偷藏于墙角，站立片刻，俾血脉得以流通。一般均虑腰病将成，假使徼幸获释，痛疾业已在身，有何事业，亦不能举办。彼此一言及此，则愁锁双眉，太息弗置。

今午稀饭，内有牛肉，众食之甚甘，但莫明添加牛肉之故，大家研究多时，认为必是上海陷落，敌宪兵庆祝，食剩罐头牛肉，交马场和入囚食内，为啜余之恩赐。

晚间仍发窝窝头，每人二个，较前略大。现在众已明白，每周囚食种类的分配，星期一三五早间给豆浆油条，午稀饭，晚窝窝头。星期二四早午晚三次均是稀饭。星期六早午稀饭，晚窝窝头。星期日早豆浆油条，午稀饭，晚两个馒首。每周共计十余次稀饭，难获一二次可以吃的。其余各次不是微温，膻臭，即是乌黑多沙，而冷饭则搀入多半。马场盛饭时，积有经验，信手一勺，多不去寡不添，吃多吃少，在凭运气。六号中人，因互相约束，尚无争多嫌少之事，八九两号每因抢夺吵闹，一般孩子，争抢不过，即大哭不已，监视兵叱咤詈骂，开门痛打，仅可补救一时，下次仍然。“小胖子”“小伙计”今日为此，来我室门外对何大发牢骚，谓对此种勤务厌烦至死矣。

晚八时许，“小胡子”值勤，忽跑至六号门外，对我等言："你们快都释放了，上海完了，日本军占领上海了。"我正头痛难忍，闻此语后，更如遭梃击，呆注栅门多时，失却知觉。少时马场进来在五号八号九号三室外喊告留置犯："你们上海完了，日本军已有电报到来，确实占领了上海，你们快得自由，快都放出去了。"五号留置犯，闻后未有表示，想见内中犹多明事故者。八九两号多羁押些无识份子，闻得将要释放，只知个人将脱离罪苦，日人因何要释放彼等，则非其思考所及，竟忘所以，鼓掌欢呼。监视兵看见此种病狂中国人咸轰笑不已。我侧耳听得，痛疚万分，觉中国民族意识缺乏，国家观念薄弱，世界上人类殆无其匹。日人久已看透，故敢以九千万民众而行征服此四万万五千万地广人多的国家也。

夜间因受刺激过深，忘却痛苦，只为战事前途忧虑，觉日人所说消息果实，上海我若退守，敌方必将尽量运用其海陆空军力量，向南京攻进，结果南京发生立体的战斗，敌势较我必优，恐首都亦必不保。目前仅望上海撤退，系有计划，军队不是崩溃，而是战略。步步为营，沿长江及沪宁路仍可抗拒，不致令敌骑纵横，长驱直入，首都犹可从容布置防御工事，是则尚有可为。否则南京若再不守，影响我抗战大局殊重矣。夜间不能入睡，辗转迄十四日拂晓，刘友惠已睡醒，见我未睡，问我以故，我含糊应之，刘道："消息真伪既无从辨，且你在人监禁中，切身问题犹未解决，何苦添此心思？"我道："个人生死事小，国家存亡事大。我只知国亡之后，以最小一点言之，我出去后亦无事可作，因日本人决不许你中国人安分生活，获得职业。上海陷落，南京决不能久守，南京若再陷落，抗战形势大变。伪组织必将立时出现，我等虽幸于彼时获得自由，试问将若之何？现身于伪组织集团中欤？远移南荒，尽毕生之力于复土运动欤？此为大问题，亦民族存亡问题，子孙是否作奴隶问题，不能不忧虑也。"刘不言。

我瞪目迄十四日天明。

十一月十六日　星期二

今早五时，即偷自起坐。盖自闻得上海陷落消息，觉关系抗战前途最重。我国经济文化，向来置重心于此地，一旦遭敌攻陷，则我经济文化基础皆生动摇，固不待言。即以外交、关税而论，亦有重大影响。我苟浑噩，愚昧，明白通达者少，当然对此一地之得失，不作何感觉。偏生我又晓然此种情形，遂愈思而愈忧虑。由十三日晚听得消息后，今已三夜未睡，非不欲睡，实因受刺激过甚，欲睡无从睡着也。今早众人起坐后，见我二目以连宵失眠故已红肿，均劝我勿太忧思，徒害自己。

早十时许“小伙计”值勤持报一份，立六号门外阅看。嗣行近栅门前与何谈话，告何“日军占领上海后，正分军两路，沿沪杭甬铁道，向杭州南京攻进，其攻向南京之一路，已距南京不远，山西方面日本军亦甚得势，中国军队皆沿铁路南退，代县以北已无战事”。我不敢听此种消息，偏是听到反多，急以指伪作挖耳，以遮蔽消息的听入。

鄂以饼干铁盒盖代镜用，照渠自己面孔，忽长叹一声，掷铁盖于坐旁，胡等问以故，鄂道：“如此形状，怎能回家见妻小，人不人，鬼不鬼，社会不谅，亲朋不了解，倘使生还回去，自会有人疑你未死日本人手中而惊讶，甚至有疑惑你的获得自由，必已承认日人若干条件，供日人驱策。也会有人怀疑于你的生还，而躲避你，不接近你，怕受你陷害，所以莫若死了干净。”众闻之咸有同感，相与喟叹。

我亦揽饼干盒盖一照，则觉镀镍铁片中显出的一人，我几不识。发长如鬣，眉毛半脱，二目因三宵失眠，白眼球红赤若血。两颊瘦削，颧骨高露，须髯五绺，长过三寸。面上黑垢块块，宛似卑囚院中之老乞丐矣。

旁午“黑大个”提一包袱到六号送与我，谓我家下送来的，我接入检视，则为旧毡及羊皮褥各一条，衬衫一件，袜子两双。因知我母必恐我冷，特又不避辱詈送来，衷心感激几于涕零。

晚九时大饼司务，包子司务同时提出，二人合戴一手铐，初时众犹认是提讯，但迄夜十二时许犹未归，当系释放，或移地禁押。

今晚八至九时为“半截塔”值勤，通常应于睡前倒马桶一次，但向之要求，竟叱骂不许。九至十时为“冰面”值勤，众再向渠要求，“冰面”则骂大家为何不于睡觉前报告马桶满，现届睡觉之时，不能专为此事开留置室门。众不敢再行要求。唯马桶已满，的属实情，且有多人业憋尿多时，若今夜不得倾倒，至少有十分之九留置人难以安睡。五、八、七三号亦以求倒马桶被叱责，想彼等必亦在焦急中。迄十七日早三时，众已因憋尿辗转于卧处，大感痛苦，适“小伙计”值勤，五、六、七、八四号同声哀恳，始获启门放出一人提桶倾去。

十一月二十日　星期六

今早四时许，“小胡子”畏寒，升炉火，烟冒一室，我等均于睡梦中为薰醒，咳呛眼泪交作，不能须臾耐。“小胡子”转至后院，敞开窗户，冷风吹入，烟虽渐渐散尽，但寒砭肌肤，均抖头不已。我新病未愈，为寒风吹中，复患感冒，早六时坐起后，即觉头重，周身发烧，两颊亦红热如发火。服“万金油”半盒，以为可以清爽，讵药力不宜，午后忽周身发痒，胸腋之下，发现红色小粒，抚之发热，抓挠则痛，同时咽喉红肿，饮食亦不能下，支持不住，又复倒卧。监视兵走过厉声询问，逼我起来，我时已昏然，由同室诸人代为陈述，始悻悻不满走去。

午刻家人送饭来，我力疾接取，传交饭盒人为“冰面”，检视甚严，逐一揭视，即饭盒底亦检看。我拆开一水果包，发现内有一纸条，大惊，急以手捏住纸袋，将水果倾出，纸袋掷于门旁，“冰面”未取回验看，幸得骗过。待其去后，偷将纸袋取回，查视字条，则为刘友惠家人所写，告渠托我家送饭人，带来水果一包，并告以井上家中发现疫病，宪兵队恐传入留置所，暂停其送饭，俟消毒期过，继续送来。

今日午后二至四时，不断来有参观的日兵，每到一批，由“半截塔”引导，口讲指划，告参观兵士以我等被拘原因，惹得各兵百端嬉笑嘲骂，我虽于昏迷中，闻得甚清，此时如坐针毡，恨不得立时蹶起，与倭敌一拼。

午后四时许，朦胧中，周身忽出盗汗，胸腋及小腹以下，发现红点愈遍，受汗湿濡，更为刺属难熬，以手搔抓，愈抓愈痒痛。头部及周身发烧似火燎，手炙可热，众劝我勿卧于窗下，应调换至墙隅，借少风吹，我乃与跛子换坐位，唯睡时仍回原处，以免监视兵怀疑究问。

晚饭送来时，由“小胖子”传入，检查马虎，竟有一张小报得裹食物送进，大家偷阅，得知敌我正在太湖激战，嘉兴、苏州等地战况颇剧。我私忖上海陷落后，敌乘战胜之威，攻取必力，苏嘉既位铁路线内，无险可守，终必沦陷，我军在此与敌死拼，于战略上，军事运用上，皆蹈失算。将来敌包围三角地带之阵形成功，恐我大军撤退亦有问题，思至此觉目前战况危多利少，不忍卒想矣。

夜间每一矇眬，即盗汗大出，衣裤皆湿，遍体奇痒，虑为风侵，不敢转侧，直迄汗势少杀，方一转动。午夜后头痛如裂，口鼻皆为烧干，体热至少四十度，发烧至于昏迷，口中不时出声，睡我旁诸人，时时撼我醒，如斯病苦，默祷不如速死为愈。

十一月二十五日　星期四

今早六时"小孩儿"开后窗，大家被吹醒，冷战一团，索索发抖，惩于我病之由，咸躲开窗口，挤至墙角而坐。"小孩儿"升炉火，仍满室尽烟，大家既薰且冷，向其哀乞许久，方停止炉火。迄九时许"小胖子"值勤，得其许可，方阖上窗户，大家已冻三时许矣。

马桶今早三时即满，要求多次不予倒，大家憋的早间稀饭亦不敢喝，延至十时，“黑大个”值勤，方得倾倒。每日倾倒马桶之事，在大家看来，较吃饭尤为重要。

十时半宪兵多名到来，逐号提呼犯人，八号廿余名卖报童子，及各号押禁的一部保安队，廿九军士兵等共六十余人，一总提出，六号跛子亦在内。先立于外室点名，跛子知即释放，欢喜失常，在六号栅门外拐来拐去向我室内诸人作手势，为矮子日翻译所见，大加叱吓，问跛子是否不愿意回家，跛子不敢答，嗣为拖往一旁罚站，我等均为渠捏把汗。点名毕由宪兵押走，跛子乘矮子未见，亦混人丛中而去。午刻忽有一部报贩及卖报童子回来，跛子亦在内，唯每人襟角缀一姓名条，不知何意，均关于七号，午后三时又复提出，跛子则留置未放，我等深为渠自由否忧虑，讵至晚六时许渠亦提出，迄夜未归，料一并开释矣。

今日共释出六十余人，五号留置室尚有犯人八十余名，除六号释出只一跛子外，其余四号各放出五六名至廿名。我等因六号犹禁十九人，睡处并未宽敞，皆呼倒霉不置。

病仍未愈，头胀喉痛，周身红点未褪，时发刺痒，恐搔抓破皮，变为疥疮，痒极时以手揉搓。愈搓愈痒，此种怪病，不知缘何而得？殊为苦恼。

前日——廿三日——送进新犯人一名，姓名葛少云，曾充津英租界巡警局巡捕长，后辗转加入普安协会，供日军部驱使，今以诈欺取财事件被捕禁。初来时不肯说被捕之由，廿四日一度为提讯，归来时，衣服尽破，殆为日人用刑时，故意撕毁者。渠云曾被捆置“好汉床”上七小时，由早十时上床，迄午后五时方放下，赤体冻置，解捆之时，被冻得已不能言语。七小时内被鞭棒痛打四次，火烧一次，肘膝皆破，臀部烧伤五六十处，只半日酷刑，归来即无人色。众对此人，并无怜恤，盖渠假借日军名义，诈欺一中国人米面店，指其店主通便衣队，店主畏祸，潜贿三千元，渠与一高丽人朋分，事后为同伴察觉，秘为告发，渠被捕来，高丽人则在逃，日人认有损其皇军军誉，所以处办甚严。今日“小胖子”值勤，站在九号栅门外不走来，我等遂得低声纵谈。我问葛，曾读过书否，对以读至初中，我道既受过中等教育，多少已明作人之道。诈欺取财，在法律为犯法，世所不许，在道德为谲骗，有损人格，若际兹抗战期中，民不聊生，凡一中国人，业受尽痛苦损失，与敌人之蹂躏，我等既无力救恤保护，则不应借日势以鱼肉之，你竟毫无心肝，欲乘浑水捞鱼，敲诈良善，一朝事败，被絷而来，虽受酷刑，岂不该当。正恐此室中人，无一人同情于你，似你禁于此地，是自作之孽，耐心等候日人发慈悲放你，不必懊恼伤感也。葛面红耳赤，默然无语。

今日释放之卖报童子，多系十月廿五日左右捕来，期长的被关一个月，较短的亦廿余日。自十月廿五日以后，无日不闻孩子啼泣声，号饥寒声，监视兵叱骂声，夜间争睡地吵闹声，相打声，坐狱在此，耳根犹未落得清静，未免烦恼已极。今夜童子等皆已释放，八号人声转寂，哭泣之声不闻，我等心境少为宽放。

夜间仍出盗汗，颈后发长，出汗尤多，时时汗濡不耐而醒，舌干唇焦，头目森然，觉病状长此缠绵，的是苦恼，不若暴卒为愈也。

十一月二十六日　星期五

今日病仍未减，早间“冰面”敞后窗，望见一线天空，彤云密布，寒风飕飕，若将降雪，对此阴霾天气，病苦在身，愈形烦闷。昨日获阅我家送饭时偷带入小报一份，知《申报》已停刊，我想我应趁此时指示家人，设法营救我出去。因力疾偷写一字条，——此为第一次——禀知我母，就《申报》已停刊，我已失却特派员资格为理由，要求日本宪兵队释放我。并请我母于要求时，务须说明我以后不再干新闻记者职业，用坚日人之信，俾其认我无用而释我。得我字条后，回我一信埋在饭内。多日前我尝写一字条，拟装饭盒内带与家人，询问家人事故，终恐为监视兵发觉，停我饮食的送进，踌躇多日未敢办。今日则觉不如此办，难以推动，日人必不肯放心释我。通常我家送饭两次，一次午十二时半送到，一次午后六时半送到。每日午前十至十一时，午后三时至四时，送饭人来取空提盒。提盒未取去前，有时放于室内，有时乘倾倒马桶时送置外厢，置放栅门侧。故何时送饭人来取，我及同室中人可以看见。送饭人向例不得入留置所地下室外门，只可停于门外，向监视兵交代或领取。我既被禁甚久，对此班监视兵性格，研究甚详，以为必须“小胖子”、“小伙计”、“小胡子”值勤，方可传出无虞。若“半截塔”、“黑大个”、“冰面”、“小孩儿”，则危险较多。今日午后三至四时，适“小胖子”值勤，我将字条叠好暗放于小碟下，小碟装于饭盒最下层——共三层，复恐其翻视，碟上倾以菜汁，使监视兵望见，嫌其污秽，不动手查验。午后二时倾倒马桶开栅门，我将饭盒送置栅门侧，提心吊胆，注意何时提去。并恐监视兵无事可做，行过其前，顺手检视，我秘密败露。虽在病苦中，一分一秒亦不敢松懈。迄三时“小胖子”上班，我知渠绝不注意于此物，心少放宽，将近四时，送饭人来，“小胖子”传与空提盒，我心始落实。

刘友惠谓:“预料你此办法，未必办通，因你家人既未预先约定，你突然放一字条在空提盒内，焉能注意，恐结果你白费心思。”我想饭盒到家，我妻必能整理检查，伊或获得字条也。迄晚六时半，送饭人来，我恳“小孩儿”将其唤进，谓我因病拟嘱送饭人转告我家，改善饮食，并购药物，“小孩儿”竟允我请求，将其人唤来。留置室外间阴暗，电灯不明，送饭人只认作渠有何错误，为宪兵队不满，拟将其囚禁，体似簸糠，面色大变，随“小孩儿”进来，渠既不识我，见我长发如鬣，须髯鬑鬑，囚形垢面，蹲踞栅门内，尤不知所措，我知其吓坏，忙告以我即是王先生，你每天是送饭给我吃的，我现因患病，请你告我家为我买“阿士北罗”药饼送来，并将饭食改清淡稀薄一点。我又告以转告我家人，注意取回去的空饭盒。我讲话甚快，“小孩儿”不甚明华语，故我敢如此大胆的说。送饭人至此方颜色略平，惊魂少定。我恐“小孩儿”注意，即命其去。

众人谈论，以送饭人恐惧形状言，对我言语，绝不会记住。

夜间病苦不能入睡，自思我母若如我言去作，日人倘真视我已无用，最早亦得攻下首都，认为战事告一段落，华北伪政权成立，我不能再作抗日宣传，方肯放我。但我一想到国家民族之事，则觉我不应生此苟免及卑鄙心理，为个人存亡生死着急，而不为首都固守祈祷也。自挞两颊数记，以责我幸求免祸之念。

十一月二十七日　星期六

今日早起，我即盼望午饭送来，借以知我昨日捎出字条，家人是否得见，其实午饭向无如斯送来之早，只是心悬一事，时刻在盼切耳。

早十时许，宪兵送来一人，发须甚长，面白无血色，似囚禁已久。鄂识其人即北宁路局工务处事务科长马增祺。宋于两仆役均来，为其抱持衣物多件，进门后挤坐鄂旁，衣物山积，堆置于身后，颇壮六号观瞻。只是室小人多，本来即患坐卧拥挤，骤有如许物事，愈觉占地过大，有多人被挤无地可坐。

马带有棉被一床，毛毡四床，皮袍一件，毛线衣裤二套，衬衣裤两套，西装一袭，背心两件，暖水壶三只。尚有罐头等食品数种。均渠被禁于总队部时，家下辗转托人送入。

马患病，渠染有鸦片嗜好，在押期中虽不得吸食，但其家下可送进烟药，供其每日吞用。家中并为包定日租界鹿鸣春饭店，日送早茶一次，午晚饭各一次，亦系宪兵队特予优待犯人。

鄂与马同事，患难共处，倍极亲昵，低语不休。马似有神经病，每虑贮水用罄，来未一小时，即向监视兵询问其魔法瓶——暖水瓶，日人称为魔法瓶，发音如毛病——送来否，我笑呼之为马毛病，因渠讲话目直视，而体颤抖，颠三倒四，言不经心，确已种有毛病矣。

午饭送到，我注意翻视各食物，未见字条，觉刘友惠所断未错，果我家人不注意，我白费心思。因再写一条——此为第二次——仍如前法放饭盒内，算定今午后是“小伙计”三至四时值勤，饭盒可安然传出。刘友惠仍谓：“你是白写，因为你家下根本没有这种启示，你这样夹带出去的字条，还是看不见。”我道：“不管它怎样，一次不行，来二次，二次不行，来三次，早晚可以办通的。”

今午“阿士北罗”药锭送来，饭仍未改。可见昨日送饭人，只是恐惧，对我说话，记未周全。

马午饭送进，菜二种，极丰美，鄂得分食，渠吃的问题，暂获解决。

“阿士北罗”服下后，静卧片刻，汗出周身，刺痒愈难熬，唯头热略减，体热稍退。

午后四时饭盒取去，夹带字条未被发觉。晚六时半饭送来，仍未发现家中回信，颇觉气闷。乃再写一条，此为第三次——准备明晨十至十一时送饭人来取饭盒时带出。但预计明晨十至十一时值勤者为“黑大个”，倘监视兵抽调一人赴总队部服务，则是时为“小胡子”值勤，字条是否为发觉，不管矣。

夜间服药，仍出冷汗，但头已清爽。新来之马毛病睡时亦有鼾声，与何复述一唱一和声响如雷，此起彼歇，惹得大家均忍笑而不能入睡。马行李过大，占地甚多，挤得鄂蜷屈于旁，每一欠伸，即与葛谢顶撞，于是夜间时起争执，我则竭力排解，不敢大声，只好悄语相劝，诸人幸息争执。

十一月二十八日　星期日

今早坐起后，即注意栅门旁的饭盒，虑内藏字条为发觉，迄午前十时，忽“小伙计”值勤，不知何故，我恐今日夹带出去字条，家人仍不注意，特请得“小伙计”许可，索一纸笔——监视兵犹不知我藏有铅笔一支。日来所写字条用纸，则是家中送食物时裹进的，我择其白洁可用的，皆什袭收藏，备不时之用——简单开列数项，索要手纸，旧皮袍，厚毛毡等物，纸条由“小伙计”放于提盒最上层，我意家人看见此一字条，或者联想及于检查其余各层，则我放置小碟下的字条，必可看见。十至十一时送饭人未来，十一时换“小胡子”值勤，迄十一时一刻饭盒方取去。十二时半午饭送来，除手纸一种带来外，余物未见，亦无字条带入。刘、鄂、何等均谓：“今日饭盒内有两字条，一明放，一暗藏，明放的自然看见，所要物件，亦许因备办关系，稍迟送来。暗藏的字条仍是你家人平日无此注意，故未获见。”我连带三次字条，家人皆未获见，殊为不快。午后乃再写一条，此为第四次——照旧藏于饭盒内，此刻只着意于字条的能否传出，至监视兵方面，不复顾忌。

午后三时半，马增祺送饭人并我的送饭人同来取空食盒，时“小胖子”值勤，马请其唤进渠送饭人，拟嘱其改善饮食。“小胖子”应允，出外竟将我的送饭人唤来，盖渠犹不辨谁为马送饭也。今日我的送饭人似有经验，不复如前日的恐惧，且已识我，立栅门外问我有何事，我告以空饭盒取回，务必交我妻看过，要详加检查，不可马虎。渠似会我意，即提空盒而去。马要求结果，为我找来送饭人，无意中予我便利，渠再求“小胖子”唤其送饭人时，则遭拒绝。

马谈，渠于八月下旬被捕，押于宪兵总队，曾被提讯两次，第一次只是逼问，令招认如何接受中央命令，破坏北宁路交通，妨碍日军运输，渠并无此事，无词以对。日人不信，令回留置室想想，倘不供述，将对不起。翌日复为提讯，由宪兵曹长上条正宽审讯，一反昨日的平和态度，而易为狰狞面孔，劈头即问中央到底汇来若干款子，供汝收买路工，组织破坏交通工作队用，渠仍对以并无其事，日人即不再追问，厉声叱渠脱掉衣服，赤体捆置“好汉床”上，先以棍棒痛打，渠不理会，后忽灌水，此种刑法，实属酷辣，仅灌半小时，即尿溺满床，支持不住，无奈强招。告以中央共汇来四万元，经提出后化用万余元，犹存二万数千元，顷存银行内，存折则在渠家下。关于组织破坏交通工作队，首领系北宁副局长张润田，一切计划均归渠主持，渠则只管财款。日人当派人去其家中，将存折取来，当时问渠，要说实话，不要欺骗皇军宪兵队，到底这笔钱是否中央汇来的？渠怕打，且虑不如此招，亦遭刑讯而死，如此招认，落一速死，较零受罪为愈。该款原系渠北平家中虑事变扩大，用度竭蹶，特汇天津留渠使用，今则不得不诬服诬认。日人令渠签押。嗣又提来张润田对质，张进门时，开口即说：“马科长你招了罢，我们由南京汇来那笔款不是存在你手中吗？你还是献出的好。”渠当时气得两唇颤抖，说不出话，只云张局长你要有良心，平时你我虽有些微嫌，并没不共戴天之仇，何苦血口喷人？张不答仍催渠速供。对质仅数语，张即退去，日人整理供词后，令渠一阅，渠那来此心情，左右存心一死，签字完了。是晚送押，以后未讯。渠在总部，一人居一室，尝将茶杯磕碎，割腕脉，流血虽多，竟不死。又一次寻得墙上铁钉一根，向耳孔凿进，亦不死。如今受罪将三个月，身体孱弱，百病丛生，恐不久因支持不住，瘦死于此。渠言时泪承于睫，我急慰藉之，劝其宽心寡虑，静待生还。渠点头称是。

“小胖子”值勤，对何复述谈，宪兵总队长因华北渐安靖，本拟在本月内大批释放各号留置犯，只六号室中，即有五名被释，后因七九两号留置人图谋越狱逃走，总队长恼怒，故打消前议，多押你等一个月，恐须下月释放了。“小胖子”走去，大家研究此说是否实在，所谓六号将有五人被释，此五人又为谁？彼此互相猜测。我道：“总队部如果真有此议，‘小胖子’亦未必知晓，即知晓亦不敢预向我等说明，大家不必过信为实，姑妄听之可耳。”

晚六时半送饭来，在米饭中检出一字条，是我妻所写，谓，已收见我夹带的字条，指示意思，我母正已想到如此去办，现决即入手。并告我家人甚安，顷住英租界□里□□处，前三次字条，因系下人洗涤提盒，未曾留意，今后决不会再疏忽。我阅后颇引为慰。

周身红点少褪，唯刺痒仍时发，但不若前此之甚。

夜半忽为马吵醒，询以故，马大呼渠身上发现一带翅虱子，渠欲捉时忽飞去。大家此时均醒，闻之皆失笑，斥为神经病。马则言之凿凿，并捉李恩庆为证。“冰面”值勤，闻声走来，厉声叱问，众不能对，听其痛骂多时方去，斯真无故取辱也。

十一月三十日　星期二

今早二时马桶即满，李恩庆年老实在憋尿不住，乘众犹未醒，偷溺于墙角，葛为惊觉，加以干涉，李不服，争论起来，众为吵醒，皆归咎李不是，李始无言。大家既醒，遂不复睡，瞪目忍尿，因此咸怨李恩庆吵醒大家，否则至少犹可多睡一二小时，不至由此刻即开始受憋尿之苦。挨至七时，“小伙计”值勤，大家共同向之要求，究竟“小伙计”人较和易，允大家请求，开门许我等倾倒，憋五小时之尿，至此方得解决一溺的问题。

马带有一木梳，大家轮流用以栉发，每人头上均梳下泥垢一堆，且不梳则已，愈梳反愈痒。

我无事时则捻髭拢须，认为唯一的无聊排遣工作，手指每一触须，盈握者一掬长及数寸，不觉有“我其耄矣”之感。

午饭送来，仍于饭内检出一字条，系我妻告我，母亲今日曾赴日宪兵队递一请求书，要求释放我，理由照我所指示的话加以敷畅，宪兵队已收下，允俟二三日内答复。妻并告我，看情形最近我或有被释之望。

午后一时，戴眼镜的长身宪兵军曹来，——即我被捕之日，初度讯我的人——将我提出，同时被提出的有关子云，黄奇峰，五号的赵新并另外三人。一一到天井中拍照，拍照时每人襟角缀一白纸条，上书姓名。宛似警局中为窃绺扒手摄影留照。摄毕仍还押，众为我等称贺，认已有被释之望。我道：“以我个人推测，恐至少还须三星期。”众询以故，我道：“南京未陷落，华北政权不成立，日人不放心于我，决不会放我，即放我，亦未必如他人的容易。”

今日提出时，得睹天日，虽天稍阴翳，微有寒风，但空气清新，呼吸殊为自如。我自七月三十一日被关于此，今日始得出留置所门数武，亦属不易之机会。赵新许久未见，渠已瘦得不成形状，见我眼圈已红，有如久别之亲旧，一旦获逢者。我询以近况，渠告我家中已为送到两次衣服，目前幸不觉冷。我立八九号栅门外，望见有多人以亲切目光，对我而视，其中数人，乘监视兵与宪兵军曹在天井为余人拍照，低呼王先生，询我彼等何时可得出去，我谛视诸人，见个个发长面瘦，囚形丑状较我尤甚，使我已不辨为谁，只告以彼等三四星期内，必有获释之望。我料知渠等必是便衣队保安队，有曾与我同禁一室者，有知我为老囚者，对我信仰殊深，我一语说出，颇有相当坚其信念之力。当我作此回答时，果见渠等皆露欣喜之色。

午后三时，闻我母在天井中讲话，且高声谓：“我的儿子病了，我特来给他送药并一件皮袍子，请给他收下。”旋见“半截塔”提进一包裹，到六号门外唤我，当面打开布包，检查内中物。包内仅旧羊皮袍子一件，“阿士北罗”一盒，“半截塔”检查綦严，衣角袖管皆摸翻到，唯恐内藏信件等物，逾多时方启门予我。我翻视皮袍子，见开襟之处，皆钉有细绳，可以连系，盖老母设想周到，使此一件皮袍子，一物二用，白昼穿著，夜则将开襟系结，可权充被褥也。

旁晚忽闻“黑大个”启五八号门持梃入内打人，木梃着背砰砰之声，与被敲扑人呼痛乞免声相间，令人闻之甚感焦急烦恼。马似属惊弓之鸟，一闻此声，即毛骨悚然，面色惨白，愕顾不已。

晚七时，马场忽提来橘子一篓，每人分给一个，我告众人，恐又是我重要城市陷落，敌人庆祝，特出其犒食余沥，赠与我等，众亦觉是，唯寻绎多时，难知我何地失守。

十二月二日　星期四

今早九时“小胖子”值勤，立六号栅门前与刘何谈话，谓，此地五号留置室，以六号留置人明白日语的最多，九号次之，五七号更次之。八号除会说倒马桶、要水喝、要手纸外，别的不懂。九号押一俄人，中国话不懂，日本话亦不懂，真正困难。又云，彼等全班监视兵规定明后日他调，大约渠将归关东军原属联队，然后开往上海，其余诸人，有的开上海，有的开山西。又云，渠姓长田，“小伙计”姓井上，“半截塔”姓黑山，乃是机关枪射手。继充此地监视兵的，是由山西调回来者，属华北驻屯军第二联队的现役兵。

我听“小胖子”所说，觉接充此地监视兵的乃是第二联队，恐“二百五”诸人回来，则监视最严，我等又很受罪。并恐家人不知此地情形，饭盒内带来字条，为后继监视兵察觉，于我不利，急写一字条，告家人以后我无字条带出，不许有字条藏进，我如缺少何物，则摆一样品于饭盒内，家中即可买进。写毕放空提盒中。十一时许“小伙计”值勤，我请其将送饭人唤进，该人此次进留置室已三次，胆量已大，见我时径问我有何事，我告以我已被宪兵队照像了，最近或可出去，转知家人勿耽心，对我饮食最好留意为妙。其人唯唯而去。

午间马场送众人囚食，所煮稀饭乌黑，且酸，沙土皆搀于内。近来马场愈横，所给囚食，多寡酸臭，一任其意，监视兵不能干涉，宪兵队纵其如此，似不如此，不克尽虐遇能事。留置人既不敢争，只好不计酸臭吞咽，所以因以患病者多人，六号中谢、葛、关、黄等八九人皆病苦不堪，我则出存药医治之，得未转重。天气已冬，食既不饱，复多腐败，夜间又寒，大家深忧最近期内，必续有不幸以死者，每谈及此，均为之嗒然。

午后四时"小胖子"值勤，告何渠愿调赴上海，因渠习闻上海中国女人最好看，渠可到那里尽情快活一番。我等闻之，较此种难堪，实胜似辱詈，咸默然无语。

晚间关子云出外倒马桶，归时告众人，九号马桶已漏，且无提绠，须两手抱持而出，致淋漓一身，见之欲呕。外间冻冰，适间九号中人，倾倒不慎，马桶滚落地沟中，致内外皆是黄汁，监视兵不准冲刷，该人捏住鼻头抱入室内，斯真霉头也。

夜间风甚厉，室内极寒，靠近栅门睡倒的谢、葛、李恩庆等三人，冻得瑟缩作抖，我为求马分给毛毡一条，交三人同盖，略以避寒。

夜九时二宪兵来，令七号留置人，均移入八九两号。我等望见周谦、邵冠祥亦被迁往九号。七号由仆役洒扫干净，并施行消毒，不知备为何用。

十二月四日　星期六

今早七时“半截塔”即督饬中国仆役整理外间什物，马场亦帮同扫除屋顶尘灰，并将留置室总门大开，吹散里边霉气，扰攘至十时许方毕。

午前十一时“小胡子”全武装到各号辞行，谓即归还本部队，此地勤务，今日交代。此兵服务于此多日，每当值勤，则偷懒躲往外厢，其不负责任，与油滑奸刁为历来监视兵冠，不图“临去秋波”有此一举，殊觉可笑。

十二时新旧监视兵交代，“半截塔”“冰面”领导新兵挨号指示，且说明各号马桶，早晚各倒一次，最多限度，一日为倒三次，再多则不可。我等虽已听得，暗中捉急，但无可如何。交代毕，新兵由十二时起值勤，第一名出勤的监视兵，方面长身，最显明的特征，上颚门齿脱掉一只，想必战斗的创伤。

井上忽来，到各号寻视老囚，此兵五十日前在此服务，曾于交代时对各号留置人辞行，谓如不死于山西，必回来探望你们，今渠果安然归来，而我等犹作囚于此，一睹其人，想其言语，不禁悲郁。井上精神颓唐，大不如前，军服颇多弹孔，对人亦无昔时和悦，一副悲苦面孔，若心中蕴有无限愁绪者。渠立六号栅门前，与何谈话，云渠所属部队，已有半数死于山西，渠调回仅二日，派在此地勤务。何进而询以他事，则摇首太息而去。晚间渠值勤，掇一火油箱坐于八号门旁，一语不发，低头沉思，虽不言语，料其厌战情绪，必已高炽，不过不敢吐露耳。

新来监视兵，均自山西战场调回，每人军服，均有焦黑弹孔，且有一兵左眼受伤未愈，以棉花遮蔽，一兵腮边负伤，贴有药布。大多数均神态怏怏，衷心充满愁苦与闷损，非复若以往各次现役兵的顽张蛮强。我等为辨识起见，仍各加以诨名，掉门齿的监视兵头目，称之为班长。眼受伤的名为“独眼龙”，鼻小而能说几句华语的名为“小鼻子”。值勤未久即向我等发蛮的名“黑狗”，瘦小的名“瘦猴”，伤腮的名“哈叭狗”，连同井上共七名。此七名监视兵，以“小鼻子”最为奸狡，侦伺最严，好以华语作命令式的告谕，我等因对其特别提防。

午后四时班长持簿入各号点名，并检查各室窗户，询问有无病人，渠似颇负责。

六时许曹振华被提出洒扫留置室外厢，行近六号门前，询我状况，我乘间送给我留存的食物数种，渠称谢不置。

新兵对留置人讲话一事，绝对不许，若值“小鼻子”值勤，时时蹑足至各栅门外偷听，一为发觉，即大声叱斥，并警告谓：“倘再发觉说话，即拖出重打。”大家遇其值勤，只好打叠精神默坐。

十二月五日　星期日

今早七时唤起，新兵对留置人起卧时间，似有一定，早七时唤起，晚九时命睡，大概系因井上曾一度出勤于此，一切由渠指示，故不若以前各班监视兵的漫无规定，一任己意而为也。

马桶非至八九时之交，不能倾倒，新兵对启闭栅门倒马桶一事，认最严重，每次以一兵守于栅门，一兵立于留置室总门，一兵则持枪跟随倒马桶人进出。因情形如此严重，故对马桶之倾倒，果如“冰面”、“半截塔”之嘱告，每日只准倒出两次，但事实每室至少禁二十余人，吃些稀饭，排尿既多，马桶如此之小，非倒四至五次不可，今日即为此事与监视兵请求，费许多话，方于午后二时倒出一次。憋尿于是仍成为问题。

午前十时许，忽一兵来，立于六号栅门外向内窥视，久而不去，嗣呼刘何，两人闻呼趋视，方知是山泽——“大鼻子”——回来。渠与刘何致寒暄后，告二人渠系由山西战场回来，不久仍将他调，今日特抽暇来此看看你们。二人问以战情，渠摇头不答。谈三数分钟离去。此兵情形，一如井上，面上笼罩阴郁之色，亦若重有忧者，可见人同此心，世无不厌战畏死人也。

午间马场送饭来，对众言：“你们都快走了，战事快要完了。”众闻之不解其意，我道:“恐敌将攻陷南京，认战事终了，华北伪明朗化政权将出现，认我等无用释放矣。”众觉我推断的为是。马增祺悄至我旁而坐，谓渠身体日弱，病状日深，恐难支持。我仍劝慰，渠道:“我虽有时力往宽大处想，奈总觉体力日衰，不容时日，恐不待放我，已索我枯鱼之肆。”渠言时泪潸然下，我虽极力开导，渠只是弹泪不已。此君个人利害观念过重，无法劝解之也。

午后三时许，见宋金义为井上提出，在外间洒扫，行近六号栅门偷问“王先生走没有”，我告以“还未”。渠悄语道:“我听八号新进来的犯人说，我们都快放了，新来的那人是宪兵队中国特务，因诈财坏事捕禁的，他听日人讲的，不会错吧？”宋犹欲讲话，因井上走来，急躲去。

晚七时五六名宪兵前来，在六八九室提出犯人三十余名，周谦、林星、王振海、段福成、曹振华、邵冠祥等人均在内，此六人各被禁百三十至百四十日，受尽人间地狱之苦，今晚提出，度系释放。果提出后迄夜未归，大家因此一批人的释放，证明马场所言非虚，不觉均精神焕然。

夜九时监视兵督仆役打扫七号留置室，该室已无犯人，洒扫毕旋见宪兵送来一西装高大汉子，灯光昏暗中，不辨面目，但觉其人行路蹒跚，有异于华人耳。

周谦、曹振华等后我一日被捕，其为宪兵队认定之罪情，自不如我重大，羁押日期若斯之久，故我尝思苟此数人未释放，则似我情节较重而为日人指捕前来的，自不能先纵我而后纵彼等也。今渠等既已放出，料最近期内，我或有被释之望，阳历年前后若不放我，至少我又须准备坐牢半年。夜间反复思味，较事实必将如斯。

十二月六日　星期一

今晨七时被唤坐起，时井上值勤，出立于天井，忽闻五号有人伏栅门喊指导官，即闻七号昨日关进的汉子应声，操不完全华语，与五号中人问答，我等因知七号被禁的是日人。两人正谈话时，为井上所闻，急奔入，对七号日人似为留体面，不作直接干涉，对五号喊叫的华人，大加叱咤，启栅门入内，痛打数下，经该人哀呼乞免，井上始忿忿出。

早九时见邵冠祥为监视兵提出，在留置室外间洒扫，过六号门前，低问“王先生走未”，我告以“尚未”。渠告我，昨唤与周谦等提出，彼等即夜释放，讯及渠时，因无保，并兼原籍江苏宜兴，日人谓现在放你，也无法回去，候调查一下再说。所以复又还押，此真倒霉。邵言时泣下数行，我劝其暂放宽心，不久决可出去。我乘监视兵未在，偷递与食物一包，邵忙掖藏离去。

午间马场送稀饭来。较前为稠，米亦略好，井上虽下班，仍随来监视，马场因井上曾一度服务于此，知囚粮底细，及以往情形，渠似有顾忌，盛送颇谨慎，且较丰满，此为五十余日来未有之现象也。

新来监视兵，不甚注意后窗，亦无人愿开，我等乃免却晨起挨冻之虑。唯渠等对马与我饮食的送来，极端注意，检查之严，为前此所无，虽一纸一绳亦不许带进。若遇“小鼻子”值勤，饮食中倘有馒首，肉饼之类，特拍开查验，弄得汤饭皆冷，方为传入。我深虑我家不慎，有何字条带入，为渠等发觉，则麻烦矣。

晚六时半我送饭人来，时为“瘦猴”值班，渠初到不明规例，径带送饭人入内，送饭盒于六号栅门前，我见机会难得，遂急告来人数语，嘱转知我家饮食要加检点，我无通知，不得有何信条夹入。旋马增祺送饭人亦被引进，马亦简单嘱告数语。此实为我俩意外的机会。

夜九时临睡倒马桶，守栅门人为“黑狗”，我等因一日只准倒二次马桶，事实殊有困难，由刘友惠向其申述，恳准多倒一次，甫行开口，即遭“黑狗”叱退，骂刘浑蛋捣乱，我等见刘因众被辱，咸感不安。旋“黑狗”指定胡春水出外，为七号被押的日人倒马桶，七号马桶铁吊梁已掉，系以短绠，桶重绠细，胡不敢提，乃双手抱持而出，臭气直吸入鼻，行时侧脸以避，窘状至为可笑，大家皆为之忍俊，胡归时亦忍笑不置。大家暗议，以后应设法躲避此项奴隶污秽的劳作。

十二月十三日　星期一

今午前十时宫泽忽来，到六号栅门前，与刘何寒暄，此兵离留置所五十余日，今日再见，渠面目黧黑，精神颇疲惫，刘何询以山西之行如何，渠皱眉不欲多言，只云，日军牺牲不少，黑田——“大老黑”，前田——“大脑袋”——均已阵亡，木村——副班长，井上——“二百五”均负重伤。其余战友同僚死者甚多。渠调回此地休息，唯每日勤务仍忙，不久将随部队开往石家庄。今日特抽暇来此看看大家。谈约数分钟别去。

十一时“小鼻子”值勤，令各号留置犯起立，绕室散步，嗣渠又在栅门外作种种柔软操动作，命大家仿行，大家静坐已久，突然起立，均觉头重脚轻摇摇欲仆，仿作柔软操时，室小人多，不能正确姿式，动作自不合式。“小鼻子”竟认诸人怠慢，不服从渠指导，大骂不已，并以皮靴踢门，砰砰作响，以示恫吓，众人此刻反觉如受军训，小心翼翼效行，历十五分钟方毕，大家殆悉汗津津下，若释重负，斯又意想不到之折磨矣。

我等作囚，只愿有一定规例，大家遵守，殊不愿多所更张，时翻花样。不图被禁数月来，监视兵调换已四班，每班有每班之苛虐之法，总不使我等安贴一刻，静待处办。今日“小鼻子”之方法，虽近于虐，业轻于昔矣。

午间马场送来囚食，每人白面馒首三个，此为以前所无，马场且发且告众人，宪兵队已对留置人饮食改善，每日每人口粮钱，略予增加，今后你等可以吃得饱些。大家均觉日方如此反常待遇，必系有故，唯其原因为何，均不能猜出也。午后二时，马场又提来苹果一筐，每人分给一个，同时渠告众人：“南京已经完了，中国打败啦，快和平了，你们都快放走啦。”众闻言十九认不久即获自由。

南京的陷落，早在我料中，连日正注意此陷落时日问题，今日闻到消息，虽受刺激但已不似闻得上海丢失时的剧烈。第想首都不守后，敌舰溯江上驶，芜湖安庆我是否配备相当兵力？倘彼处犹有作战能力，敌势不至纵横，长驱以抵武汉，则我尚可以武汉为中心，筹备再度的抵抗。若安庆芜湖陷落，九江岳阳亦不保，敌舰直薄华中三镇，我虽欲抗御，亦难为力矣。思潮起伏，为斯问题结想久久不能祛怀。

晚间刘友惠、何复述饭忽送到，两份饮食共盛于一提盒，系刘家所备办。刘吃时极狼虎，何因处于分食地位，颇受限制，每被刘窘，可见事无巨细大小，以吃饭一点言之，亦足证作人的不易，与糊口的困难。

八号门前火炉修理好，“哈叭狗”添煤升着，室内有此，稍较暖和。

夜间不能入睡为抗战前途忧虑，觉战事日益紧张，国基日益阽危，武汉我若立脚不牢，敌乘胜捣进，是则沿海各地尽遭敌方控制，我被逼处一隅，资源财力两俱贫乏，敌复造成傀儡政权，打通津浦交通，清剿占领区域内抗战集团，是予我的影响重巨，不可言宣。思至此忧心如焚，辗转难以入睡。

十二月十五日　星期三

今早二时即醒，难再入睡。我又已二日未得安睡，南京陷落，我虽早已料定时间问题，但犹存万一幸保心理，今竟果不幸而料中，消息传入，固愿竭力排除，使我不致受过分刺激，怎奈任是如何不想，偏偏思潮总不脱离此一问题，斯真苦恼者也。

早八时宪兵到来多名，挨号提人，只六号提出者为马增祺、鄂玉成、李恩庆等九名，均北宁路局员工，其由五八九三号提出者，亦是北宁路人，总计三十六七名，所有各人物件，均令带走，大家以为释放，均于马鄂等离室时示庆贺意。嗣见宪兵在外间点名，点明人数无讹，出绳穿绑，三十余人殆如扎蟹，逐一捆好，然后驱走，我等觉情形有异，或非释放，“独眼龙”适于此刻值勤，掇一火油桶坐于六号门外，找何复述学华语，何乘间询鄂等何往，“独眼龙”云是调换地拘禁，并非释放，再拟探问，则不肯答。大家空为鄂等欢喜一番，叹诸人仍未能脱厄运也。

班长查点各号人数，我等闻得五号余九人，六号余九人，七号一人，八号二十一人，九号十人。共为五十人，各号人数减少，顿觉松动冷清，我等因人数减少，马桶排泄量亦少，五十余日众人视为唯一困难问题，今已不解而决。大家计算，即或今后日食三顿稀饭，马桶日倒两次，足可不必为此哀恳监视兵矣。

午刻马场送饭，告大家，今早提出诸人，改禁于宪兵总队，宪兵总队内新筑有留置室，屋宇宽敞，窗户亦多，吃的较好，唯只能拘禁五十余人，故只可将北宁路员工拨往彼处禁押。此地留置人，最近都要释放，不放的人，将来亦送往彼处拘禁，此处则改为陆军仓库。马场近数日态度忽好转，并时告大家消息，不知何故，抑知大家将被释放，故敢透漏消息欤？

邵——逊伯——关子云等见马增祺遗下罐头食品甚多，竟欲措留朋分，我竭力劝阻，告以马鄂家下送来不易，渠等换地羁押，宪兵队是否仍准其家人送进物品，的属问题，其遗留食品，应由我等点交与监视兵，转送前去，我等不宜贪小便宜，偷留不送，众无说。我乃将食品点明，送于外厢，少时班长值勤，向其说明，渠令马场取去，转送总队交马鄂。

邵于午后三时被提出，午后五时归，面有喜色，据云，今日日人略加讯问，云俟调查清楚后，即可放伊，并缮有听取书，按有斗箕，审讯程序业已终了。又云，同时被提讯的有邵冠祥，日人亦仅讯数语，令按斗箕完案，预料渠不久亦可放出。

邵云总队部顷已不在春日街，徙在须磨街东端吉野街拐角，屋宇较前为大，办事日宪兵甚多。又云渠经过街头，见搭有彩坊，上书“庆祝南京攻下，祝贺华北临时政府成立”等横额，想必首都确落敌手，伪政府业已成立。渠云：“街头上行人极多，来往多是日人及军队，而军用汽车往来尤繁，华人行于街衢者大都垂头急趋，不敢仰视，可证市间一切，皆为暴力纳置其掌握下矣。”

刘友惠忽患感冒，发现甚急，恐系因鄂马之走，认彼等已有被释之望，渠犹无自由之兆，急火着凉所致，晚饭渠竟未吃。

夜间马桶果无须耽心，入睡前监视兵照例许倒一次，迄翌早七时始满，大家虽少感憋尿，但不到二小时即倒出，故受苦殊少。

睡地重新安排，正面为刘、何、黄、胡及我，右侧面为邵、关、葛，左侧面为厚学文。此一号内有外送饮食三份，——刘何我——刘病不能吃，何亦患感冒病吃甚少——我自来吃少剩多，故所余饭菜，分与诸人，彼等除吃原有囚食外，益以我三人分给食物之补充，已可八分饱。遂皆呼幸运不置。

夜间人少不挤，地位松动，反觉寒冷，不若挤轧互相取暖，此实矛盾心情也。

十二月十八日　星期六

今早八时许宪兵送来一年老工人，据云，渠系一瓦工，今早六时甫起床拟出外工作，忽便衣日宪兵数名往渠所住弄堂内挨户问谁识周××？同院住一张某，对以瓦工尝为周××作工，彼当认识，渠闻声躲往厨下，日宪兵闯入室，寻渠不见，即拖其七旬许老父欲行，渠不忍老父被逮，挺身而出，即随宪兵等行，当为带至周××住处，令将周骗出。渠觉如此办，良心不忍，乃诡称此地非周住所，改引彼等到周姊家捕捉，结果周得逃去。日人怪渠欺骗，故将渠捉禁押。

瓦工言："外面商户已挂五色旗，本月十五日且曾游行庆祝，并有提灯会，闻系庆祝华北政府成立，参加游行之人，是日宪兵强拉各铺户中人前往，不去的即捕捉禁押。"

刘友惠病益重，昼间倒卧，时发呓语，夜则不能交睫。渠肠胃病发，兼患脱肛症，每次大便，血下不止，衣裤尽污。渠虽自家下索来药物，治疗无效，渠因病苦，时发肝气，对何复述斥责时加，何既与其同乡，又复同事，竭力忍受之。

午前十一时许，细谷——即戴眼镜长身的日宪兵军曹，初次讯我者，经井上告我等，方知渠姓细谷——

来提刘友惠，刘力疾而往，何误会为释放，渠犹未自由，颇呈焦急色。午后一时许刘归来，持有日本杂志二册，木梳一把，小镜一面。胡须剃净，面已刮光。突改旧观殊觉难看。据其谓，今日提出，并非讯问，乃是渠妻女由井上——殷汝耕妻弟——相伴，前来探视，经宪兵队许可在细谷监视下得以谈话数十分钟。夫妻父女相见，均泣不成声，得井上劝解始已。井上告渠不久可得自由，至多不出本月。妻亦告渠，殷汝耕妻——日妇——月前去东京哀恳板垣，梅津等，得两人之力，在军部方面疏解完了，日方允由殷及“冀东政府”出资二百万，抚恤通州已死日韩侨及通州特务机关长细木繁等三百余名，即算终了此段公案，殷妻已返津，正筹款中，约近期内可措齐，届时殷与渠等可得自由矣。渠又闻妻言，渠被捕后，北平家中什物，皆为差役盗取一空，妻由北戴河赶回，已室如悬磬，现来天津住于友人处。井上带来保安刀，坚令渠剃须修面，渠剃光之后，复由井上给予日本杂志两册，得细谷许可，当与妻女作别而返。最难忍受的，妻女眼巴巴望渠被关回来，犹不知何日出去相见，临别频频回顾，泪珠不由偷弹也。

刘带回的杂志两册，大家翻阅，每册四五百页，殆皆战时纪事与文艺，充满夸大与炫视纪事，阅之未能终篇，即冷汗下流，觉敌方宣传技俩已造峰巅，有非我人想像得知者。

午后四时，五号留置室门开，宪兵监视该号犯人，分拨于六八九三号，拨于六号来的，有孙宝山，与胡春水同案的印刷所经理王金荣。前保安队小队长赵及一有间谍嫌疑的李共计四人。孙犹系今日相见，渠在春日街总队部时与我隔室相禁，先我被捕九日，以时日论，渠与我均为此地之老囚。

李生疥，孙曾贿赂中国仆役赴渠家下取钱数元，为李购得疥药得少治愈。今日移禁我室，众皆存有戒心，令其睡卧于近门处，俾示隔离。

孙照理早应被释，乃其家人不明日宪兵队情形，四出托人行贿，在初莳苗、细谷、上条诸人，本拟借机敲诈一下。讵孙家人行贿不慎，风声外露，日人均视孙为肥肉，皆拟分尝一脔，彼此争夺，致成众视眈眈之势，且无人敢办理孙释放的手续，孙遂致淹滞于此，久不得出。今晚孙与众谈此时深为喟叹。——孙曾贿中国仆役传信家人，得其家下回信，故知渠事演进的现势。

五号室腾出，由马场督仆役扫除，晚七时忽见宪兵送来一俄人，穿著甚体面，关入五号内，众方知五号留置人统被拨出之故。

十二月二十一日　星期二

今日监视兵更换四名，井上、“独眼龙”、“哈叭狗”、“瘦猴”调走，新来监视兵则为预备役兵，均年岁老大，戴眼镜，蓄胡须。迄晚始辨清渠等面貌，仍各赐假定代名词以示分别，蓄小胡者名为“胡子嘴”，戴眼镜名为“近视眼”，眼圈红赤者，名为“红眼狼”，身体矮肥者名为“轧油墩”。赐名后考察其性行，觉四人中，以“胡子嘴”、“红眼狼”最阴损，每当值勤，即立于五八两号通道门前，左瞻右眄，耳目并用，凡我一言一动，均为其所见新闻。而出入巡梭亦勤，稍以低声谈话，即遭叱骂干涉，此二兵有以往“马面”“半截塔”作风，我等咸特别留意。“近视眼”虽亦监视严，唯不若前二人之甚。仅一“轧油墩”比较少好，不似三人注意我等的过分也。

现在七名监视兵，有四名监视綦严，而“小鼻子”以略晓华语，值其当班，更一语不能谈说，防其听得究问。只是班长、“黑狗”、“轧油墩”三人值勤，略可松动，大家只有盼此三人当班，以彼此通意。

刘友惠病益重，面容瘦削极难看，渠已五六日不能进饮食，每日只嚼些咸菜，及吃一些水果。渠因自不能进食，竟商得班长许可，传与家人一信，饭要煮稀，愈稀愈妙，馒首等类面食及菜蔬亦不必带，致连日送来饭食，除稀饭咸蛋泡菜等物外，仅有点心数块。何复述本犹健食，日只喝稀饭数碗，饿的胃肠雷鸣，不敢有何不满，我等觉刘所为未免反常，因渠病重善怒，均不愿作何劝解。

我饭食较多，连日分给孙宝山何复述吃，此为难中的同情，不能谈及友谊也。

赵谈，在五号时，有一保安队，疥生遍体，流脓弗已，眉心发顶皆是，同号中人被传染者八九人。渠不但生疥，复因疥疮秽污，虱子亦繁殖甚速，一袭衬裤褂虱子成千亿万，眉毛头发，无不丛生。渠穿一宪兵队发给的皮外套，羊皮毛中，更为虱子繁殖大本营，每用手一拂拭，即簌簌落下千百余个，使人对之，不敢睁视。后来大家强制其将皮外套送往外室，另为找一件其他犯人衣物换穿，室内虱子繁殖方少，顷此人拨往九号，想该号多一疥疮及虱子的来源矣。

赵尝与生宝堂君同禁于七号，生君因越狱事被提出时，预知一时未必得回，故将身边所藏怀表一只，及毛线背心一件，西服一袭，毛毡一条交赵保存，并嘱其如先渠被释，可为带送其家下，现赵犹带此一些物件于身边。

五号禁闭的俄人，时向监视兵索沸水饮，并嚷室内寒冷，监视兵初尚敷衍，嗣则不睬，俄人于是吵嚷不休，每每沉寂空气中，为彼喊声冲破，监视兵似不愿西人悉其蛮野，对俄人吵嚷，只力忍而趋避之，不似对华人之猪狗不如，可见作囚于此，所受待遇亦与种族之文明，国度的强弱大有关系。

晚间关倒马桶，未出室前，深虑被监视兵强迫劳作为七号兼倒马桶，故倾倒毕匆匆归来，正拟钻入室内，忽有监视兵唤出，先令为五号倒桶，后又为七号倾倒。我等见其抱捧七号无提梁马桶外出，状极局窘，皆为之忍俊。

十二月二十四日　星期五

今早八九号有数人提出迄午未归，当是释放，三日来此地新来犯人殊少，旧有犯人多数被提出审讯，未结案及签押的，皆提出略加讯诘，然后令签押按斗箕。向例按斗箕后，审讯即告终了，只待禁闭期满释放。以连日情形推测，岁序将终，宪兵队整理未了各案，应开释的犯人即释放，不开释的或将徙往他处禁押。我想我个人如于下周内不放出，则犹须准备三月至半年之被禁矣。

午饭刘家中偷带进一字条，藏于菜内，何与刘偷阅，旋见何面有喜色，众询之不肯言。刘亦讳莫如深。黄奇峰坐近于何，偷览字条中语，阴告我，字条为刘妻所写，告刘三日内决可自由，殷汝耕等亦于是日在平同时释放。

班长午刻值勤，我向其商借铅笔纸张，写一字条，上开书名两种，一为“王阳明全集”，一为“殿板四书”。

我请班长为持赴宪兵总队要求，准许我家下送来，俾静中阅读。渠允许，散值时即送去，晚间归来告我，宪兵队考虑一宵，明日答复。我索书具两种心理，一为准备续住半年，镇日无聊，不得讲话睡觉，倘得阅书许可，则先以此二部书为嚆矢，渐可讨得其他书籍送进的许可。此二部书日人喜读，今日要求送进，宪兵队不至疑惑有他，料可获得准许。一为试探我最近能否被释。盖宪兵队对拘禁犯人，准许阅书之例犹少，我的要求若圆满达成，是宪兵队对我情形必已不似前此的严重，近时已有释放之意，在未释放前，示我以小惠，表示其宽大。今日虽未办到，第以情势觇之，或有获许之望。

班长晚间点名，五七两号各禁一人，六号十四人，八号二十三人，九号十一人，合共五十人。

今晚马场分送囚食，仍为馒首三个，日来每晚或每早均发馒首，午间稀饭，已较前好多。

十二月二十五日　星期六

早起甚寒，阳光由后窗透入甚黯淡，班长值勤，立于八九号室前时间为多，我等乃得偷偷谈话，孙宝山与我皆为老囚，每摭拾五个月前闻见及身受之事，为诸人道，俨然遗老之话轶事焉。孙与我每谈及往事，历历如在目前，关于苏月亭之死，王振海之受刑，工人李的掉下颚，白面何的被群殴，则恍如昨日之事，光阴如此之速，过去的掷于虚牝，未来的犹须忍耐，略一回想，不愿卒谈矣。

旁午班长来告我，宪兵队已许可阅请求的两种书，但对于我与家下如何联络，怎样索取，认有经过监视兵审慎处办必要。我乃告班长只须准我写寥寥数字，开列书名，放于食盒内，俟我送饭人来取，渠必转知我家，即可送到。班长觉如此去办，尚无不可，因付我纸笔，由我开清书名，交渠放食盒内。

今日八九两号留置犯被提出愈勤，宪兵来往传呼殊忙，即五号的俄人，七号的日指导官，亦皆一度被提讯。

今日为圣诞节，及云南起义纪念。尤为西安事变，蒋委员长脱险安然归返首都的周年祝日。默想去年今日午后五时，蒋委员长出险消息传播全国后，阖宇腾欢，万众称庆，今年今日抗战殆转入严重阶段，首都陷落，失地数省，全民仰戴的最高领袖，戎书旁午，宵旰忧勤，既无暇缅怀其往迹与创痛，而民众庆祝领袖脱险周年之况味，亦迥非同于旧年，抚今视昔，得勿怃然。

五号俄人处此圣诞节，作囚于此，其感慨情绪，较我等尤甚，时引吭悲歌，声调凄凉，闻之愈为不快。监视兵虽不许可，但恫吓殊不能制止此斯拉夫人的凄怆激节也。

晚六时半送饭人至，两部书随同送来，班长接取去检查，少时来问我，今日向家下索书的字条，有否暗示通信之意，我对以无。又问你的书内曾夹带何物否，我忽想起，半年前我曾调查华北驻屯军兵员数字甚详，原稿密藏于四书，《论语》内，今日我家人送书，并未自行翻检取出，任其夹带而入，倘此稿为宪兵队所知，不啻坐实我与中央有何情报联络关系。我既想起，但仍故示不知，告渠书自家下送来，半年多未经我翻阅，内中夹藏何种物件，我难以知。渠凝思许久，持书转往外厢，旋将书递进，并告我道："算了罢，我不给你报上去，你书里有的那些东西，我已经给你销毁了。"我闻之心顿安。

马场为刘友惠传递饭盒，作隐语示意道："这一个饭盒，明天不会再送来了。”刘闻之不明其意，众为之解释，渠始欢悦。

同室诸人，均分持一册书读，大家既有书可看，自然无时间讲话，监视兵走来，看我等情形，宛似书生在书房，无待彼等时来梭巡，因亦不似前此监视的严。

十二月二十六日　星期日

早八时许，莳苗来，到六号提刘友惠、何复述，嘱两人收拾所有物带走。刘虽病重，因知释放，心境欢喜，疾病半减，故仍能自起挟带衣物而出，莳苗立于栅门内窥，瞥见我坐室隅，忽作鹭鸶笑，我不知其何意，急俯首若未见。

何自八月十六日与我同禁一室，约百二十余日，刘自九月二十四日自总部调拨六号，与我同处百余日，彼此行径不同，宗旨互异，只以同属中国黄帝子孙，患难之中，渠辈或不无返璞还真之念，所以勉共相助。两人日语日文娴熟，刘友惠曾充东北大学理工学院教授，并土木工程司，智慧性能均有独特之长，只是操守不严，持节非正，为满足个人利欲，甘心为奸，实一可惜之材也。何复述或系生计所迫，并因出路较易，不择途径，依附殷刘等而谋自身问题的解决，此与刘甘心为奸微有不同，我初与其相遇，颇能劝其悔疚，自刘来后，我说渐不能入，故断定此人今日自由，行为仍必如昔，华北汉奸集团中恐依然有此一小汉奸供驱策也。

平心而言，此两人在六号羁押，我等利赖其日语娴熟，有许多便利，今日释出，众如失却左右手矣。

黄、关、孙等评论，谓刘患病后性格大变，何每日吃些受气饮食，挨些昧心饥饿，无乃冤枉，以刘脾气之坏而言，恐其虽自由，肠胃溃疡病未必治好，或不久于人世?

午刻宪兵送来年二十许一学生，该人姓曹，原天津市师范学生，被捕来约旬余日，初禁于五号，嗣禁八号，今早被提出讯问，归来忽改遂送六号羁押。被捕原因，系被目为共党。捕来的当日，剥脱衣服，捆置“好汉床”上，冻置半日，后灌冷水数大壶。并用皮鞭木棒向臀部两臂两膝痛打，渠曾受刑不过晕死达一时之久，日人特召去军医为注刺强心剂始苏，是日未讯终了送回。今日特再提讯，究诘天津现有共党若干人，首领为谁，学校中以何校共党为多，渠既非共党，焉知此项秘密，噤不能答，日人又以木棒连击数十下，终因其供述始终一词，觉非虚伪乃送回。

曹言，伪华北政府已成立，王克敏汤尔和诸人主持伪政权，一切听命于华北派遣军司令官寺内及特务机关长喜多，与伪满无殊。天津市长已属汉奸高凌霨，渠等正筹备如何扩大伪政权，吸收各地汉奸同类。又云，现在外间报纸无一份可看，真实消息难悉，旧日正义报纸新闻记者均星散，渠曾识一某报记者程××，因生计所迫，已在租界地推小车卖茶汤矣。众闻之皆无语。

翻阅阳明全集，觉“知行合一”学说，虽创之三百余年前，今日似嫌不合时宜，但方今推行新生活运动，明礼义，知廉耻等信条，溯其意义，何莫不先自“知行”作起。从而知先儒学说非尽迂腐，只以后学不能昌明，断章取义，不事推考，谬加訾议，遂致不能垂训于世，运用无间也。

明武宗大藤峡苗瑶之乱，南昌宁藩宸濠之乱，朝议不决，庭臣争讼，王文成公独能外不避艰辛劳怨，内不辞嫉妒掣肘，卒能应机速赴，调度得宜，敉平大乱于指顾间，奠安明社，扶翼中兴，厥功之伟，当不让亮玄。虽今昔时代之不同，战乱之异殊，要之用兵之道，不外乎统帅对部卒以赤诚，部卒矢将帅以忠勇，将帅肯能用命，士卒方愿驰驱，否则上下猜忌，彼此携贰，即或敌非坚甲利兵，我亦必披靡却走矣。读竟数节，不禁有感。

午后三时“小鼻子”值勤，呼我“王君”，此为十数日来“小鼻子”对我的称呼，不知渠何以独对我敬重？我应声后，“小鼻子”四外顾视，见无人来，突以香烟一支授我，我拒吸，“小鼻子”一番好意，见我不领受，颇不悦。嗣询我在《申报》——意渠或系检阅留置犯人名簿得知我职业——担任何职，我告驻天津记者，渠问所发电报通信，登载第几面？——第几版——我告以第一面。渠忽变色惊问道：“那么你是专作抗日宣传的了？”我道：“不错。”“小鼻子”见我直认不讳，忽又易为和易颜色道：“中日两国应相互提携，以日本为东亚盟主，实行大亚细亚主义，维持东亚和平。”我道：“维持东亚和平，中日相互提携，原则上中国政府与人民均愿接受，唯实现方式须待研究。至以日本为盟主，实行大亚细亚主义，这两点根本与前边所说中日提携，维持东亚和平意义冲突，因为要如前边的主义去办，后半所说的即不能并行。如后边所说的去办，前边所指的意旨，就会湮没。”“小鼻子”愕视许久方道：“你的思想过于顽梗，你是抗日的份子，照理不能放你的。”我道：“我坐监牢半年了，由始至今，没想你们放我。”“小鼻子”寻思半晌又道：“你认识鲁迅、郭沫若吗？”我道：“我不认识。”“小鼻子”道：“鲁迅的作品很好，我最欢喜读，可惜他死了，郭沫若在日本讲学，我尝听得，听说他最近也回你们中国了。”我道：“你既崇拜此二人，你可曾注意这两人的思想怎样？”“小鼻子”道：“这难说，我不愿意说。”少顷“小鼻子”又道：“我盼望王君能早出去，对你们贵国人时常解释一下，日本这次作战，是为的东亚未来的和平，根除共产主义，不要误会此意，顽强抵抗。”我道：“这些话想你们军事占领华北后，早已自己在那里宣传过了，无须我替你们说，请你也不必希望于我，我这里还要准备坐牢半年呢。”“小鼻子”谈话时言语传述不及，则以铅笔书字代意，我亦然。迄其勤务时间终了方去。

今晚室内犹有十三人，计为孙宝山、关子云、葛少云、黄奇峰、王金荣、胡春水、厚学文、邵逊伯、保安队赵、瓦匠、学生曹、间谍李及我。

十二月二十七日　星期一

今日晴，早六时三刻坐起，大家无事，仍各手持一卷阅览。八时许班长值勤，以笔书字问我读书有何感想，我对以有书可看，已忘却身在留置室中，每日家中送饭来吃，只要继续不断，住在此地一二年有何关系？班长笑道："恐怕你虽愿意长住于此，宪兵队未必许可，刘何已走，你也快走了。"我道："这一点还未想到。"渠尚拟续谈，适五号留置的俄人唤水，渠遂打断话头转往应对。

九时三刻，二便衣宪兵来，在八号提人，旋至六号唤我，我犹认系家中送来物件，正拟接取。突见监视兵启开栅门，令我出去。便衣宪兵并问我有何物件，可即此取出，放置外厢，我将衣物卷出，堆于六号留置室门外，尚有小部什物，则留为众用。此间犯人靴鞋，早为监视兵及仆役等偷光，五号共羁押五十余人，除五七两号一日人一俄人犹有鞋子外，多一只皆无，我乃跣足随宪兵至门外，钻入一汽车内，——宪兵队与留置所的联络，向以汽车，盖恐徒步押解犯人，有何意外——经香取街须磨街屈折而行，约历五分钟方抵宪兵总队。先令我入一室暂候，时赵新已先被提至，见室内无人，低询我今日提来，是否为的释放，我对以大约如此。少时又见提到七人，其中有三人，疥疮未愈，眉睫手臂间脓泡累累，使人不忍卒睹。渠等不知何以识我，均呼我“王先生”，向我问讯。另有二人似极熟识，我询其姓名，方知一为铁厂的石掌柜，一为保安队秦小队长，均曾与我禁闭一室数日者，只以两人瘦损，无复人形，致我不能辨识矣。

十时整将我提入一室，莳苗高坐堂皇，对我注视多时不语，嗣取过一油印已成的甘结状，令我阅看，文意大致是“具甘结人□□□前因反满抗日行为被贵队捕来惩处，兹经恩准释放，今后决不再有上项行为，愿在中日提携经济开发新政权下为一安全良民，恐口无凭，特立甘结为证，年月日”。此与民二十一年我在哈尔滨被捕释放时所见结状相同，故阅后不言。蔚苗突问我“你看明白了”？“你可以按斗箕罢”，我遂按一指印而出，仍回原室候等。赵新、石掌柜等，则于此时陆续被提出，亦各令完成前项手续。

十一时第二次将我提去，室内除蔚苗外，犹有多人，我入室后均对我凝视，一日人作同情音调道：“王先生，你的头发都白了，胡须也长了。”我不答。蔚苗复取出甘结道：“你看明白了，你要仔细的看看。”我道：“统共几十个字的东西，怎能看不明白？”蔚苗道：“你能照这上面所写的去办么？”我道：“我还没有出去，怎晓得我不能那样办？”蔚苗道：“我看你口是心非，你决不能这么去作。”我道：“你要如此判断，我不能辩，也不愿辩。”蔚苗道：“你可以找几位有声望的人，或是有信用的商号给你担保，宪兵队就可信你无他，安心放你。”我道：“我找不到，我是一名新闻记者，我在职业上，认识人虽多，但不能以此等事相烦。而况时局如此，我即便能找到担保人，也不愿如此的办。”蔚苗正色道：“你为什么不愿这么办？莫非你不愿出去么？不愿自由吗？”我道：“我从被你们捕来那天，就愿意出去，愿意自由，但你们不肯放我，我是没有办法。”莳苗道：“现在放你了，你可照我所说的办啊！”我道：“若令我觅保，放我出去，我是无保可觅，请你们不必放我罢。”莳苗道：“那你是不愿意出去了？”我道：“我已说过，愿意放我就放我，不愿意放我，仍回留置所住去。我绝不使我朋友亲戚在此时局为我担保而耽心思。现在华北政权在你们手中，我觅保出去，你们何时看我不对，疑我有不利于你们保行为，则仍将我捕来。那时不只我被捕，连累为我担保的亲友也遭囚系前来，我岂非对亲友不起。外间是个大监狱，里边是个小监狱，我住在外边和住在这里，并没什么区别。现在承你们准许我家下每日送饮食两次，且许我读书，这与出去有何异致？”莳苗与室内许多日人闻我言，均大笑，认我所说近理。当令我退出。约历半小时，又将我提去，——此为第三次——仍由莳苗问我：“你究竟愿意出去不？”我道：“我适间说过，我由来宪兵队那天起，无时不想出去，只是你们不放我，我又能怎样？”莳苗柔声道：“你出去，把你交付公安局，你找保试试，如能找得，岂不甚好。”我道："请你们不必如此办，我是找不到保，与其白费辛苦，还莫若趁早勿办。"莳苗闻言注视我多时，旋令人唤进一华人，我由渠等谈话中，得知该人为伪公安局督察长李某。莳苗且谈且取纸笔，书我姓名职业年岁住址于上。在我姓名上圈而复圈，告李须注意此人日后行动，今日将他交付你们带去，以后责任须得你们负，倘你们办不了时节，随时报告宪兵队。莳苗言时态度极庄重，并时睨我，我窃笑日人此种幼稚恫吓手段，未免无聊。两人谈至段落，莳苗又问我："你听到没有？"我道："听是听到，不过将我交付公安局，令我找保，还是那句话，我怎样去，怎样回来。"室内坐有其他日人，见我拒绝觅保，似对莳苗有所建议，诸人耳语多时，莳苗唤来一宪兵令其带我回香取街留置室取我衣物前来，以便随伪公安局来人去。我仍被监视乘汽车而回，到六号栅门外将衣物捆卷挟于车上，临出时回顾六号中犯人，眼巴巴望我，似具无限恋恋与悲抑。

再到宪兵总队，已为十二时一刻，莳苗再将我提入，——此为第四次，发还我钱物——怀表一只，钱夹一只，钞洋四十三元八角，日记本一册，我被捕来时，为抄出扣留——并告我你到公安局后如找不到保，那再说罢，你如果不愿出去，也可另想办法给你住处。嗣问我："你家住在那里？是否还在特二区旧地方？"我道："我被捕时，家住特二区，但这是半年前的事，中经变乱，我家人生死如何，是否迁居，我不知道。"问至此复令我出。

十二时三刻，赵新，石掌柜等共九人，均已完了一切释放手续。宪兵令诸人站于外厢，莳苗跑往楼上，旋伴一日人而下，该人揆系分队长之类，当众讲话，如似训诰，由翻译译与众听，谓："新政权已成立，你们因案被宪兵队捕来，照理应重办，现宪兵队存心宽大，今日释放，你们出去要赶快早找一职业，不要反日为要。"九人于这种方式内即由伪公安局警察监视放出。此际只我一人犹未释放。

我跣足立久，殊觉脚寒，并因仓皇被提出，著衣甚少，遂取出皮袍加体。时伪公安局督察长李亦在我室候驱使，劝我勿过倔强，早日出去为妙，倘无铺保，能有一二负责士绅说话，渠可代向公安局长恳求，转商日方，亦能自由。我不答。

十二时五十分第五次提我，我正昂然入室，示我不屈之状，足甫逾阈，忽见我母我妻已在，母、妻见我顶发虬结两鬓斑白，囚形垢面，须髯如蝟，认我半年以来，必已吃尽苦头，忍悲不住，竟至纵声大哭，我急以袖障面，背身而立，不敢正视。莳苗等日人，因我母妻之痛哭，不无激发人道些微的同情，注视多时，默然无语。少顷问我"你家已搬往英租界，你知道不"？言时以一纸条示我，我道："我被禁半年，家中情形，岂能知晓？"莳苗道："你出去后，将作什么事？"我道："这层我还未考虑，我想上海陷落，《申报》已倒，我既失去特派员资格，战局又如此之广大，我的职业当然成问题。"莳苗道："你知道你这次为什么被捕吗？"我道："不晓得。"莳苗道："你装糊涂，你押了半年，怎会不晓得呢？"我道："因为你们只是拘禁我，不问我，结果愈押我，我愈糊涂。"莳苗问至此又令我出去。我立于门外伫候。听得莳苗对我母恫吓道："你的儿子顽强抗日反满，在《申报》扩大宣传，激起中国人全面的抗日情绪，并给中央通消息，论罪早应枪毙，只因你这六十多岁老人一再前来哀求，宪兵队长觉得你过于可怜，所以本着人道同情，给你儿子留这条命，你听明白没有？”续闻莳苗道：“今天准你儿子出去，放可是放他了，你得负责，劝他改过，不要再反满抗日，对日军作何不利行动，倘再为宪兵队察觉，那时捕来，二句言语没有，立即枪毙，你能劝他吗？”莳苗言时，似以掌抵案，声响颇巨，我隔户闻之，觉六旬许老人为我受此惊险恫吓，未免痛心。

午后一时许，第六次将我提出，同时并唤进伪公安局督察长李，告其注意我以后行动，当予以字条，上开我家住处，李见我住英租界，乃谓公安局权限难以达到。莳苗谓：“租界以内责任，由宪兵队负，租界以外须由你们负，倘他——指我——少有不利于日本行动，即火速报告。”李诺诺连声而去。莳苗又注视我多时，盖仍是不放心纵我，逾数分钟方示果决之意，嘱我母领我回去。

我妻助我挟持衣物，出门觅得人力车三部，俯首钻入，嘱车夫速行，我登车时，莳苗与三数日人犹复出立门外查我动静，我知其意殆仍视纵我为一极严重而无把握问题也。

车出日租界转入法租界，心方落实，举目四瞩，觉景物依稀，似昔非昔，每见路间行人经过，则自惭形秽，垂目不敢平视。被禁迄今共为一百六十三日，侥天之幸，竟得重睹天日，翘首长空，感喟无已。人力车夫知我系日宪兵队纵释者，对我谓："先生你受屈了罢！看你胡子这般长，恐怕受委屈的时候很久罢？不要泄气，中国不会亡的，你不是已经出来了，还是干，我虽是拉车的，我的心就没死，你的知识比我高，更不要伤感灰心。"我不图此语竟出于一车夫口，不禁肃然起敬，壮志复生矣。

午后一时卅五分抵家，乱离之后，我家人幸得无恙，唯移居英租界某里二小室，凡百凌乱，触目伤心，儿女辈睹其父归来，见我囚首丧面，须发鬑鬑，不敢牵裾偎傍。

母亲告我，今日午前十一时半，日宪兵队派人前来，令伊速去，老人不知何事，趋往后始知是日人释汝。我以母亲所言推测，知今日的释放，因我不肯觅保，日人无法转圜，特将我母亲找去，对我母示惠，并借收监管我日后不再为反抗行动，用心已谲矣。

朋友得我生还之信，纷到我家探视，见面时，睹我狼狈可怜之状，莫不大哭。我反大笑，笑此番日人竟令我全首领而归，正若涸辙之鱼，得水跃渊，我不抗日，我不反日，除非日自西升也。

（以上廿七年六月廿八日写毕时在汉口）

赘 语

我被捕后，承海内外同文同业声援，并各地记者公会，报馆公会电请各当局交涉营救，使我十二分感激。我得自由后，处于监视之中，不敢多寄信件，致启日人之疑。抵汉皋以来，又憾抗战期间，各同文同业、公会、报馆转徙者既多，陷于战区内交通不便者复不少，事实上亦无法一一奉函，兹特附陈于此，略申谢意。

我被捕之时，大战犹未爆发，国内舆论沸腾，各方群起营救，我在烘托之下，遂未被刑，——其中另一原因，则由于我拼死强硬应对之故，其后则因捕来之人过多，日人忙于新案之审理调查，日无暇晷，对我只可禁押不放，而无重提刑讯之心，我始终乃得发肤未伤，安然出险。

禁押半年，最初三月睡湿地、吃饭团，受些监视兵酷辣折磨，身体与精神所受罪苦，非可言状。事后写此日记，时过境迁，感触既失真切，事实悉凭追忆，自不及当时所受者十之一。故有许多情况，许多刺激，难以叙述逼肖。实则一言以蔽之，肉体所受之痛苦，尚可描写万一，精神所受的刺激，非墨楮可宣也。

此一小册子，落笔之初，即蹈呆板机械之弊，本不应按照日记体裁去写，且纯恃追忆之力，难免有前后颠倒，内容重复之处，而以白描文字撰写，更不合乎时宜，令人阅之沉闷，昏昏入睡矣。只是在天津开始写时，信笔所之，未想及此，复恐用语体写来，将不免繁冗拖长。所以后半部一仍其旧，仍以报纸文字撰写，前后在求一律，不计其他。事实平淡，无何特殊之日，缺而不记，因之中多间隔，日期不靠。

写稿中间，曾得友人忠告，谓阅我原稿情节，颇具英雄色彩，虽我果有如彼的事实，亦宜竭力减少述叙，免人读之生疑，不信我真个倔强豪爽，劝人助人如斯。我深觉友言为是，故后半部记述，已减少我个人之言动。香取街留置室前后被禁华人何止四五百人，与我同号禁闭，陆续释放，亦不下百余人，凡与我同禁一室，从无死者，其故固不敢自诩由我开导劝解之力，第至少不致日皱双眉，愁苦自寻。苟无愁苦，虽受些折磨，犹可抵抗，静待生门之开放也。

我每兴思家脱厄之念，则自警惕，责骂我不应生苟免求活之心，最初三月，犹时恃此以克制坚忍。以后三月，家下既送来饮食，复设法可通消息，竟安之若素。释放与否，未尝萦怀。上海陷落，我一方觉生还机会不可逝纵，一方欲借以试探日人尚欲关我多久。故指示家人以如何理由，如何方式，向宪兵队请求。至十二月廿五日无释放之讯，我已准备起码再住三月，驯至半年。讵我指示家人计划，竟得打动日人，同时南京陷落，日人觉战事即可结束，《申报》既已停刊，华北政权，握于渠等之手，认释放一我，有何不了。所以准我家母恳乞，将我纵放。唯释放之日，见我态度未改，复虑我终必口是心非宣传抗日，因露踌躇意，一再命我觅保，我拒绝此种办法，渠等乃找去我母，拟令我母觅保领我出去。后因我母及妻见我痛哭，渠等人道观念波动，始肯松握纵我。假使上海南京未陷敌手，《申报》未停，第二阶段抗战紧接起来，我母不作哀请，恐我迄今仍在牢中。

最使人痛疚者，是我被禁半年，逃来汉皋，竟有少数人对我怀疑，认我之生还，颇有研究处。彼等断我自由，不系承认日方若干条件，为日方担任何种秘密工作而来，否则亦必花用若干费用，易得性命，然后走脱抵此。似此不负责任风凉话，我殊无法以辩，唯祝彼等安走后方，口号抗战，长得维持其稳当主义，勿似我之愚钝，吃一苦头，而反招来不谅批评也。

我被捕另外原因，则由于结怨天津市长张自忠，秘书长马彦翀等一派之故，结怨之由，系因《申报》通信科主编，乱登外稿，内有攻讦张等一派纪事，我虽屡函该主编，请其注意，免我代人负责，招致怨尤，工作不便，但意见不为该主编容纳。“芦沟桥事件”发生，我尝利用京津长途电话向《申报》南京分馆报告消息，希其转达沪馆，事为马彦翀等所悉，认我与中央取得联络，揭发渠等隐私，作不利之告诉。七月十八日宋哲元与香月会见于天津日军偕行社后，日宪兵总队长藤井在座，提出越境捕人要求，宋则同意，当晚宪兵队派菅川大尉，分访马彦翀，李文田——前天津市警察局长，首先提出捕我，马李同意，我遂于津地方当局送俘献牲态度下，被日方逮捕。事后津市同业群起营救，曾数访马彦翀李文田要求对日交涉，马李初时表示我月受中央五千元秘密费，在华北为特殊活动，此番被捕，虽死无足惜之慨。其后因见国内舆论哗然，并觉渠等责无旁贷，始允交涉。顾系铃由于渠等，解铃彼等已无力矣。

我母曾有数十日，不知我下落，差幸同押之犯人佟兴周于九月初被释，辗转为我家下传一信息，但我母仍认我生存有疑问。在此时天津战乱方停，谣诼丛生，道路相传，我已于某日被枪毙，致我母对佟传去消息，未予深信，迄十月末为我送饭，经监视兵许可，获得一晤，方老怀少慰。我母得《新天津报》汽车司机姚元太传述消息，知我在内饮食极苦，特不避艰险，前后赴宪兵队六七次之多，遭日人之辱詈叱咤，推阻拖掖悉不顾，一次失败，二次赴之，再接再厉，不馁不怯，方得邀准。即衣物之送进，亦莫不经过如许辱詈与困难。其后就我指示理由，具文呈请释放，宪兵队初时拒收，我母哀恳半日，方为收下，故我之生出地狱，当戴我母弥天之恩也。

在押中每日精神所受，较无期徒刑尤为痛苦，任何人不晓何时获得自由，任何人亦不晓命运如何归结，所谓死生之机捩，悉操于人，我等殆似俎上肉，听凭仇敌刲割，即释放之前一分钟，犹不知也。在此种监闭状况下，设无坚忍宽豁工夫，鲜不愁思成疾，即幸而释出，恐亦必精神呆板，种下病根矣。刘友惠释出后仅十七日，即疾革死于天津，刘髯公仅押七十余日，迄我离津时，殆入弥留状态。我虽自恃克制宽解之力，与偷练“八段锦”之功，得以安然出险，但我头目晕眩，与精神短欠，腰背酸痛，两腿沉重等病，业已做成，恐继今以后，难以痊愈。我初得自由时，曾有四十余日，两腿浮肿，步履艰涩，与人接谈，逾时少久，即神经错乱，言语颠倒，今虽略好，唯穷措似我，既无从容医疗之时间与经济，亦只有任其或愈或蔓而已。

以我两次被捕经验而言，大抵日宪兵队对付华人办法，多系采用一种高压手段，强制变化其思想。凡被捕者，施用酷刑处治，使其婉转哀号不生不死，然后再投之待遇极苛之留置所内，过相当时间，查其性格气质皆已略变，方肯释放，此被释者，虽幸而保全性命，但体质精神，以受刺激，概不健全，纵令付与以前工作，亦恐难以担当。同时借其人之口，传播宪兵队严酷手段，俾至少其人亲友闻之，畏葸惧怯。已有抗日图谋者，谈虎变色，赶即中止，无有抗反计划者，愈行谨愿，服帖而为顺民。此所以为其捕去，犹有生还之人也。

天津《益世报》经理生宝堂君，自去年十月十六日由香取街提出，其后未得消息，假使不幸，当系生君体力不能支持，胃病转重，因而物化。否则必属仍在海光寺拘禁，以战事关系，不为释放。以我观测倘生君无去年十月十六日越狱图逃之举，最迟当与我同时被释。今则消息淹滞，犹不悉此可怜的报人，其命运将若何也，吁！

（以上廿七年六月卅日写于汉口）

三联经典文库第二辑简目

《游击战教程》　明凡 / 著

《游击战术纲要》　陶剑青 / 编著

《汪精卫卖国的理论与实践》　钱俊瑞 / 著

《抗战以来》　韬奋 / 著

《陕行纪实》　楚云 / 著

《随军散记》　沙汀 / 著

《被日寇囚系半载记》　王研石 / 著

《倭营历险记》　房沧浪 / 著

《活跃的新西北》　田影 / 编著

《保卫华北的游击战》　刘清扬　陈北鸥等 / 著

《徐州突围》　《徐州突围》编委会 / 编

《沦亡的平津》　长江　小方等 / 著

《淞沪火线上》　胡兰畦等 / 著

《瞻回东战场》　长江　罗平 / 著

《东线的撤退》　胡兰畦等 / 著

《抗战中的西北》　徐盈 / 著

《鲁闽风云》　徐盈等 / 著

《西线生活》　西北战地服务团集体创作

《中国解放区见闻》　[美] 福尔曼著 / 朱进译

《全面抗战论》　潘汉年 / 著

《日本的间谍》　范士白自述 / 尊闻译

《日本大陆政策的真面目》　国难资料编辑社 / 编

《民众动员论》　李公朴 / 著

《中国外交史》　钱亦石 / 编著

《太平洋军事地理》　蒋震华 / 著

《世界经济地理讲话》　思慕 / 著

《列强军力论》　[德] 马克斯 · 威纳尔著 / 宾符　仲持　梅益等译

《近代国际关系史》　张铁生 / 著

《太平洋现势手册》　沈志远　石啸冲 / 编著

《近代世界政治史》　钱亦石 / 著

《从战争到和平——一九四五年的世界政治》　乔木 / 著

《战后日本问题》　思慕 / 著

《最近一年间的国际动态（1946.7–1947.6)》　《东北日报》社 / 编

《论政党》　翟放 / 著

《法与宪法》　韩幽桐 / 编著

《中华民国宪法刍议》　罗家衡 / 著

《民主 · 宪法 · 人权——作之民》　费孝通 / 著

《宪法论初步》　潘念之 / 著

《对反民主的抗争》　韬奋 / 著

《农村改进的理论与实际》　江恒源 / 著

《上海产业与上海职工》(上下)　　朱邦兴　胡林阁　徐声 / 合编

《陶行知教育论文选辑》　　陶行知著 / 方与严编

《中国通货膨胀论》　　杨培新 / 著

《中国及其未完成的革命》　　H·普拉特著 / 蒋天佐译

《中国的建设问题与人的训练》　　卢作孚 / 著

《论中国特殊性及其他》　　艾思奇 / 著

《中国经济问题讲话》　　钱俊瑞　徐雪寒　王渔邨　姜君辰　骆耕漠 / 合著

《中国经济的道路》　　许涤新 / 著

《中国财政之病态及其批判》　　孙怀仁 / 著

《官僚资本论》　　许涤新 / 著

《五四运动之史的评价》　　陈端志 / 著

《中国通史简编》(上下)　　中国历史研究会　范文澜 / 主编

《论文学的工农兵方向——读〈在延安文艺座谈会上的讲话〉》　雪苇 / 著

《中国近代史(上编　第一分册)》　　武波 / 编著

《文学百题》　　傅东华 / 编

《中国史学之进化》　　周谷城 / 著

《论民族形式问题》　　胡风 / 著

《论批评》　　荃麟等 / 著

《中国史纲》(第一卷上下、第二卷上下)　　翦伯赞 / 著

《近代中国思想学说史》(1–4)　　侯外庐 / 著

《中国政治思想史》(上下)　　吕振羽 / 著

《中国哲学史纲要》　　向林冰 / 著

《中国政治史讲话》　　钱亦石 / 著

《中国社会经济史纲》　　王渔邨 / 著

《新财政学大纲》　　千家驹 / 著

《太平天国革命运动论文集——金田起义百周年纪念》

华北大学历史研究室 / 编

《理性与自由——文化思想批评论文集》　　胡绳 / 著

《战斗者的诗人》　　黄药眠 / 著

《国语文法》　　曹朴 / 著

《教育哲学》　　张栗原 / 著

《妇女问题讲话》　　杜君慧 / 著

《婚姻・子女・继承》　　沙千里 / 著

《性教育新论》　　布士克　雅各生合著 / 董秋斯译

《狱中杂感》　　杜重远 / 著

《七人之狱》　　沙千里 / 著

《爱迪生传》　　伍况甫 / 译

《歌德自传》(上下)　　歌德著 / 思慕译

《尼赫鲁自传》　　[印度] 尼赫鲁著 / 毕来译

《列宁传》　　[苏] 凯尔任采夫著 / 企程　朔望译

《罗斯福总统传》　　C. Mackenzie 著 / 张尚之译

《托尔斯泰传》(1-3)　　[英] 阿尔麦・莫德著 / 徐迟译

《革命文豪高尔基》　［美］亚历山大·康恩著 / 韬奋编译

《鲁迅纪念特辑》　新中国文艺社 / 编

《回忆鲁迅先生》　萧红 / 著

《人民文豪鲁迅》　平心 / 著

《亡友鲁迅印象记》　许寿裳 / 著

《鲁迅思想研究》　何干之 / 著

《鲁迅研究》　夏征农 / 编

《过来的时代：鲁迅论及其他》　雪峰 / 著

《电影戏剧表演术》　洪深 / 著

《日常心理漫谈》　［美］约瑟夫·查斯特罗著 / 曾宝施译

《心理常识漫话》　朱智贤　杨云美 / 著

《读书的方法与经验》　王任叔 / 著

《美国黑人生活纪实》　［美］加德维尔　斯坦倍克著 / 董秋斯译

《初访美国》　费孝通 / 著

《事业与成功》　［美］马尔腾著 / 汪原放译

《萍踪寄语（初集）》　韬奋 / 著

《一生的幸福前途——〈生活周刊〉信箱选集》　生活书店 / 编选

《深刻的印象》　生活周刊社 / 编

《海外的感受》　生活书店编译所 / 编

ISBN 978-7-108-04643-7
9 787108 046437 >
定价：47.00元